河出文庫

日本語 ことばあそびの歴史

今野真二

kawade bunko

河出書房新社

はじめに

「ことばあそび」というと、何か技巧を凝らしてつくったもののようなイメージがあるかもしれない。たしかにそういうものも少なからずある。その場合であっても、そういうものをつくってみようという「つくり手」がいて、その「ことばあそび」をおもしろいと思い、楽しいと思う、「受け手」がいるはずだ。そしておもしろいと思った「受け手」は自分もつくってみようと思って、今度は「つくり手」になる。

誰かが書いた文章を読んで、すばらしいと思い、自分もそういう文章を書いてみたいと思う。そしてチャレンジしてみる。これも「読み手」が「書き手」になるということで、考えてみれば、言語生活はそういうように、「書き手」は「読み手」にもなるし、「話し手」は「聞き手」でもあるという「双方向の動き」として成りたっている。他の人の書いたものを読むばかりで、自身では何も書いたことがない人はいないだろうし、他の人の話を聞いてばかりいて、自身では一言も発したことがない人もいないだろう。ことばあそびも「受け手」としてみるだけでなく、自分もつくってみるとおもしろさが増す。

本書は「ことばあそびの歴史」について述べていくが、かつてこういうことばあそびがありましたよ、という説明にとどまるのではなく、現代日本語と結びつけたり、場合によっては、同じ原理に基づいて筆者がつくった「新作（駄作）」も交え、楽しく読み進めていただけるようにできるだけの「工夫」をしてみた。「日本語の歴史」を再構築することが筆者の日頃取り組んでいるテーマなので、日本語、特に過去の日本語のありかたについての説明をきちんとした上で、その「ことばあそび」のおもしろさ、仕組みについて理解していただければと思っているし、そこまでを含めて楽しんでいただければと思う。

巻末に「参考文献」をあげておいた。「ことばあそび」について書かれた本は多い。過去の「ことばあそび」に関していえば、今まで誰も紹介していない「ことばあそび」はほとんどないといってよい。しかし、できるだけこれまで刊行されている書物と重複しないようにこころがけ、またその「ことばあそび」が成立した時期の日本語の状況と組み合わせて、丁寧に説明するようにした。そうしたことが不十分だとせっかくの「ことばあそび」のおもしろさやポイントがわかりにくくなってしまう。参考にさせていただいたこれまでの本の中には、そのあたりの説明がもう少し丁寧なほうがいいのではないか、と思うものがあった。また、可能なかぎり、その「ことばあそび」が載せられているもともとのテキストに遡るようにして、いわゆる「孫引き」にならないようにこころがけた。「ことばあそび」なんだから、そこまでしなくてもと思われるかもしれないが、「ことばあそび」だからこそ、一字が違うと「あそび」が成立しなくなるということもある。だから「原典」に遡ることはやはり大事だ。これまでの本では、どのようなテキストからその「ことばあそび」をもってきているか、記されていないことが少なくない。「原典」あるいは、いかなるテキストによっているかが示されていれば、書き手以外の人が自分で確かめることもできる。だから、できるだけ依拠したテキストを示すようにした。

日常の言語生活のすぐその先に「ことばあそび」がある。あるいは日常の言語生活の中に「ことばあそび」があるといってもよい。だから、「ことばあそび」をとおして、言語を運用することのおもしろさ、楽しさを改めて感じていただけるような本になることを目指した。そのねらいがうまく実現しているといい。

「ことばあそび」を「しょせんあそびだ」ととらえて、存分にあそぶ、ということでもちろんいい。しかし、「ことばあそび」がそれまでにできあがっていた古典文学作品に支えられていることはとても多い。そうした古典文学作品をみんなが知っている、ということを前提にして「ことばあそび」が成り立っていることが少なくない。「みんなが知っている古典文学作品」を仮に「教養」と表現し換えると、「あそび」から「勉強」にちかづくかもしれない。わかりやすくするために、図式化した説明をすれば、「あそび」と「勉強」とが左右両極にあるとしよう。その真ん中に「ことばあそび」がある。「ことばあそび」にも（純粋な、と言っておくが）「あそび」にちかいものももちろんある。

その一方で、少し「勉強」よりの位置にあるものもある。ここでは抽象的な意味合いで「勉強」という語を使っているが、「ことばあそび」とはそういうものだろう。そんな「気分」で本書を読んでいただくといいかもしれない。

ことばに宿る声を聞く

『古事記』が撰進された和銅五（七一二）年の翌年にあたる和銅六年に、郡内の産物について品目のリストをつくり、土地の名称の由来やその土地にかかわる伝承などの報告を求める官命が発せられた。この官命によって撰進されたのが『風土記』である。『風土記』をよんでいると、土地の名称についての記事がおもしろく感じられることがある。「常陸国風土記」の行方郡の記事の中に、「鯨岡」という岡のことが記されているが、それは「上古之時、海鯨匍匐而来所臥」（上古《いにしへ》の時《よ》、海鯨《くぢら》、匍匐《はらばひ》て来《きた》り臥《ふ》せりき＝昔、クジラがはらばってきて横たわった）からそういう名がついたという。それはクジラのような形をした岡を見て、クジラに似ていると思ったところからの発想だ。筆者が子供の頃に、近所に「ライオン岩」と呼んでいた小さな岩があった。子供の頃は高い岩山のように感じていたが、大きくなってから見たら小さなものだった。今はもうなくなってしまっている。しかしそれも、岩がどこかライオンのような形をしていたから名づけられたのだろう。これは「地形に動物の姿を見る」ということだ。

同じ「常陸国風土記」の香島郡の記事の中に、「安布賀之邑」という邑《むら》（＝村）の名がみえる。「安布賀」は「アフカ」という発音だと思われるので、「アフカ」という名前の邑があったことになる。その名は、ヤマトタケルが、妃であるオトタチバナヒメノミコトとこの場所で「参遇《まゐりあ》」った＝出会ったことによって名づけられたのだ、という説明がなされている。現在だったら、「アフカ」の「カ」はどうなったんだい？　ということになりそうだが、これはもちろん「アフカ」という地名がまずある。そしてその「アフカ」という地名の発音の中に、「アフ（遇）」という語を見出した、「アフ（遇）」という語の「発音を聞いた」ということであって、ヤマトタケルとオトタチバナヒメノミコトがここで出会ったという伝承があるとかないとかという話ではないと考える。地名の由来を説明しなさい、といわれて各地の「風土記」が編まれているのだから、なんとか説明をしたい。そこで耳をすまして、「地名に宿る声を聞いた」ということだ。これを「こじつけ」という人がいるかもしれない。たしかにそうもいえる。しかし、耳をすませる、五感を研ぎすまして語を「感じる」ということが（時には）必要で、そこから「ことばあそび」もうまれるのだと思う。日常生活で使っている語が、耳をすませることによって、一瞬、違う風貌をみせる。それがおもしろい。

あるいは、大阪府高槻市に笠森稲荷（かさのもりいなり／かさもりいなり）という稲荷神社がある。「カサ（笠）」という発音が「カサ（瘡）」（＝皮膚にできるできもの、はれもの）と重なるので、「笠森」が「瘡守」となって、瘡が平癒するという信仰がうまれた。これも「地名に宿る声を聞いた」ということだろう。そういう「感覚」は大切にしていきたい。

マスコットキャラクターの命名

地域の活性化や企業のキャンペーンのための、あるいは国や地方公共団体、公共機関などのマスコットキャラクターを目にすることが多くなってきた。一つの県一つの市が十を超えるキャラクターをもっている場合もあり、日本全国では膨大な数になるだろう。二〇一一年三月の九州新幹線全線開業の日をきっかけにうまれた「くまモン」はよく知られている。千葉県も船橋市も公認していないけれども、ナシの妖精という設定になっている「ふなっしー」も一時期よく目にしたので、ご存じの方も多いと思う。「くまモン」は熊本県知事から熊本県の営業部長兼しあわせ部長に任命されているとのことで、県名の「クマモト（熊本）」と動物の「クマ（熊）」とをあわせている。「ふなっしー」は地名の「フナバシ（船橋）」と「ナシ（梨）」とをあわせているが、「フナシ」でも「フナナシ」でもなく、促音と長音とを加えて「フナッシー」とすることによって、「フナ（船）＋ナシ（梨）」という成り立ちをむしろわかりにくくしているともいえるだろう。どういう語から成り立っているかをわかりにくくすることによって、キャラクターの名前としての新しさを保っているといってもよい。そういう場合に、促音や長音が使われているということも興味深い。

昭和四十一（一九六六）年七月十七日から昭和四十二年四月九日まで全三十九話がT

BS系で毎週日曜日の夜七時から三十分間放映された『ウルトラマン』という特撮テレビ番組がある。と、説明するまでもないような、よく知られている番組だろう。筆者が八歳の時のことで、夢中になってみた記憶がある。

その第五話は「ミロガンダの秘密」という題名で、オイリス島という島に生息する食虫植物ミロガンダが突然変異をおこして「グリーンモンス」という怪獣になるという話だ。『ウルトラマン』が放映されていた時は、いろいろなことから全話を確実に見たわけではなかった。第七話の「バラージの青い石」は、（ほんとうはアリジゴクがモデルなのだろうが）クワガタムシ＋カブトムシのような姿をした磁力怪獣「アントラー」がでてくるので、昆虫好きだった筆者は是非見たかったのだが、なぜか見逃していた。ずっと見たいと思っていたが、最近になって、第五話から第八話までが収められている中古のDVDを購入した。念願の第七話をやっと見ることができ、その時に第五話も再び見た。題名の「ミロガンダ」は覚えていたのだが、怪獣の名が「グリーンモンス」であることは忘れていた。そこで「おっ！」と思った。怪獣の名前を分析したりするのは、なんだかなあ、という感じだが、「グリーンモンス」の「モンス」は〈苔〉という語義をもつ英語「moss」＝モスに撥音をわりこませた語形でもあり、〈怪獣〉という語義をもつ英語「monster」＝モンスターの省略形とみることもできるということに気づいた。『ウルトラマン』の前には『ウルトラQ』というシリーズが放映されていたが、そのシリーズには、モグラ怪獣「モングラー」がでてくる。「モグラ」に撥音をわりこませ、末尾に長音を加えたもので、「うんうん」という感じだが、まあ「そのまんま」ともいえる。

恐竜の名前には「〜サウルス」や「〜ドン」が少なくない。ブラキオサウルス（Brachiosaurus）、ティラノサウルス（Tyrannosaurus）やイグアノドン（Iguanodon）、プテラノドン（Pteranodon）などがある。「サウルス」は〈トカゲ〉で、「ドン」は〈歯〉を意味するとのことだが、「〜ドン」という名前の恐竜がいるのだから、「〜ドン」と名づけることによって、恐竜、怪獣らしい名前をつくることができる。二次元怪獣ガヴァドン、地底怪獣テレスドン、黄金怪獣ゴルドン、メガトン怪獣スカイドンなど、さまざまな「〜ドン」がある。

ちょっと脱線気味になってしまったが、こういう「命名」もひろい意味合いでの「ことばあそび」だろう。さて、話を戻そう。

他にも、彦根城築城四百年のマスコットとして誕生した「ひこにゃん」や埼玉県深谷市のキャラクターである「ふっかちゃん」などいろいろなマスコットキャラクターがある。マスコットキャラクターの名前も多様であるが、地名（の一部）と産物名とを組み合わせてあるもの、あるいは産物からつくられているものが少なくない。

茨城県名産の納豆をモチーフにしたマスコットキャラクターに「ねば〜る君」があるが、納豆だからといって、「ナットウ君」では芸がない。「ネバル君」も当たり前すぎる。しかし、あんまり納豆から離れてしまうと、納豆がアピールできない。そこで長音を加えて「ねば〜る君」となるが、そこにはいわば少しのあそび心がありそうだ。

ある命名をした人物にあそび心があったかどうかは、その人物に直接たずねてみるしかない。直接たずねないで「証明」することはむずかしい。本書は「ことばあそびの歴史」を書名とした。こういう「ことばあそび」がありましたよ、ということを日本語の歴史とともに紹介していきたいが、「あそび」だったか、そうではなかったか、というところにはあまりこだわらないで、「なるほどおもしろい」と（おそらく）多くの方が思ってくださるだろうと筆者が思ったものをどんどん採りあげていこうと思う。

目次

第三章

中世――なぞなぞの宝庫　129

第四章

日本語　ことばあそびの歴史

第一章

ことばあそび事始め

あそびのあることば

言語は「コミュニケーションの道具」だとよくいわれる。もちろんそういう面が強いが、それだけでは満足しなかったのが人間だ、とも思う。言語を使って、文学作品をうみだしてきた。そして、日常のコミュニケーションであっても、伝達一辺倒というわけでもない。

筆者は「伝達言語」という、伝達をおもな目的とする言語と、「詩的言語」という、伝達一辺倒ではない言語とがあると考える。もちろん両者は截然と分かれているわけではなく、「伝達言語」にもさまざまなものがあり、「詩的言語」を織り込んだものもあるだろう。

本書では、その「詩的言語」にちかい側にある「ことばあそび」についていろいろな観点から採りあげていきたい。谷川俊太郎は「「あそび」のある言葉の大切さを知ること」(『kotoba コトバ』二〇一二年秋号)において、「言葉で「あそぶ」ことも大事だけど、それ以上に言葉の「あそび」が大事だと思うんですよ。ギチギチで、潤滑剤としての「あそび」の部分がまったくない言葉は、意味は伝わっても、人の心にも腑にも落ちてこない」と述べている。「ことばであそぶ」ことと同時に、余裕のあることば、「ことばのあそび」が今こそ重要になってきていると思う。他者を追い詰めていくような(それは自身をも追い詰めていくであろうが）余裕のないことばから距離をとることは大事だと考える。

谷川俊太郎のいう「あそび」は「ハンドルのあそび」というような場合の「あそび」で、〈余裕、ゆとり〉という語義の「あそび」だ。言語を「コミュニケーション」のための「道具」とみると、むだなことはないほうがいいことになる。「余計なことは言うな」ということだ。自分の伝えたいことを「一直線」に相手に伝える場合には、わかりにくいところがないほうがいい。しかし「ことばあそび」、とくになぞなぞなどは、「あれ？」という「つっかかり」が必要だ。いったん「つっかかる」、しかし「なんだ、こういうことか」と「わかる」。それがおもしろいわけだから、いったん「通じそうで通じない」という状況を、あえてつくりだしているようなものだ。この「通じそうで通じない」という状況を楽しむのも「ことばあそび」だろう。

ことばあそびからみた言語

「ことばあそびからみた言語」というと少し厳めしい感じがするが、いろいろなことばあそびについてよく考えてみると、言語（日本語）の仕組みがわかることがある。

筆者は大学で日本語学にかかわる授業科目をおもに担当している。「日本語学概論」という授業では、言語の基本的なとらえかたを説明するが、まず「語」がありますね、

という ところから説明を始める。「では語とは（結局）なんだろう？」と問いかけ、音が並んで語をかたちづくるということを説明する。だから「音」がまずある。

音にかかわることばあそび

言語の「音」にかかわることばあそびはたくさんある。
北原白秋、田中善徳の水郷柳河写真集『水の構図』（一九四三年、アルス）には「バンバンの別れ」という題の次のような詩が収められている。

バンバンの別れ

バンバン
よかたん、
牡丹の花たん
あんたのゴンシャン
盛りの花たん、
帰つてよかたん、
安心せんのん、
むぞかろばつてん、
帰つて寝んのん、

お寺もあろだん、
バンバン
よかたん、
あんたのゴンシャン
牡丹の花たん

註　バンバンは乳母方言。
ゴンシャンはお嬢さん、おなじく。

北原白秋の詩には時として、右のように「註」が附けられていることがあるが、ここでも「バンバン」は〈乳母〉という語義をもつ方言で、「ゴンシャン」は〈お嬢さん〉という語義をもつ方言であることが記されている。さて、右の詩は、改めていうまでもなく、詩の各行が撥音で終わるようにつくられている。そして、右のように、書くことによって、それがはっきりとする。これは「ことばあそび」に限りなくちかい。
「驚き桃の木山椒の木」という言い回しを耳にしたことがあるだろうか。これは「オドロキ（驚）」の「キ」に「モモノキ（桃の木）」と「サンショノキ（山椒の木）」の「キ」を合わせてつくった「語呂合わせ」だ。だから「驚き梅の木柘榴の木」でもいいわけだ。最初この言い回しを聞いた時に「どういう意味なんだろう」と思ったが、「オドロキ」の「キ」に合わせて「桃の木」と「山椒の木」が並べられているだけなので、そこは何も意味にかかわっていない。つまり意味は〈おどろいた〉ということだけだ。

一九六二年から一九六八年にかけてTBS系列で放映されていた『てなもんや三度笠』という、時代劇コメディがあった。NHKで一九五六年から一九六四年まで放送されていた人形劇『チロリン村とくるみの木』は近所の家に見にいっていた記憶があるが、一九六四年の東京オリンピックは自宅のテレビでたしかに見た。『てなもんや三度笠』を見たのも自宅だったと思うので、そのあたりでテレビを買ったということになる。それはいいとして、『てなもんや三度笠』に出演していた藤田まことが番組のスポンサーとなっていた前田製菓のクラッカーを胸から取り出して「あたり前田のクラッカー」というセリフを言う場面があり、これが（どの程度はやったのかはわからないが）はやった。少なくとも亡くなった父はよくこれを口にしていた。これは「アタリマエダ（当たり前だ）」と「マエダ（セイカ）（前田製菓）」とを重ね合わせているので、「驚き桃の木山椒の木」よりも「無意味な部分」は少ないが、こういう「語呂合わせ」のようなことばあそびがひろくつくられていたことがわかる。これは「音」にかかわるものだ。

文字にかかわることばあそび

産経新聞社と立命館大学白川静記念東洋文字文化研究所が「創作漢字コンテスト」というイベントを行なっている。二〇一五年九月に第六回の応募が締め切られているので、六年前から始まっていることがわかる。「募集内容」には「現代日本の世相や生活、将来へ夢膨らむ漢字一字を創作してください。漢字には、その訓読みと漢字の意味・解説を必ず付記してください。創作漢字の形のほか読みや漢字の意味・解説などを総合的に審査します。（音読みはあってもなくてもかまいません）」とある。

例えば、第六回では次のような「創作漢字」が受賞している。

図1

図2

図3

図4

図1は第六回のコンテストで最優秀賞を受賞しているが、「人生、山あり谷あり」という訓をもつ漢字だ。訓がちょっと長いようにも思うが、あそび心が大切だ。図2は音が「ゼン」、訓は「せみしぐれ」、意味は「蟬の声が、雨のように降りそそぐ」という漢字、図3は音が「コウ・コウイ」で訓が「ころもがえ」、意味は「着がえること」という漢字、図4は「屋上緑化」という訓の漢字だ。このように、漢字をつくって遊ぶということもある。江戸時代にはさかんにこうした「創作漢字」がつくられているので、それについては本書第四章で紹介する。

漢字はもともと中国語を書くための文字であるので、基本的には「中国生まれ」のはずだ。しかし、日本でつくられた漢字もある。そうした「日本製漢字」を「国字」と呼ぶことがある。

漢字のできかたには六つの場合（象形・指事・会意・形声・転注・仮借《かしゃ》）があることが漢の時代にわかり、これを総称して「六書《りくしょ》」と呼んでいた。象形から形声までは、文字の成り立ちとその構造に基づく分類で、転注と仮借とは文字を運用する原理にかかわる分類なので、厳密には「漢字のできかた」ばかりではないが、とにかくそのようにとらえられていた。

これらの中で「会意」は象形や指事ではあらわすことができない、やや複雑なことがらを、二つ以上の漢字構成要素を組み合わせて、あらわすようにした文字のことをいう。例えば、「鳥」と「口」とを組み合わせることによって、〈鳥が口を開けて呼ぶ〉という語義をもつ語をあらわしたり、「刀」と「衣」とを組み合わせることによって、〈衣服をつくる時は、まず刀で布地＝衣を裁断する＝はじめる〉という語義をもつ語をあらわす、というような場合にあたる。

「鳥」も「刀」も「部首」と呼ばれる、基幹となる文字（＝漢字構成要素）であって、そうした文字と他の文字とを組み合わせて新たな文字がつくられることが多い。「国字」もこの会意の原理に従ってつくられることが多い。「人」と「動」とを組み合わせて〈はたらく＝人が動く〉という語義をもつ「働」という字をつくるのはこの会意にあたる。先に紹介した「創作漢字」の中にも「会意」の原理でつくられているものが少なくない。

『万葉集』にみられることばあそび

『万葉集』はだいたい八世紀にはできあがっていたと考えられている。したがって、『万葉集』をかたちづくっているのは八世紀頃の日本語だ。『万葉集』にも、ことばあそび（のようなもの）がみられる。

仮名がうまれ、使われるようになったのは、十世紀頃なので、八世紀にはまだ仮名がなかった。この時期には日本語を漢字によって書いていた。日本語を文字化するにあたって、どのような漢字（列）を使うか、という「漢字の使いかた」に「あそび心」のようなものを感じることがある。これは現代の人だけではなく、江戸時代の人もそうだったと思われる。

江戸時代の文化十五（一八一八）年に、国学者の春登《しゅんとう》という人が著わした『万葉用字格《まんようようじかく》』という本が出版されている。『万葉集』における漢字の使いかたについて分類をしたものであるが、その分類の中に、「戯書《ぎしょ》」がある。例えば、「キタヤマニ」を「向南山」と書いた例や「イマゾナギヌル」の「ヌル」を漢字列「少熱」によって書いた例が「戯書」に分類されている。そのように漢字をあてた人が誰かはもちろんわかっていない。そして、その人が「戯れ《たわむ》」にそのように書いたかどうかも、もちろんわからない。

しかし、「そうかもしれないな」と現代人に思わせるような書きかたではある。一つ例をあげてみよう。巻十二に収められた二九九一番歌だ。

イインと鳴く馬、ブと飛ぶ蜂

垂乳根之　母我養蚕乃　眉隠　馬声蜂音石花蜘蟵荒鹿　異母二不相而

さてみなさんは右の漢字をどのように「解読」されるだろうか。この歌は有名になっているので、あるいはご存じのかたもいらっしゃることだろう。右の歌は現在、「たらちねの母が飼ふ蚕《こ》の繭《まよ》隠《ごも》りいぶせくもあるか妹《いも》にあはずして」(=母が飼う蚕の繭隠りのように、鬱々とすることだ。あなたに逢わないでいて)という和歌を書いたものだと考えられている。「馬声蜂音石花蜘蟵荒鹿」の「馬声」が「イ」、「蜂音」が「ブ」、「石花」が「セ」、「蜘蟵」が「クモ」、「荒鹿」が「アルカ」に対応していると思われる。現在「カメノテ」などと呼ぶ甲殻類を上代においては「セ」と呼んでいたが、石に附着しているさまを「花」に見立てたのが、「石花」と思われる。昆虫の「クモ」は「蜘蛛」と書くこともあるが、「蜘蟵」も使われることがある。

おもしろいのは「ブ」という音をあらわすのに「蜂音」という漢字列を使ったことだ。詩人の村野四郎が作詞した「ぶんぶんぶんはちがとぶ」という歌詞の童謡があるが、ハチが飛ぶ音を「ブ」や「ブン」でとらえるのはごく自然なことといえるだろう。そういえば、英語で「ハチ」は「bee」だし、飛んでいる音は「buzz」でどちらにもB音が含まれている。IBM社のロゴマークに、目とハチとMとを横に並べたものがある。目は英語で「eye」で、ハチは「bee」であるが、これも「ことばあそび」といえる。

訝《いぶか》しいのは「馬声」で「イ」という音をあらわしているところだ。現在だと馬の鳴き声は「ヒヒン」というようなかたちでとらえていると思う。このことについては碩学、橋本進吉が「駒のいななき」（『国語音韻の研究』一九五〇年、岩波書店）において明快に説いているので、詳しく知りたい方はそれを御覧いただければと思う。ここではごく簡略に説明をしておくが、これは日本語の音韻変化にかかわっている。さらにいえば、ハ行の子音がどのような音であるか／あったか、ということにかかわっている。ハ行の「ヒ」の発音は上代においては、「フィ」のような発音だったために、馬の鳴き声を「ヒヒン」ととらえることはできなかった。上代の日本語の中で、馬の鳴き声をとらえるとすれば、「イ」がちかかったということだ。誰かわからないけれども、「イ」という音を漢字で書くにあたって、「イ」という音《おん》をもっている漢字「伊」や「夷」を使うのではなく、わざわざ「馬声」という漢字列を使ったために、（いや使ってくれたおかげで）上代のハ行の子音が現在のようではなかったことがわかった。

このことにかかわる、筆者の憶測にちかい推測をさらに述べてみる。馬が鳴く場合に限って「イナナク」という動詞を使う。他の動物が鳴く場合には「イナナク」とはいわない。この「イナナク」の「ナク」は「鳴く」と考えるのが自然ではないだろうか。そうすると「イナナク」は「イナと鳴く」で、「イナ」は擬声語（またはそこから変化した形）と考えることはできないだろうか。「インナク」すなわち「インと鳴く」という語形から「イナナク」という語形がうまれたと考えることはできないだろうか。この憶測があたっているとすれば、やはり馬の鳴き声を「イ」あるいは「イン」でとらえていた時期があったということになる。このようにことばを分解してみることも、立派なことばあそびだと思う。

四四、十六、九九、八十一

巻十三には「挽歌」が収められているが、三三三〇番の長歌の中に、現在「玉こそば緒の絶えぬればくくりつつまたも合ふといへ」（＝玉であれば、糸が切れたら結んでまた合うというけれども）とよまれている箇所がある。その「ククリツツ」は「八十一里喚鶏」と書かれている。漢字で書かれている『万葉集』を「よむ」という方向で説明するならば、「八十一里喚鶏」を「ククリツツ」とよんでいる、ということになる。「里」が「リ」にあてられていることはわかるので、そうなると「八十一」で「クク」という音（連続）を書いたことになる。「九九、八十一」、掛け算九九だ。三二四二番歌では、美濃国にあったと思われる「ククリノミヤ」という宮所を「八十一隣之宮」と書いており、ここでも「クク」という音連続に「八十一」があてられているので、偶然ではない。あるいは巻三の二三九番歌には「ししこそば　い這ひ拝《をろが》め」とよまれている箇所がある。「シシ」は食用にする獣、具体的には鹿や猪をさす語であるので、「鹿や猪は膝を折って這い拝みもしよう」というような意味であるが、「十六社者　伊波比拝目」と書かれており、「シシ」に漢字列「十六」があてられている。こちらは「四四、十六」だ。『万葉集』が書かれた時期には確実に「九九」が日本に伝えられていたことがわかる。

数字、数字、数字

言云者　三々二田八酢四　小九毛　心中二　我念羽奈九二（二五八一番歌）

右は現在「言《こと》にいへば耳にたやすし少なくも心のうちにわが思はなくに」（＝ことばに出して言うと、耳にはたやすく聞こえるものだ。だが、心のうちでは一方ならず思っている）とよまれている。一見してわかるように、数字を多く使っている。これは意図的であろう。同様に次の一七八一番歌も数字を多く使っている。

海津路乃　名木名六時毛　渡七六　加九多都波二　船出可為八

右は現在「海つ路の凪《な》ぎなむ時も渡らなむかく立つ波に船出すべしや」（＝海路が凪いでいる時にでも渡ってください。このように波立つ時に船出をすべきでしょうか）とよまれている。こちらも「六・七・六・九・二・八」と多くの数字を使っている。

漢数字は漢字ではあっても、いわばことさらの字義をもたない字ともいえる。漢字の字義をきちんと意識していた時期には、字義が「ない」数字は漢字の中でも特殊な存在に映っていたということはないだろうか。

少し話がとぶが、明治期の新聞に、使われている漢字すべてに振仮名を施す「総ルビ」方式で印刷されたものがある。そういう出版物も少なからずある。「総ルビ」方式であっても、数字には振仮名を施さないというのがいわば「暗黙のルール」だったようで、数字にはまったくといっていいほど振仮名がない。これも数字を特殊なものとみていたことのあらわれではないだろうか。夏目漱石の『道草』の単行本（一九一五年、岩波書店）から例をあげてみよう。

『道草』には「健三」という登場人物がでてくるが、すべて「健《けん》三」と印刷されていて、「三」には振仮名が施されていない。振仮名が施されていないので、「健三」がなんと発音されるはずの名なのかはほんとうはわからないのだが、ごく常識的に「ケンゾウ」だと考えておくことにしよう。そうすると、「健三」の「三」は「サン」と発音するわけではないのにもかかわらず、振仮名が施されていないことになる。「一昨日」に「をとひ」、「一寸」に「ちよつと」と振仮名が施されているのは、これらの「一」が数字として使われていないという判断だろう。いずれにしても、漢数字は特殊な漢字にみえることがあることがわかる。

『道草』を話題にしたので、ということでもないが、ここで少し脇道に行ってみよう。数字だけの名字がある。荒木良造編『名乗辞典』（一九五九年、東京堂出版）という本があるが、この本には「難訓姓氏辞典」が附録されている。それをみると、数字だけ、あるいは数字に漢字一字が加わった名字がたくさんあることがわかる。中にはことばあそび的なものも含まれている。次の名字はなんと発音するかすぐにわかるだろうか。発音は一つとは限らない。

一二三……………イジミ・ヒホミ・ウタカネ・ウタタネ
二九………………フタク
二十二……………ジソジ
七五三……………シメカケ
八十一鱗…………ククリ
八九十三…………ヤクトミ
八月十五日………ナカアキ
九十九……………ツクモ
十二月晦日………ヒヅメ
九…………………イチジク

さて、ここまでおもに『万葉集』を採りあげてきたので、次は『古今和歌集』を採りあげながら、和歌とことばあそびについて考えてみよう。

和歌とことばあそび

『古今和歌集』は醍醐天皇（八八五～九三〇）の下命によって編まれた、最初の勅撰和歌集である。延喜五（九〇五）年頃に成ったと考えられているので、その頃の日本語で書かれていることになる。

縁語

『古今和歌集』巻第十三は「恋歌」を収めるが、次のような歌がある。

冬の池に住むにほどりのつれもなくそこにかよふと人に知らすな（六六二番歌）

「ニオドリ（鳰鳥）」はカイツブリのこと。歌意は「冬の池に住むカイツブリは、（いつも雌雄が連れ添っているが、今はその）連れもなく（一羽＝ひとりで）水底《そこ》を潜っているが、そのように、私がひとりで其処《そこ》に通っていると、人には知らせないでください」ぐらいであるが、「イケ（池）」「ニホドリ（鳰鳥）」「ソコ（底）」はすべて「ミヅ（水）」に縁がある、縁語である。

この和歌では、歌意からもわかるように、「ソコ」に〈（水）底〉という語義をもつ語と〈そこ〉という語義をもつ語とが「掛けて」ある。これは次に説明する「掛け詞」という和歌の技法である。縁語はこのように掛け詞とともにみられることが少なくない。

青柳のいとよりかくる春しもぞみだれて花のほころびにける（二十六番歌）

歌意は「青柳が風になびいて、まるで糸を撚り合わせるように見える春こそは、青柳の糸が風に乱れて、その柳の花が咲いていることだ」ぐらいであるが、「イト（糸）」「ヨル（縒）」「カク（掛）」「ミダル（乱）」「ホコロブ（綻）」が響き合っている。「イト（糸）」の縁語を使って構成された和歌といってよい。

具体的な表現として和歌をとらえれば、カイツブリを採りあげたのだから、そのカイツブリがいる「イケ（池）」という語も使い、カイツブリが水にもぐっている様子を表現すれば、「ソコ（底）」という語や「カヨフ（通）」という語を使うということはむしろ自然なことで、さほど「技巧的」ともいえない。しかしまた、ある語を軸として、その語と何らかの関係をもっている語がすぐに想起できるということは、言語を使って表現を組み立てる場合には必要なことである。それは類義語がすぐに想起できるかということのようにもみえるが、和歌をつくるという場合であれば、和歌の表現（のしかた）ということを前提にしているのであり、そこには約束事＝前提（presupposition）がある。そう考えると、縁語を使った和歌表現は、認知言語学でいわれる「フレーム（frame）」

＝「ある概念を理解するのに前提となるような知識構造」（辻幸夫『認知言語学キーワード事典』二〇〇二年、研究社）によって詠まれ、読まれているといえるかもしれない。

二〇一八年まではベネッセコーポレーションと朝日新聞社との共同実施による「語彙・読解力検定」が行なわれていた。そうしたこともあってだろうか、「語彙」という語を目にすることが多くなった。筆者の勤務する大学の推薦系の入学試験の面接などでも、この検定を受けているという話がでることが少なくなかった。

語は、語形＝発音、語義、用法などの点で、他の語と「緊張関係」を形成して存在していると思われる。言い換えれば、一つの語には発音が似ている語、発音の一部が同じ語があり、語義がちかい語（＝類義語）があり、語義が「対」になったり、「反対」になったりする「対義語」がある。そういう他の語との「かねあい」の中で存在しているといってよい。そうした語のありかたをふまえて、語を一つだけ採りあげるのではなく、（何らかの）「集合」としてとらえる時に、その「集合」を「語彙（lexicon）」と呼ぶ。語がそのようなありかたをしているということと、「ことばあそび」とは深く結びついている。語がそのようにある、ということを楽しく表現しているのが「ことばあそび」といってもよいのかもしれない、と思う。

「「カイツブリ」にかかわる語群」というと、変な感じがするかもしれないが、「「カイツブリ」をめぐる語群」といってもよい。それがいわば「カイツブリ語彙」だ。『日本国語大辞典』第二版は「カイツブリ」を「カイツブリ科の水鳥。全長約二六センチメートル、背面は灰褐色で腹面は白く、尾は非常に短い。夏になるとくびの部分が栗色になる。葉状の水かきをもち、巧みに潜水して小魚を捕食する。日本では湖沼、河川にすむ留鳥で、夏、水草を集めて「鳰（にお）の浮巣」と呼ばれる巣を作る」と説明している。つまりあまり大きくない水鳥で、潜水して魚をとる。小型の鳥だから、すいすいと水面を泳ぎ回っては、急に水に潜って、「あれどこに行ったかな」と思っていると、ずいぶん離れたところにぽっかりと出てくるという感じだ。その「カイツブリ語彙」と「恋愛語彙」とをうまく組み合わせて和歌をつくれば、「カイツブリをよみながら、恋愛をよむ」という和歌ができあがる。「カイツブリ」を「自然」、「恋愛」を「人事」ととらえれば、自然と人事とを組み合わせた作歌ということになり、これはよくある和歌の組み立てかたになる。

中学校や高等学校で、和歌の実作ということをどのくらいやるのかわからないけれども、おそらくあまりやらないのではないかと推測する。「カイツブリ」は中学生や高校生にはほとんど馴染みのない鳥だろうから、例えば「カモメ」を使って、自身の恋愛感情を表現する和歌をつくる、というようなことをやったら、言語で何かを表現するというのがどういうことか、が感覚として少しつかめるのではないか、と思ったりもする。

鳥の名前を集めるのは、「鳥の名語彙」を集めるということだが、「鳥の縁語」を集めるというのは、それよりも少し複雑かもしれない。例えば後者には「ツバサ（翼）」も含まれるだろうし、「トブ（飛）」という動詞も含まれるはずだ。「タマゴ（卵）」も含まれるだろうし、「ヒナ（雛）」も含まれる。やはり認知言語学の「フレーム」とちかい面をもっているように思う。そういう「鳥の縁語」を使って、和歌をつくるということはそれほど単純なことではない。縁語は和歌に続いて発生した文芸である連歌にも受け継がれていく。というよりも、そうした「縁語的な感覚」は言語を運用していくにあたっては、ごく自然な感覚といってよいのではないだろうか。「鳥の名」を集めるということは、後に説明する「物名」の根底にあるといってもよい。せっかく集めた「鳥の名」や「草の名」だから、それを使って和歌をつくる、しかしただつくるのではおもしろくないから、それを表にださない、というのが物名歌だ。

漫画『サザエさん』の登場人物を縁語とみることもできる。磯野家の先祖は、「磯野《いその》藻《も》屑《くず》源《みなもとの》素《す》太《た》皆《みな》」で、「磯野波平」と「フネ」の子供が「サザエ」「カツオ」「ワカメ」で、「サザエ」の夫が「フグ田マスオ」、二人の子供が「タラオ」だ。このあたりまでは「常識」かもしれない。「波平」には双子の兄「海平」がいて、さらには「なぎえ」という妹がいる。この「なぎえ」には五人子供がいるようだが、その第四子が「ノリスケ」で、「ノリスケ」は「タイコ」さんと結婚して、その子供が「イクラ」ちゃんだ。一方、「フネ」には「鯛造」という兄がいて、「鯛造」は「おこぜ」と結婚している。「マスオ」さんには兄がいて、その子供が「ノリオ」であるとのことだ。これはアニメサザエさん公式大図鑑『サザエでございま～す！』（二〇一一年、扶桑社）によった。アニメ『サザエさん』は昭和四十四（一九六九）年十月五日に第一回目が放送されているが、放送は現在まで五十年以上続いている。

二十歳の時に第二十三回メフィスト賞を『クビキリサイクル　青色サヴァンと戯言遣い』で受賞した西尾維新は漫画原作者としても知られている。「ニシオイシン（西尾維新）」を訓令式のローマ字で書くと「NISIOISIN」となり、「O」を中心とした左右対称になり、「ニシオイシン」という発音を終わりから発音すれば、「ニシオイシン」になって発音上のいわば「回文」になっていることが指摘されているように、言語遊戯的な要素とかかわりがふかい。

西尾維新原作（作画：暁月あきら）の「めだかボックス」は、『週刊少年ジャンプ』（集英社）の二〇〇九年十号に読み切りとして掲載され、その後、同年の二十四号から二〇一三年の二十二・二十三合併号まで連載され、現在ではジャンプコミックスとして全二十二巻が刊行されている。この『めだかボックス』の登場人物の名字がいずれも九州地方の地名になっている。少し紹介してみよう。

黒神めだか（鹿児島県鹿児島市黒神町）
人吉善吉（熊本県人吉市）
不知火半袖（熊本県宇城市不知火町）
阿久根高貴（鹿児島県阿久根市）
鍋島猫美（佐賀県佐賀市鍋島町）

喜界島もがな（鹿児島県大島郡喜界島）
球磨川禊（熊本県人吉盆地を貫流する河川）
名瀬夭歌（鹿児島県奄美市名瀬）
江迎《むかえ》怒江（長崎県佐世保市江迎町）
鰐塚処理（宮崎県宮崎市田野町甲鰐塚山）
宗像恋（福岡県宗像市）
虎居砕《くだき》（鹿児島県薩摩郡さつま町虎居）

右のように、九州の地名を名字としている。これは縁語ではないが、「九州地方の地名」というグループに属しているということになり、広義の縁語といってもよいかもしれない。ちょうど伊達騒動を描いた、志賀直哉「赤西蠣太《あかにしかきた》」の登場人物名が、「銀鮫鱒次郎」「小江《さざえ》」「安甲《あんこう》」のように、魚介類の名に基づいてつけられているのと同じだ。そういえば、『名探偵コナン』の登場人物も古今東西の推理小説等にかかわった名前がつけられている。

江戸川コナン……江戸川乱歩＋コナン・ドイル
毛利蘭…………モーリス・ルブラン（ルパンの作者）
毛利小五郎……江戸川乱歩の作品に登場する私立探偵、明智小五郎

妃英理《えり》……エラリー・クイーン
阿笠博士《あがさひろし》……アガサ・クリスティ
鈴木次郎吉……鼠小僧次郎吉
目暮十三《めぐれじゅうぞう》……警察官ジュール・メグレ
松本清長《きよなが》……松本清張
三池苗子……三毛猫ホームズ
遠山銀司郎……遠山金四郎
山村ミサオ……山村美紗
大和敢助……山本勘助

これも広義の縁語といえそうだ。登場人物の数が多い作品では登場人物の名前を考えるのがたいへんそうだ。そういう時に、つながりのある名前であると、つけやすいということはありそうだ。それも、「つながりのある状態で心的辞書に収められている」からだといえるだろう。

掛詞

やはり『古今和歌集』から例をあげることにしよう。

花の色はうつりにけりないたづらにわが身世にふるながめせしまに（一一三番歌）

小野小町の作品としてよく知られている和歌で、高等学校の教科書などで学習した方もいらっしゃるだろう。歌意は「花の色は衰えてしまったことだなあ。何をするでもなくむなしく、私がこの世でもの思いをして過ごしている間に、長雨が続いて」ぐらいである。「ふる」は「フル（経・古）」と「フル（降）」とを、「ナガメ」は〈物思いをする〉という語義の「ナガメ（眺）」と〈長雨〉という語義の「ナガメ」とをかけていると考えられている。雨が降っていることと、自身が世を（むなしく）過ごしていること、長雨と物思いとを重ね合わせた表現となっている。巧みな表現だと思う。

もみぢ葉の散りてつもれるわが宿に誰を松虫ここら鳴くらむ（二〇三番歌）

「ココラ」は〈程度や数量のはなはだしいさま〉を表わす語なので、歌意は「紅葉の葉の散り積もった私の家で、誰を待って、人を待つという名前のあの虫がしきりと鳴くのだろうか」ぐらいになる。ここでは「タレヲマツムシ」というところに「誰を待つ」と「松虫」とが重なって表現されていることになる。動詞の「マツ（待）」と名詞の「マツ（松）」とがかけられているといってもよい。「マツムシ」という虫の名に、「マツ」という動詞を見出した、あるいは「マツムシ」という発音の中に「マツ」という動詞を「聞いた」といってもよい。それを「あそび心」と呼ぶとすれば、掛詞とは言語音にかかわることばあそびということになる。

物名《もののな》・隠題《かくしだい》

『古今和歌集』の巻十は「物名」という部である。動植物名を和歌に「よみこみ」、「おお、こんな風によみこむのか」ということをみせたのだろう。四二二番歌、四二三番歌、四二四番歌を順にあげる。

心から花のしづくにそほちつつ憂《う》く干《ひ》ずとのみ鳥の鳴くらむ
来べきほど時過ぎぬれや待ちわびて鳴くなる声の人をとよむる
浪の打つ瀬見ればたまぞ乱れける拾はば袖にはかなからむや

四二二番歌は、「自分自身の心から（好んで）花のしずくに濡れながら、つらくて乾かないとばかり鳥が鳴いていることだ」というような歌意、四二三番歌は、「来て鳴くはずの頃合いを過ぎたためだろうか。待ちくたびれた末に鳴く声が人々をほめそやさせることだ」というような歌意、四二四番歌は、「浪がたつ瀬を見ると、珠が乱れ散っていることだ。その珠を拾うならば、袖の中ではかなくなるだろうか」というような歌意であるが、それぞれの歌に、何がよみこまれているか、おわかりになるだろうか。

四二二番歌には「うくひす（鶯）」、四二三番歌には「ほととぎす（郭公）」、四二四番歌には「うつせみ（空蟬）」がよみこまれている。「ウツセミ」はセミの抜け殻、またはセミそのもののこと。

四二四番歌のように、「ウツセミ」（の語義）と歌意とがまったく関係ないと「おお！」という感じがつよくなる。四二三番歌では、ホトトギスが鳴くことを「待ちわびて」いるので、よみこまれている「ホトトギス」は歌意に沿っている。歌意に沿っているので、意外性はないことになる。

右では、あえて漢字を多く使っているので、「物名」がすぐにはわからないようになっているが、『古今和歌集』が編まれた頃は、おそらくほとんど仮名で書いていただろうから、案外と「物名」はわかりやすかっただろう。というよりも、よみこんだ「物名」は歌題として明示されていた。だから、「よみこまれている物名はなんだろう？」というクイズではなかった。むしろ、巧みによみこむ、そのよみこみぶりをめでていたのだろう。

さて、例えば、四二三番歌の第一句、第二句は、当時「クベキホドトキスギヌレヤ」と発音していたと思われる。よみこむ「物名」＝語は「ホトトギス」だ。和歌では「ホドトキス」と発音する箇所に「ホトトギス」と発音する語をよみこんでいる。「ホトトギス」では、第四拍目のみが濁音で、あとは清音だ。一方、和歌では第二拍めのみが濁音で、あとは清音なので、濁音と清音との配置が異なる。四二二番歌もそうだ。よみこむ「物名」＝語は「ウグヒス」であるが、和歌の当該箇所の発音は「ウクヒズ」で、こちらも濁音と清音との配置が異なる。これでよかった。ということは、この「よみこみ」においては、濁音、清音の違いは問題になっていないということだ。

参考までに、藤原定家が右の三首をどのように書いていたかを、冷泉家時雨亭文庫に蔵されている「嘉禄二年本」と呼ばれているテキストによってあげてみよう。

心から花のしつくにそほちつゝうくひすとのみ鳥のなくらむ
くへきほと、きすきぬれやまちわひてなくなるこゑの人をとよむる
浪のうつせ見れは玉そみたれけるひろは、袖にはかなからむや

この時期には、というより江戸時代ぐらいまで、濁音で発音する音節にあてた仮名に濁点を附けるということはなかった。つまり、「物名」は発音をもとにしているのではなく、仮名で書いた形＝仮名書き語形をもとにしたものだった。それでは、次の和歌には何がよみこまれているかおわかりになるだろうか。いずれも植物名だ。全部平仮名に書き直してから、探すとわかりやすいかもしれない。四五五番歌には三つよみこまれている（答えは51ページ）。

あしひきの山たち離れ行く雲の宿り定めぬ世にこそ有りけれ（四三〇番歌）

白露を玉にぬくとやささがにの花にも葉にも糸を皆へし（四三七番歌）
有りと見てたのむぞ難《かた》きうつせみの世をば無しとや思ひなしてむ（四四三番歌）
山高み常に嵐の吹く里はにほひもあへず花ぞ散りける（四四六番歌）
煙立ち燃ゆとも見えぬ草の葉を誰か蕨火と名づけ初めけむ（四五三番歌）
あぢきなし嘆きな詰めそ憂き事にあひくる身をば捨てぬものから（四五五番歌）

この「物名」は『古今和歌集』以後に編まれた和歌集にも受け継がれていく。例えば、藤原輔相《ふじわらのすけみ》（生没年未詳）は物名歌に巧みであったことで知られている。『宇治拾遺物語』（四十三）には「藤六」こと藤原輔相が、他人の家に忍び入って、鍋で煮ていたものを勝手に「すくひ食ひける程に」（＝すくって食べていたところに）家の主の女が戻ってきて、「ああいやだ」といい、相手が藤六だったので、歌をよめ、と言ったという話が収められている。その時によんだ歌が次のようなものだった。歌意は「昔から、阿弥陀仏の誓願で、地獄の釜の中で煮えている罪障深い人々を救うものだと承知している」ぐらいである。左側に仮名のみで書いた歌を添えた。傍線を施した「かひ」は〈匙〉という語義の語、「すくふ」は歌では〈救済〉という語義の語であるが、そこに〈掬う〉という語義の語をかけている。藤六＝藤原輔相が物名歌に巧みであったことが知られていることを思わせる話柄である。

昔より阿弥陀仏の誓ひにて煮ゆるものをばすくふとぞしる
むかしよりあみだぼとけのちかひにてにゆるものをばすくふとぞしる

さて、『古今和歌集』は先に述べたように、一番目の勅撰和歌集であるが、三番目にあたる『拾遺和歌集』にはこの藤原輔相のつくった物名歌が少なからず収められている。『拾遺和歌集』では巻七が「物名」の部であるが、そこには三五四番歌から四三一番歌まで、七十八首の和歌が収められている。そのうち輔相がつくった和歌は三十七首であるので、半数ちかくが輔相の作ということになる。

鳴く声はあまたすれども鶯にまさる鳥のは無くこそ有りけれ（三五七番歌）
鶯の巣は動けども主《ぬし》もなし風にまかせていづちいぬらん（三七四番歌）
河岸の踊り下《お》るべき所あらば憂きに死にせぬ身は投げてまし（四〇一番歌）
難波津は暗めにのみぞ舟は着くあしたの風の定めなければ（四〇六番歌）
あし絹は裂け絡みてぞ人は着る尋《ひろ》や足らぬと思ふなるべし（四〇八番歌）

歌意を簡略に示しながら、少し説明してみよう。三五七番歌は「鳥の鳴く声は数多いが、鶯にまさる鳥の声はないものだなあ」ぐらいの歌意で、「さるとりの花」がよみこまれている。「さるとりの花」はサルトリイバラのことと考えられているが、日本に広くみられるイバラで、この植物をあらわす方言も多い。実は赤くなるので、山野を歩いていると目につくが、花はなかなか「これがサルトリイバラの花だ」と認識しにくいかもしれない。猿が棘に引っかかってしまうから「サルトリ」だという説が『日本国語大辞典』第二版の「さるとりいばら」の項目に書かれている。「ジャケツイバラ」という別名もあるが、こちらは「蛇結」で、蛇が引っかかってしまうということであろう。『日本国語大辞典』には、実は食べることができ、根は漢方薬として使う、とあるので、いずれにしても雅やかな植物というよりは、身近な（有用）植物といえそうだ。通常であれば、和歌に使われることのない、そういう植物名を和歌に使う。しかし、正面きっては使えないから、こっそり隠して、というところにおもしろみがあることになる。

そしてさらにおもしろいのは、「鶯にまさる鳥のは」という表現である。この「ノ」は「君のやりかたは僕のよりもうまくいきそうだ」の「ノ」と同じで、名詞や活用語の連体形に附いて、全体を体言相当にする「ノ」で、やや「はなしことば」味を帯びているといえるだろう。そしてまさにこの箇所に「さるとりのはな」がよみこまれており、よみこむために少々無理をする、その無理度合いが日本語の観察という面からはおもしろい。通常ではなかなか文献に姿をあらわさない表現、つまり通常の「書きことば」には使われないような少しだけ標準的ではない表現が使われる。それをみて、「ああ、こういう表現があったのだ」とわかる、ということだ。

三七四番歌の歌意は「鶯の巣は動いているが、主はいない。巣を風まかせにして、どこに行ってしまったのだろう」ぐらいで、そもそもこの和歌が雅やかでない印象をうける。よみこまれているのは「すはうごけ（蘇芳苔）」で、蘇芳色すなわち赤い色の苔のことだろうと考えられているが、『日本国語大辞典』第二版はこの「スオウゴケ」を見出し項目としていない。『日本国語大辞典』が見出し項目としていないからといって、その語が存在していなかったとはもちろんいえないけれども、よく使われていた語でないことはたしかだ。「よく使われていない」どころか、ほとんど使われていない語かもしれない。

四〇一番歌の歌意は「河岸で、踊りおりるのによさそうな所があるならば、つらくても死にそうにないこの身を投げてしまおうか」ぐらいで、まあ恋の苦しさを表現している和歌だが、「ヲドリオル」という動詞がおもしろい。そしてよみこまれているのは、「きじのをどり（雉の雄鳥）」で、これも一般的な語ではなさそうだ。

四〇六番歌の歌意は「難波の港には、暗くなる時分だけ舟が着く。朝方の風は定まらないので」ぐらいで、「つばくらめ（燕）」がよみこまれている。「くらめ」は「暗め」で、『日本国語大辞典』は見出し項目「くらめ」の語義②に「日が暮れて暗くなる頃」と記し、使用例としてこの四〇六番歌をあげる。この語もあまり使われていない可能性がある。

47～48ページの答え：橘・をみなへし・をばな・忍草・わらび・梨／棗／胡桃

四〇八番歌の歌意は「あし絹は裂けて絡んだものを人は着る。長さが足らないかと思うだろう」ぐらいだろうが、よくできているとはいいにくい和歌である。やはり少々無理がある。そしてよみこまれている語が「さけからみ」。この語がまたわからない語で、『日本国語大辞典』は「さけからみ」を見出し項目としていない。鮭の塩引きのようなものだという説もあるが、とにかくどのような語かわかっていない。筆者の推測では、物名は、クイズのような面があるから、よみこまれている語がよく使う語でなくてもいいのだろうと思う。極端にいえば、無理な複合語でも、まあよい。それをよみこんでいるということがわかるようになっているので、変な語をよみこんだけど、和歌としては成り立っている、ということなのだろう。「さけからみ」の「さけ」が鮭なのか酒なのかわからなくても、とにかくそういう語はある。「からみ」だって「辛み」「絡み」など複数の可能性があるが、語としては存在している。〈鮭の辛み〉という語義の「サケカラミ」という語であっても、〈酒の辛み〉あるいは〈酒の絡み〉という語義の「サケカラミ」であっても、とにかく、変な語だけど、まあ「ぎりぎりセーフ」というような語をよみこんだということであっても、物名の歌は成立するのではないだろうか。それもまた一興というのが「ことばあそび」だ。

さらに妄想すれば、和歌ができてから、よみこんだ語を決めることもできるのではないかと思ったりする。例えば、「青柳のいとよりかくる春しもぞみだれて花のほころびにける」（=風にたなびく青柳が糸を縒りかけているように見える春こそは、青柳の糸が風に乱れ、花がほころびていることだ）という『古今和歌集』二十六番の歌に「山羊の胃」をよみこんだといいだしたらどうか。またよく知られている四十一番歌「春の夜の闇はあやなし梅花色こそ見えね香やはかくるる」（＝春の夜の闇はわけがわからないものだ。梅の花は姿は見えないが、香りは隠れるものだろうか。いや隠れない）に「やみは（病歯）」「やなし（家無）」「ねかや（根萱）」という三拍語三つをよみこんだといいだしたらどうか。「ヤミハ」は十四世紀以降であれば、文献で確認できる語で架空の語というわけではないが、『古今和歌集』が編まれた十世紀にすでに存在していた語かどうかはわからない。「ヤナシ」「ネカヤ」は『日本国語大辞典』が見出し項目としていないが、語義を想像することはできなくはない。

『古今和歌集』よりも後の時代の「物名」も紹介しておこう。鎌倉・南北朝時代の歌人である頓阿《とんあ》（一二八九〜一三七二）の家集『続草庵集』には「物名」歌が二十三首収められている。その中に「草名十」「木名十」「鳥名十」「魚名十」「虫名十」という題をもつものがある。いうまでもなく、草の名、木の名、鳥の名、魚の名、虫の名を十ずつよみこんだ歌ということだ。それぞれ何がよみこまれているかおわかりになるだろうか。

まず漢字を適宜使って書いたかたちを示し、その隣に仮名のみで書いたかたちを示すことにする（答えは59頁）。

朝凪に鱸釣りにや淡路潟波無き沖に舟も出づらん（草名十）

あさなきにすゝきつりにやあはちかたなみなきおきにふねもいつらん

月待つと暫し眠らて端近き槙の戸寒く立つは悲しき（木名十）
つきまつとしはしねふらてはしちかきまきのとさむくたつはかなしき

かりにきつる憂き身もすべて惜しからず誰が影をかは留めも置きし（鳥名十）
かりにきつるうきみもすへておしからすたかかけをかはとめもをきし

雨降りて河も水増すあちこちに舟人恋しこさばさはらじ（魚名十）
あめふりてかはもみづますあちこちにふなひとこひしこさはさはらし

逢ふて憂きは雲にかげろふ有明に風身にしみて帰るさの道（虫名十）
あふてうきはくもにかけろふありあけにかせみにしみてかへるさのみち

木名は九種まではわかるのだが、もう一つがわかりにくい。『和歌文学大系65』（二〇〇四年、明治書院）に添えられた月報に「和歌植物誌㉓」という記事があり、そこにこの「木名十」についてふれられている。筆者はこの記事に自力で辿り着いたのではなく、和歌の研究者である浅田徹氏に教えていただいた。そこには、「タヅ」説が述べられている。『日本国語大辞典』第二版では、見出し項目「たず」の②に「植物「にわとこ（接骨木）」の異名」とあり、「天正本節用集（一五九〇年）」に「接骨木　ニワトコ　タヅ」とあることが示されている。「天正本」という呼称は通常はあまり使われないと思うが（天正十八年本と呼ぶことが多い）、それはそれとして、この「タヅ」がよみこまれているということだ。「タヅ」ってどんな木と思われた方が多いことと思う。「ニワトコ」の異名とあるが、「ニワトコ」だって、すぐにわかる方のほうが少ないかもしれない。大学で授業をしていると学生が植物の名前を知らないことが多いことに気づく。身のまわりから、多種多様な植物が姿を消していることの表れかもしれない。

実は筆者は、自分でいろいろと考えてみていて、「つは」というところに「ツバキ（椿）」がよみこまれてはいないのだろうか、と思った。筆者は『日本語の考古学』（二〇一四年、岩波新書）の中で、徳島県観音寺遺跡から出土した、七世紀後半のものと推測されている木簡に、「椿　ツ婆木」と書かれていることを採りあげ、「ツバキ」から「木」が析出されているのではないかと述べた。つまり「ツバキ」はその木簡が書かれた頃には「ツバ＋木」という語構成だと理解されていたのではないかということだ。

「ツバキイチ／ツバキチ／ツバイチ」という、奈良県桜井市の三輪と初瀬の中間地点（現在の奈良県桜井市金屋）で開かれていた古代の市がある。『日本書紀』や『万葉集』にも記事がある。『日本書紀』の武烈天皇即位前紀（巻第十六）では、影媛をめぐる争いの、いわば「舞台」となるのが、この場所である。『日本書紀』には「海柘榴市」とある。「海柘榴」は「海榴」と書くこともあったようで、『出雲風土記』の意宇郡《おうのこおり》の記事中には「海榴字或作椿」（「海榴」の字、或いは「椿」に作る）、『万葉集』には「海石榴市之八十衢尓　立平之　結紐乎　解巻惜毛」（つばきちの八十《やそ》の衢《ちまた》に立ちならし結びし紐を解かまく惜しも）（二九五一番歌）という歌が収められており、現在「海石榴市」は「ツバキチ」とよまれている。「ツバキイチ」から母音イが脱落して「ツバキチ」という語形になったと思われるが、十世紀の終わり頃に成ったと考えられている『枕草子』の「市は」の段には「市は　たつのいち、さとのいち、つはいち。大和にあまたある中に、長谷に詣づる人のかならずそこにとまるは、観音の縁あるにやと、心ことなり」（＝市は、たつの市、さとの市、つば市だ。大和には市が多くある中で、長谷寺に参詣する人がかならず、つば市にとまるのは、観音の縁のあるからであろうか、と特別な心持ちがする）とあって、ここには「つはいち」とあるので、「ツバキチ」はさらに（音便化して）「ツバイチ」という語形をうみだしていることがわかる。「ツバイモチ／ツバイモチヒ（椿餅）」という語、あるいは「ツバイモモ／ヅバイモモ（椿桃）」という植物名もあり、複合語をつくるにあたって、「ツバキ」が「ツバイ」という語形になることがあったことがわかる。「ツバキイチ」（母音脱落）→「ツバキチ」（音便化）→「ツバイチ」となると、ほんとうは「ツバイ＋チ」とみるべきで、つまり脱落しているのは「イチ（市）」の「イ」であるはずなのだが、「〜イチ＝〜市」という語から類推すると「ツバイチ」は「ツバ＋イチ」ということになり、「ツバ」が析出されることになる。これが言語学でいうところの「異分析（metanalysis）」であるが、こういう異分析が、語の理解にかかわってくる。「ツバキイチ」を漢字で「椿市」と書くのは、不自然ではなく、例えば、現代の人が「椿市」を発音してください、といわれれば、「ツバキイチ」と発音するだろう。しかし、「ツバイチ」と発音する地名が身近にある人は、この「椿市」が「ツバイチ」を書いたものだとすると、漢字「市」と「イチ」との対応をまず推測し、次には残りの「ツバ」と「椿」とが対応しているのだと考えることになり、結局「椿＝ツバ」となる。こういう「道筋」によっても「椿＝ツバ」を導き出すことができる。その一方でごく単純に「ツバキ」という音連続から「キ＝木」を析出する「道筋」もあるとすれば、中世頃に「ツバ＝椿」という理解があってもおかしくはないようにも思う。

「異分析」というと、少々厳めしい感じがするが、身のまわりでもよくあることだ。筆者の子供の頃に『巨人の星』という漫画が人気だった。テレビアニメとしても放映されるようになっていたが、その主題歌に「思いこんだら試練の道を行くが男のど根性」という、今思うとすごい歌詞があるが、当時は現在のように、歌詞がテロップで流れているわけではなかったので、耳から聞いて理解をしていた。それで、筆者はそうではなかったが、後になって、この「思いこんだら」のところを「重いコンダラ」と聞いて（聞きなして）、テニスコートの地面をならすために使う大きくて重いコンクリート製のローラーのようなものを「コンダラ」という名前なのだと思った人がいた、という話を聞いた。ちょうどその「思いこんだら」という歌詞のバックに、それを引いている主人公星飛雄馬が映しだされていたために、そういう誤解、「異分析」が行なわれたわけだ。

少し説明が長くなった。「ことばあそび」だから楽しく、と言ったくせに、と言われると耳がいたいが、「ことばあそび」だからこそ、ことばについては、きちんとつきあっていきたい。あそびだからこそ、丁寧にあそびたいと思う。

さて、江戸時代の俳人、横井也有《やゆう》の俳文集『鶉衣拾遺』には国名、鳥名、獣の名、草の名をよみこんだ和歌が収められている。詞書きとともにもともと書かれているかたちで次に示してみることにする。

　国の名二十をかくしてよみける二首
いついかてあふ道あらむつひに身のあはてはいかゝいきかひもなし
秋も露中とひ来よあはれ月いく夜野と川近く山遠き里
　国の名十つゝ入れて恋の心を
いつみ川いせきいせきにかゝる浪のうし名のたゝむ恋よあはすも
　旅のこゝろを
漕出はいつあはむ身の跡《と》を遠み浪や真白に沖つしましま
　祝のこゝろを
里の戸もとさゝぬ君のかゝる世にあふみはうきをきかて老ひせん

鳥の名十
うかりつる世はをしからすそむきしも都こひしきときは有けり

獣の名十
こりす二夜いも寝すみしか君来さるうしやくまなき月のかねこと

草の名十
道さへもなく住君か山遠き世のよしあしもうとくきくらん

実は、横井也有は親切な人で（というとおかしいが）それぞれの和歌の右傍に、よみこんだ語を書いてくれている。だから、よみこまれた語をうんうんいいながら推測しなくてもいい。推測の楽しみがないといえばそのとおりだが。

その答えを紹介しておこう。国の名二十は「伊豆・伊賀・近江・陸奥・美濃・阿波・

53～54ページの答え

草名：麻・菜・葱《き》・薄・粟・茅・水葱《なぎ》・荻・藺《ゐ》・蘭
木名：槻・松・柴・櫨《はじ》・合歓・柿・槙・椋・梨
鳥名：雁・鶴・鵜・鵙《もず》・鴛鴦《をし》・烏・鷹・鶏《かけ》・鳩・雉
魚名：鯇《あめ》・鰤・鱧・鱒・鯵・鯒《こち》・鮒・鯉・鯖・鰆
虫名：虻・蝶・蜘蛛・蜉蝣・蟻・蚊・蟬・紙魚《しみ》・蛙・蚕

出羽・加賀・壱岐・甲斐＋安芸・長門・肥後・安房・紀伊・能登・河内・大和・隠岐・佐渡」で、国の名十は「伊豆・三河・伊勢・紀伊・加賀・美濃・信濃・丹後・伊与・阿波」で、「旅のこゝろを」の歌には「紀伊・出羽・伊豆・安房・美濃・遠江・山城・隠岐・対馬・志摩」が、「祝のこゝろを」の歌には「佐渡・能登・土佐・讃岐・美濃・加賀・近江・伯耆・隠岐・肥前」がよみこまれている。鳥の名十には「鵜・雁・鶴・鴛《をし》・烏・雉・五位・鴫・鴇《とき》・水札《けり》」が、獣の名十には「栗鼠・豚・猪《い》・鼠・鹿・猿・牛・熊・狐《きつ》・猫」が、草の名十には「苣《ちさ》・葛・麦・萱《かや》・荻・葭《よし》・蘆・独活《うど》・菊・蘭」がそれぞれよみこまれている。

これで説明を終えてもいいのだが、幾つか説明を補っておきたい。国の名二十の二首目の和歌は、どうもうまくよめない。「近く山遠き里」は「チカクヤマトオキサト」だとすると、そこまでをなんとか「五七五七」とよんだとしても、七拍を超えて十拍になってしまう。国の名十の最初の歌の「うし名」は文法上は「うき名」とあるべきだが、「信濃」をよみこむために、少々無理をしたか。「名のたたむ恋よ」は古典かなづかい＝歴史的仮名遣いで正則に書くと、「なのたたむこひよ」となって、「丹後」はいいが、「伊与（いよ）」がうまくいかなくなる。そこで「恋」と漢字で書いて、発音は「コイ」だから、という、これも少々無理をしているようにみえる。古典かなづかいをまもろうとすると、「うきをきかて」の「をき」を「隠岐（おき）」と対応させることも、「老いせん」を「肥前（ひぜん）」と対応させることもできなくなってしまう。

鳥の名十の「五位」は「ゴイサギ」のこと。「ケリ」は「鳬」という漢字を使うことが多いが、『鶉衣拾遺』では「水札」という漢字が使われていて、これは珍しい。なお、「ツル」の右傍には「鶴」の左側だけの字が書かれている。獣の名十では「二夜い」の「二」と「夜」との間あたりの右傍に「豕」と書かれているが、「二夜」は「フタヨ」であると思われるので、これは「ブタ（豚）」がよみこまれていることになる。「ブタ」という語形は、禅僧、季弘大叔《きこうだいしゅく》（別号蔗軒）（一四二一〜一四八七）が堺に滞在した、文明十六（一四八四）年から十八年の期間の日記『蔗軒日録《しやけんにちろく》』の文明十八年四月二十六日の条に「日本人ブタト云也」という記事中にみられるのが年紀がはっきりわかっていてもっとも古い例と考えられている。このあたりのことを詳しく知りたい方は、『太田晶二郎著作集』第三冊及び、かめいたかし著『ことばの森』（一九九五年、吉川弘文館）に収められた「文献に初見という「ブタ」にたいして」を御覧いただきたい。

和歌をまずつくってから、こういう語をよみこんだ、ということはできなくはないだろう。もちろん、最初からよみこむ語を決めておいて、それをなんとかよみこむこともできる。どうやってつくったか、ということを考えると、「物名」の歌のおもしろさもいちだんと深みをますように思う。さらに楽しむためには？　それは自分でつくってみるのがいい。

「物名」のおもしろさは、改めていうまでもなく、「え？　こんな語が潜んでいたのか」

という読み手の驚きだろう。歌からは想像もできないような意外な語を潜ませることができた時に、書き手はひそやかなうれしさを感じるに違いない。それはまた、言語をめぐる、「表と裏」ということでもある。詩人の入沢康夫（一九三一～二〇一八）に次のような作品がある。

かはかりにきさりもたしめ
　いまゆめのかけはしのかけに
わにかゐたはなかこのなかにい
ましのかはかなかれひかかけり
あしかしきりにゆれてきよきよ
すはなくかつくつくほふしもま
たひくらしもまたなかなかなか
ないふつきはしめのあしたつく
つくなつかしいなつのゆめのわ
うそくはかけはしをいそきあし
にわたりたまへはかはもにはす
たすたにちきれたわたしともの

たいちやうやせうちやうかなか
れて　むまのきつりようきつに
のをか「こんなところまてきち
まつたんたねえ」「こんなまこ
とろてきちまつたのさ」きつね
かなきにはとりかかけまはりあ
しかゆれわにはとほりすきとほ
りしきりにかなかなかくほれい
りくれんとうはなかないかもし
れぬかもめはなくかもしくはし
ぬかもしれぬかなしみのはたて

この作品は『駱駝譜』（一九八一年、花神社）に収められている。現代詩文庫『続・入沢康夫詩集』（二〇〇五年、思潮社）に附載された「言葉と生――入沢康夫の詩の核心をめぐって」の中で、詩人の野村喜和夫は、前橋で行なわれた「自作詩解説」で、「犯人役としてこの濁点のない平仮名だけで書かれた摩訶不思議なテクストを聴衆に配布したあと、詩人は、探偵役としてその下になんと五十種もの動物や植物の名前が隠れていることをみずから暴いたのだった」（一四三頁）と記し、幾つかの動植物名をあげた後に、さらに「まさしく言葉の下にひそむ言葉、ではないか。さらに、「いまゆめのかけはしのかけに」というタイトル自体、その底に、藤原定家の和歌「春の夜の夢の浮き橋途絶えして嶺にわかるる横雲の空」と瀧口修造の詩句「夢の影が詩の影に似たのはこの瞬間であった」とがみえかくれしているのである。つまり、「いまゆめのかけはしのかけに」は、「いま夢の架け橋の影に」とも「いま夢の影は詩の影に」とも読める。濁点なしの平仮名表記によってこうした言葉の重層性が強調されるという仕組みだ」と述べる。また「駱駝譜（ラクダフ）」という詩集の題名は「フダラク（補陀洛）」の「アナグラム（anagram）」になっていることも野村喜和夫は指摘している。「フダラク」は梵語の「potalaka」を音訳したもので、インドの南の端にあって、観世音菩薩が住むといわれる山で、中国、日本では観音の霊場にこの名をつける。井上靖の『補陀落渡海記』は観音の浄土である補陀洛を目指して出帆する「補陀洛渡海」を描いた作品である。「アナグラム」は語句を文字化した、その文字列の配置をかえて別の意味をもつ語句をつくる「ことばあそび」のことで、これもきわめて興味深い。「夏ミカン」のアナグラムが「中身ツン」となり、「アラシガオカ（嵐が丘）」のアナグラムが「アシガオカラ（足がおから）」である。

さて、入沢康夫自身は、田野倉康一編『詩にかかわる』（二〇〇二年、思潮社）において右の詩について次のように述べている。

この作品は、すべて平仮名で書かれていて、濁点は全廃されている。昔の記法をことさらに真似たものだが、また作中に『徒然草』に出てくる謎々の言葉「うまのきつりやうきつにのをか、なかくぼれいりくれんどう」が一字だけ変えて引用（利用）してある。題名からは、定家の有名な「春の夜の夢のうきはし途絶えして……」の歌が連想されるであろうから、「いま夢の懸け橋の陰に」といった意味があてがわれることになるのだろうが、実は、この題は、故瀧口修造氏の代表的な詩であり、かつ詩論でもある「詩と実在」の末尾の文から発想されている。

「夢の影が詩の影に似たのはこの瞬間であった。」

仮名表記と濁点の不使用と掛け言葉と謎々とによって生じてくる多義性、曖昧性が、瀧口氏追悼詩という枠組みに盛られた私の作品において、どれだけの役割を果し得たかについては、作者は口をつぐんで、読者の判定に俟つしかない。（一二二頁）

「濁点のない平仮名だけで書かれた摩訶不思議なテクスト」は、「濁点のない平仮名だけで書かれた」ということに限っていえば、仮名が使われるようになった十世紀から、濁音音節には濁点を附すということがほぼ徹底して行なわれるようになった大正期ぐらいまでのテキストすべてにあてはまることだ。濁音音節に濁点を附さず、句読点も使わずに書かれているテキストが現代日本語を母語とする人にとって、いかに「よみにくい」ものであったとしても、それはそういう人の感覚であって、例えば紀貫之や紫式部がそのような書きかたを不便だと思っていたわけではない。そして、濁点を使わないことによって、「かけはしの」が「架け橋の（カケハシノ）」と「影は詩の（カゲハシノ）」とを重ね合わせることができるという、そのことはすでに『古今和歌集』の「物名」にみられること、みられる「技法」であった。

以下に、筆者が仮に漢字をあててみたものを載せておこう。これが入沢康夫の意図したものであるかどうか、おそらく必ずしもそうではないと思うが、「表と裏」という以上、まずは「表」が（だいたいにしても）つかめなければ「裏」を考えることもできないので、便宜的に示した。

ワニが居たはなかごの中に今
しのかはが流れ日が翳り
蘆がしきりに揺れてきよきよ
すは鳴くかツクツクボウシもま
たヒグラシもまたなかなかなか
な言ふ月初めのあしたつく
づく懐かしい夏の夢の
王族は架け橋を急ぎ足

鰐・蚊・貝・蟹
篠《しの》・カバ（樺・河馬）・若菜・鰈・鶏《かけ》・鳧《けり》
海驢《あしか》・鹿・桐
ツクツクボウシ・藤
ヒグラシ
槻・櫨《はじ》・鵐《しめ》・葦・田鶴
樫・椎
鷽《うそ》・桑

に渡りたまへば河面にはず
たずたにちぎれた私どもの
大腸や小腸が流
れて　むまのきつりようきつに
のをか「こんな所まで来ち
まったんだねえ」「こんなまこ
とろで来ちまったのさ」狐
が鳴きニワトリが駆け回り蘆
が揺れワニは通り過ぎ通
りしきりにカナカナがくほれい
りくれんとうは鳴かないかもし
れぬ鷗は鳴くかもしくは死
ぬかもしれぬ悲しみのはたて

綿・鱧《はも》・蓮
鯛・銀杏《いちょう》・蝶
馬《むま》
野老《ところ》・蟶《まて》
松・蔦《つた》・海鼠《なまこ》
狐
梛《なぎ》・鶏・蛾
鳩・栗鼠・杉
鳴・苦菜
烏賊・鴨
鷗
紙魚

もう一つ、この詩をみて「あ！」と思ったのは、「むまのきつりようきつにのをか」の箇所だ（先に引用した入沢康夫自身による「解説」はあとから知ったので、初めてこの詩を読んだ時にはそこに書かれていることは何も知らなかった）。『徒然草』の一三五段に、藤原資季《すけすえ》（一二〇七～一二八九）という鎌倉時代に実在した公卿と、これもやはり鎌倉時代に実在した公卿源具氏《ともうじ》（一二三一〜一二七五）とのやりとりが記されている。資季が「おぬしの質問するような事は、何でも答えてやろう」とおおきくでたので、院の御前で、両者が対決することになり、具氏は幼い頃から聞いているが、「その心」がわからない事がある、といって「むまのきつりやうきつにのをか中くほれいりくれんとう」は「いかなる心」でしょうか、と問う。資季は「そんな事は言うに足らない」などとごまかそうとするが、結局は資季の負けということになるという話だ。「なかくほれいりくれんとう」も入沢康夫の詩によみこまれている。

この「むまのきつりやうきつにのをか中くほれいりくれんとう」は中世にあった謎だと考えられているが、どのようにとけばいいか、いろいろな「解」が考えられているが、まだはっきりわかっていない。例えば、「のきつ」は「退きつ」で、まず「むま」が消える。「なかくほれいり」は「中窪れ入り」で、「りやうきつにのをか」（傍線部分）をやはり消す。そうすると残るのは「りか」であるが、この「りか」を顚倒させ「かり（雁）」が答えとして導き出されるということである。中世の謎々については、後に採りあげるが、右の「解法」は中世的ではある。だからこれでいいかもしれない。しかしまた、「くれんとう（発音がグレンドウか）」は気分としては「顚倒」だが、『日本国語大辞典』第二版も「くれんとう／ぐれんどう」を見出し項目としていないので、判断のしようがないといえばない。さて、「むまのきつ」はこのぐらいにして、入沢康夫の詩に埋め込まれた「五十種もの動物や植物の名前」が気になる。下段に筆者が「見つけた（と思った）」動植物名を書き出してみた。五十は超えているが、まだあるような気もする。読者のみなさんも探してみるとおもしろいかもしれない。「物名」の話の最後に筆者のつくった「駄作物名」をご披露しよう。「うさこ」をよみこんでみた。

小僧さんお店に迷惑かけてるとくびになっちゃうそうさこれまで
年とって歯には自信がないけれど出された物は食うさ強飯《こわめし》
極寒の知床の海に一人来て立ちつくしいて動作こわばる
階段で顚倒したナウ鎖骨折れ新春早々病院通い
今日こそは大物釣ると夢見たが家に帰って洗う雑魚ども
コロナ下の情報操作困ります一日《ひとひ》一日《ひとひ》を冷静に生く

折句

さて、『古今和歌集』の「物名」には紀貫之を作者とする次のような和歌が収められている。詞書きから示してみよう。歌は漢字を使って書いたものの隣に、すべて仮名で書いたものを並べておいた。

朱雀院のをみなへし合はせの時に、をみなへしといふ五文字《いつもじ》を、句の頭《かしら》に置きてよめる

小倉山みね立ちならし鳴く鹿の経《へ》にけむ秋を知る人ぞなき（四三九番歌）
をぐらやま**み**ねたちならし**な**くしかの**へ**にけむあきを**し**るひとぞなき

「朱雀院のをみなへし合はせ」とは、宇多上皇が昌泰元（八九八）年の秋に朱雀院で行なった、女郎花に歌を添えて、花と歌の優劣を競った歌合わせのことで、そこに、この四三九番歌がだされたということだ。各句の最初の文字を太字にしてみたが、そこを拾うと「をみなへし」となる。これは「折句《おりく》」と呼ばれる。歌意は「小倉山の峰に立って、そこを踏みならしながら鳴く鹿が（これまでに）経験してきたであろう秋を知っている人などないのだ」ぐらいだ。貫之の和歌に何かいうのはおそれおおいが、佳作とはいえないようにも思う。やはり「折句」として仕立てるために、少々の無理はあったということではないだろうか。

「折句」は古典で『伊勢物語』の第九段を学習する時に植物の「かきつばた（杜若）」の五文字をよみこんだ「唐衣着つつなれにしつましあればはるばる来ぬる旅をしぞ思ふ」（=唐衣を繰り返し着てよれよれになってしまった褄《つま》、そのように長年連れ添って親しく思う妻があるので、唐衣を張っては着、張っては着、するように、はるばると遠く来たこの旅をしみじみと思うことだ）でご存じのかたもいらっしゃると思う。

からころも**き**つつなれにし**つ**ましあれば**は**るばるきぬる**た**びをしぞおもふ

やはり各句の最初に「かきつはた」を折りこんでいる。
その序によれば、文治三（一一八七）年九月二十日に奏覧された七番目の勅撰和歌集『千載和歌集』の巻十八には「折句歌」が二首収められている。

駒並《な》めていさ見にゆかむ立田川白波寄する岸のあたりを（一一六七番歌）
何となくものぞ悲しき秋風の身にしむ夜半の旅の寝覚めは（一一六八番歌）

それぞれ詞書きの中で折りこまれた語句が示されているが、右の二首を仮名だけで書いてみよう。

こまなめて**い**さみにゆかむ**た**つたがは**し**らなみよする**き**しのあたりを
なにとなく**も**のぞかなしき**あ**きかぜの**み**にしむよはの**た**びのねざめは

一一六七番歌は「こいたしき（小板敷）」を、一一六八番歌は「なもあみた（南無阿弥陀）」を折りこんでいる。『日本国語大辞典』第二版は「コイタジキ」を「清涼殿の殿上の間の南側の小庭から殿上の間にのぼる所の板敷」と説明している。「なもあみだ」は「なもあみだぶつ」の省略形で、その「なもあみだぶつ」はいうまでもなく、「なむあみだぶつ」の変化形であるが、「ナモアミダブツ」は『千載和歌集』以外の文献でも使われているので、こちらの語はさほど特殊な語ではない。『日本国語大辞典』第二版は見出し項目「なもあみだ」において、この『千載和歌集』の使用例をあげているのみなので、この語形がひろく使われていたかどうかははっきりとしない。しかし、「ナムアミダ」あるいはさらに変化した「ナンマイダ」「ナンマミダ」などの使用は文献で確認できるので、「ナモアミダ」もさほど特殊な語形ではないと推測する。ただし、正面きって、和歌に使うような語ではないことはいえよう。そういう語句を折りこむところにやはりおもしろさがある。

「折句」は「アクロスティック（acrostic）」にあたる。英和辞典で「acrostic」を調べると〈各行の始め（または終わり）の文字を順に並べるとある語句になる詩など〉というような説明がされている。行を分けて書いていないと「アクロスティック」は成り立たない。和歌は、鎌倉時代頃から二行に書かれることが多くなったが、五行に分けて書くことはほとんどない。だから書かれた行を単位として「アクロスティック」を成立させることはできない。そこで「五七五七七」という句を単位とした「折句」ということになる。

平安時代後期に成立したと考えられている『新撰和《しんせんわ》歌《か》髄脳《ずいのう》』という歌学書がある。「ズイノウ（髄脳）」は〈脊髄と脳〉ということなので、転じて〈もっとも重要な箇所〉という語義になり、和歌に関しての書物にはよく使われる語となった。現在残っている写本は少ないので、ひろく流布したかどうかはわからないが、とにかくそういう書物があった。この中に、「折句」について記されていることが知られている。

それは、小野小町が「言の葉も常盤なるをば頼まなむまづは見よかし経ては散るやと」という和歌を送って、琴を借りにつかわしたところ、「言の葉はとこなつかしき花折るとなべての人に知らすなよゆめ」という返歌があった、という記事だ。両方の和歌を仮名で書くと次のようになる。

ことのはも**と**きはなるをば**た**のまなむ**ま**づはみよかし**へ**てはちるやと
ことのはは**と**こなつかしき**は**なをると**な**べてのひとに**し**らすなよゆめ

小野小町は「ことたまへ（琴賜へ）」を折りこみ、返歌には「ことはなし（琴は無し）」が折りこまれている。

次は少し変わった折句を紹介してみよう。今まで採りあげた折句もそうであるが、この折句もすでに知られているものである。

室町時代の歌人である中御門《なかみかど》宣胤《のぶたね》（一四四二～一五二五）の日記『宣胤卿記』の永正三（一五〇六）年二月二十二日の条に、奈良の春日祭に見参して、神前で詠んだ歌三首の中に、「春日大明神の五字を句の首にをきて」という詞書きの和歌がある。

春日山**日**ことに祈る**大**麻を**明**《あきらか》に見よ**神**しまもらは

「大麻」は「オオヌサ」（＝祓えの時に用いる幣帛）で、歌意は「春日山に毎日祈る大幣をはっきりと見てください。神が守ってくださるならば」ぐらいで、仮名ではなく、漢字による「折句」ということになる。漢字をある程度使って日本語を書くことが一般的になってきていると思われる室町期の作として興味深い。

清い水**泉**にわくを**女**《おみな》ごら**子**供のごとく**大**騒ぎする

またちょっとつくってみた。筆者の勤務している大学の名前を各句の頭に漢字で並べたものであるが、「オミナ」は女性の美称で、もともとは若い女性のことであった。

【藤原定家のつくった折句】

『拾遺愚草員外雑哥』という題名の歌集がある。藤原定家の家集である。「拾遺」は侍従の中国名（唐名）で、侍従の職にある者の愚かな詠草（＝和歌の草稿）が「拾遺愚草」であるが、その「員外」（＝定数外）ということで、定家が正則な作品とみなさなかったものが収められている。今ここでは冷泉家時雨亭文庫に蔵されているテキストに拠っているが、この本は室町時代末期の書写と目されており、定家自筆本ではない。この

「員外」にことばあそび的な作品がみられる。

「一字百首」では、そこに並べられている百首の一字目を拾ってつないでいくと、何らかの語になるというものだ。それをさらに「春」(二十首)、「夏」(十五首)、「秋」(二十首)、「冬」(十五首)、「恋」(十五首)、「雑」(十五首)と分けている。「夏」の冒頭の五首をあげてみよう。

ほともなく去年の月日のめくりあひて又立きたるしらかさね哉
友まちしかきねの雪の色なから夏をは人につくるうの花
とりあへすすくる日数のほともなく返し、小田にさなへうふ也
きなくなるしけみか底の郭公心のまつの色やわく覧
すみ見はや岩もる清水手にくみて夏よそけなる松の木の下

各首の(仮名にした時の)一字目を並べると「ほととときす」すなわち「ホトトギス」になる。勅撰和歌集においては、『続後撰和歌集』に「くれかかる山田のさなへ雨すぎてとりあへずなく郭公かな」(一九三番歌)とあるのみで、この他に「とりあへす」という語は使われていないと思われる。ここでは「とりあへす」が初句になっており、「とりあえず感」があるかもしれない。いや、しかし「と」から始まる初句をつくるのはさほど難しくないようにも思われるから、藤原定家どうした?

しかしさすがは定家、なんと百人一首の歌としてもよく知られている素性法師の「今来むと言ひしばかりに長月の有明の月を待ち出でつるかな」（＝もうすぐ行くとおっしゃったばかりに九月の長い夜の有明の月が出るまでお待ちしてしまいました）（『古今和歌集』六九一番歌）を上に置いて歌をつくっている。冷泉家時雨亭文庫本のままに引用したが、一首の冒頭が漢字で書かれている場合には、丸括弧で仮名書きを添えておいた。

いかならむと山の原に秋くれてあらしにはるゝみねの月影
またきより暮行秋のおしけれはいつるもつらき長月の月
こゑよはり虫のなくねを友かほに風もすくなきならの葉柏
むすひける契もつらし秋のゝの末葉の霜のありあけのかけ
としの内はよしたゝ秋のなからなん心もたへす人もうらめし
いくかへり時雨きぬらん柞《ははそ》原ちりしく木の葉秋をかさねて
ひとかへる冬のけしきのさひしさをまたきにみする秋の山里
しるしらす宿はかるへき今夜かは秋かせはこふ庭の月影
萩（**は**き）の葉の花なき末の露の色月の情は猶をかれけり
雁（**か**り）か音のはるかになのる一こゑも物おもふ袖の露もうけとる
りうたんの花の色こそさきそむれなへての秋は浅茅生の宿
にしの空いかなる関とさしこめて月と秋との影をとゝめむ

何事（なにこと）をおもふともしらぬ涙かな秋のねさめのあけかたのとこ
かねてより思ひし色に過にけり嵐の山のあきのくれかた
つり舟のはるかにいつる浪かせに入はかなしき秋のくれかな
きの葉落ぬ草花かれぬ何をかは山にも野にも人のなかめん
のこりなく消ゆく空のよもすからまたたなひかぬ秋のよの月
あたら夜とおもふはかりに宿は出ぬ心のはては月の往来に
輪廻（りんね）してたま〳〵うくる人の世に猶秋のよの月そすくなき
あまたみし秋にもさらにおもほえすかはかりすめる月のおも影
けふりたつをちの篠屋のくぬきはらそのふしもなく秋そかなしき
軒（のき）にふりしのふの風の露までも秋にしほるゝふる郷の空
つきいつる穐のおもひにひゝきあひて枕にさむき鐘のこゑ哉
きてとはぬ人のあたりをさは見はやひとり我すむ里の秋かせ
をのれのみ秋をはよそにみ室山岩むす苔に時雨ふれとも
まのゝ浦の入えの浪に秋くれてあはれさひしき風の音かな
ちる木の葉かさなる霜に跡もなし山ちのおくの秋のかよひち
いたつらにそふへき秋の日数かはことはりもなき物うらみ哉
てる日いる紅葉をみねのひかりにて待月ほそき有明の山
つまこふる鹿の心もいかならむをのかこゑさへかきる秋かせ

るりの水心はるけし色〳〵にこゝろうきたつ秋の山河
唐国（からくに）のむかしの人もたへさりし秋の哀はたれかしのはん
なへてにそみなことの葉は成ぬへきまた見ぬ月の秋の光を

右には「いろはもしくさりの同心の事にやいつれも本の御哥にかへんとすれは色〳〵もいと、ありかたくや」という左注が附されている。「いろはもしくさり（いろは文字鎖）」はいろは四十七文字を和歌の頭に置いた作品で、定家はそうした折句もつくっている。これについては次に少し紹介する。ここでは「いつれも本の御哥にかへん」とあることに注目したいが、これは素性法師の和歌＝「本の御哥」の「こころ」を承けているということの謂いではないだろうか。それを「恋人の来るのを待つ秋の夜の気分」といってしまうと少々粗っぽいが、右の各歌にはそういう「気分」が詠み込まれているように思われる。おそらく素性法師の歌の各文字から始まる和歌をつくるだけでは「簡単すぎる」ということだろう。さて、定家は「いろはもしくさり」を二セットつくっている。その一つの「いろはにほへと」を次にあげておこう。

いくかへり山も霞て年ふらん春たつけさのみよしのゝはら
ろくやおんてらす朝日に雪きえて春のひかりも先や道引
はつねなけ今は鶯の谷の戸をとちたる雪のふるす成とも

にこりえにをふるまこもをあさるとてかけにもこまのはなれぬる哉
ほしの影のにしにめくるもおしまれて明なむとする春のよの空
へりもいともたえたるみすのひまもなみ花にうつめる古郷の春
とりのねも花のかほりも春なからなかめはれせぬよもきふの宿

*

さて、次はいわば「結果折句」のようなものだ。『誹風柳多留』六に「蛙飛ぶ池はふかみの折句なり」という句が収められている。いうまでもなく、松尾芭蕉の「古池や蛙飛び込む水の音」（ふるいけやかはづとびこむみずのをと）の各句の頭をつなぐと「ふかみ（深み）」という語が拾い出せる、だから「古池や蛙飛び込む水の音」は「ふかみ」を折句としてよみこんだものなのだ、というわば「発見」だ。もちろん芭蕉はそのようなことを意識してつくったわけではない。しかしこれはこれで「ことばあそび」といえる。

　このように考えると、例えば「うぐひすの笠（かさ）落としたる椿（つばき）哉」（『猿蓑』）は「うかつ」な句、「粽（ちまき）結ふ片手（かたて）にはさむ額髪（ひたひがみ）」（同前）は「ちかひ（誓）」の句、「方々（はうばう）に十夜（じふや）の内の鐘（かね）の音」（『炭俵』）は「はしか（麻疹）」の句、「稲妻（いなづま）や顔（かほ）のところが薄（すすき）の穂」（『続猿蓑』）は「イカス」句ということになる。こうやって自分で勝手に遊ぶこともできる。

さて「いろは歌」は「いろはにほへと／ちりぬるを／わかよたれそ／つねならむ／うゐのおくやま／けふこえて／あさきゆめみし／ゑひもせす」というように、「七五調」に区切ることが一般的だが、この「いろは歌」を七文字ずつ区切って書く。そうしておいて各行の下をつなぐと「とかなくてしす」となる。これを「咎《とが》無くて死す」とみなす。「いろは歌」に隠された謎というわけだ。図5は現存最古の「いろは歌」だ。この『金光明最勝王経音義』としてよくしられている『金光明最勝王経音義』は、奥書に承暦三（一〇七九）年とあるところから、その頃に書かれたものと考えられている。

いろはにほへ**と**
ちりぬるをわ**か**
よたれそつね**な**
らむうゐのお**く**
やまけふこえ**て**
あさきゆめみ**し**
ゑひもせ**す**

大きな漢字で、「以呂波耳本邊止／千利奴流乎和加／餘多連曽津祢那／良牟有為能於久／耶万計不己衣天／阿佐伎喩女美之／恵比毛勢須」と書かれ、それぞれの右下に小さな漢字で「伊路八尓保反都」というように書かれている。図は書かれている紙の全体がわかるように示しているが、下部に余白があることがわかる。したがって、「いろは歌」を書こうとしたが、紙の大きさのために、七字で区切らざるをえなかったというわけではなく、（おそらく）最初からこのように書こうとしていたと思われる。つまり、それがどのくらいの広がりがあったかは不明だが、とにかく「いろは歌」を七字ずつ区切っ

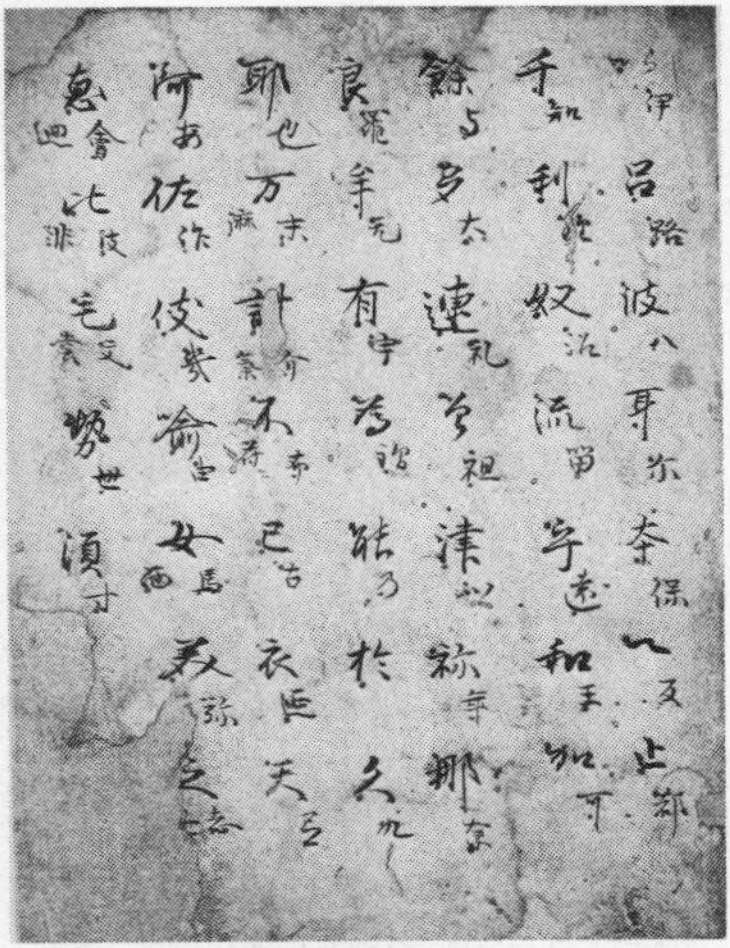

図５　『金光明最勝王経音義』のいろは歌［大東急記念文庫蔵。古辞書音義集成第十二巻『金光明最勝王経音義』（1981年、汲古書院）］

て書くことはあった。そして、七字ずつ区切って書くと、行末が「とかなくてしす」となる。

このことには国語学者大矢透(一八五〇～一九二八)が気づいており、『音図及手習詞歌考』(一九一八年、大日本図書)において「偶合なりとのみいひて、思ひ棄つべきにあらざるが如し」(=偶然とばかりいって、退けるわけにもいかない)(九十六頁)と述べているが、結局は積極的な判断は保留している。小松英雄は『いろはうた』(一九七九年、中公新書)において、「竹田出雲作の浄瑠璃『仮名手本忠臣蔵』は、咎無くして罪を受け、死んでいった赤穂の義臣四十七士を、四十七字の仮名手本、すなわち以呂波に引き当てたもので、一七四八年初演であるから、すでにそのころには「咎なくて死す」が一つの常識のようになっていたらしいし、そういう指摘はほかにもなされている」(三十八頁)と述べているが、この話はここまでにしておこう。「いろは歌」については第二章において詳しく採りあげることにしたい。

江戸川乱歩の「二銭銅貨」は『新青年』春季増大号(第四巻第五号、大正十二年四月一日号)に発表されている。乱歩自身が「わたしが最初に発表した小説」と述べているように、活字化された江戸川乱歩の最初の作品である。

「二銭銅貨」は暗号解読を作品の眼目の一つとしているが、細工された二銭銅貨からでてきた紙片に書かれていた文字を、いったん「ゴケンチヨーシヨージキドーカラオモチヤノサツヲウケトレ、ウケトリニンノナハダイコクヤシヨーテン」（五軒町、正直堂からおもちゃの札を受け取れ。受取人の名は大黒屋商店）と解読した「暗号の翻訳文」を、さらに「八字ずつ飛ばして読む」（右で傍点を附した文字を読む）と「ゴジヤウダン」すなわち「御冗談」となる、という二重の解読がいわば「みそ」であった。八字ずつとばして読むということは、この九字を一行として「ゴジヤウダン」が折りこまれていた、ということだ。昭和六（一九三一）年に平凡社から出版された『江戸川乱歩全集』第一巻にはその謎解きの場面が次のように記されている。

『ゴジヤウダン。君《きみ》、この『御冗談《ごじやうだん》』といふのは何《なん》だらう。エ、これが偶然《ぐうぜん》だらうか。誰《たれ》かの悪戯《いたづら》だといふ意味《いみ》ではないだらうか。』

折句についてはここまでであるが、現在この作品を読む場合には、ちょっと別のことが発生している。大正十二（一九二三）年に発表された「二銭銅貨」は古典かなづかい＝歴史的かなづかいで書かれていた。したがって、「ジョウダン」ではなく「ジヤウダン」というかたちで暗号がつくられている。現在は、過去に古典かなづかいで書かれていた文学作品などを現代仮名遣いに改めて出版することがひろく行なわれているが、この作品は現代仮名遣いに改めてしまうと、つじつまがあわなくなる。したがって、註をつけるなどの手当てが必要になる。

折句は、一行の行頭あるいは行末の文字を拾っていくと、それがある語句になるというものだが、行頭と行末とを使うこともできる。これを日本では「沓冠《くつかむり》」と呼んだ。英語の「ダブルアクロスティック（double acrostic）」である。

沓冠＝ダブルアクロスティック

先には「琴賜へ」「琴は無し」の贈答歌を紹介した。頓阿の家集である『続草庵集』巻四に、吉田兼好と頓阿との贈答歌が収められている。

夜もすずし寝覚めのかりほ手枕《たまくら》もま袖も秋にへだてなき風（五三八番歌：兼好）
夜も憂し寝たくわが背子はては来《こ》ずなほざりにだにしばしとひませ（五三九番歌：頓阿）

すべて仮名で書いてみよう。

よもすず**しね**ざめのかり**ほた**まくら**もま**そでもあき**に**へだてなきか**ぜ**
よるもう**しね**たくわがせ**こは**てはこ**ずな**ほざりにだ**にし**ばしとひま**せ**

兼好の歌の各句の頭をつなぐと「よねたまへ（米賜へ）」となり、各句末を五句から遡ってつなぐと「ぜにもほし（銭も欲し）」となる。これに対して、頓阿の返歌の各句の頭をつなぐと「よねはなし（米は無し）」となり、各句の末を遡ってつなぐと「せにすこし（銭少し）」となる。つまり、兼好は「米をください。銭も欲しい」とよみこんだが、頓阿は「米は無い。銭なら少しある」と答えたということだ。

また少しいたずらを。（一首としての歌意が十全ではないが）頓阿の歌を次の傍線部のように変えると、「よねはなし」「せにもなし」となって、まったく絶望的な返歌となってしまう。

夜も憂し寝覚めもはかな初風もなほざりにだにしばしとひませ
よるもうしねざめもはかなはつかぜもなほざりにだにしばしとひませ

沓冠歌というと、明治三十九（一九〇六）年に京都、建仁寺の竹藪から出土した「極楽願往生歌」が思い浮かぶ。末尾には「康治元年」とあって、一一四二年頃に成立したものであると思われる。いろは四十七文字を和歌の上下に置いたもので、極楽往生の願いをこめている。イからヲまでをあげてみよう。一つ一つの歌の意味の説明は省くが、参考のために、適宜漢字をあてたかたちを示しておく。

イロイロノ花ヲツミテハ西方ノミタニソナヘテツユノミヲクイ

ロクロクニメクリアフトモノリノミチタエテオコナヘサカノコノコ**ロ**
ハカナシヤコノヨノコトヲイソクトテミノリノミチヲシラヌワカミ**ハ**
ニハカニモヲコナヒタツトアタナラシタ、コクラクノコトヲオモフ**ニ**
ホトモナクヨルヒルミルニアカヌカナネテモサメテモサカミタノカ**ホ**
ヘシトサハアタナルツユノヨロツヨヲコノミヲステ、ノリヲコソオモ**ヘ**
トシヲヘテミタノ上トヲネカフミハヒトヨリサキニコセヤカナフ**ト**
チキリヲクミタノ上トノ西ヨリハムカヘテミセヨコクラクノミ**チ**
リヲシリテオモフネカヒノタカハスハイチネムアミタタノマル、ナ**リ**
ヌルコトハタ、コクラクノコヒシサニユメニミムトテヲキモアカラ**ヌ**
ルリノタマカケテカ、ヤクコクラクノホトケノスカタユメニノミ、**ル**
ヲトニキ、コ、ロヲツクスコクラクノネカヒタカフナツユノワカミ**ヲ**

いろいろの花を摘みては西方の弥陀に供へて露の身を悔い
ろくろくに廻り遇ふとも法の道絶えで行へ釈迦のこのころ
はかなしや此世の事を急ぐとて御法の道を知らぬ我身は
にはかにも行ひたつとあたならじただ極楽の事を思ふに
程もなく夜昼見るに飽かぬかな寝ても覚めても釈迦弥陀の顔
経しとさはあたなる露の万代を此身を捨てて法をこそ思へ

年を経て弥陀の浄土を願ふ身は人より先に後世や叶ふと
契り置く弥陀の浄土の西よりは迎へて見せよ極楽の道
利を知りて思ふ願ひの違はずは一念阿弥陀頼まるるなり
寝る事はただ極楽の恋ひしさに夢に見むとて起きも上がらぬ
瑠璃の玉懸けて輝く極楽の仏の姿夢にのみ見る
音に聞き心を尽くす極楽の願ひ違ふな露のわが身を

「イ」で始まって「イ」で終わり、「ロ」で始まって「ロ」で終わるというように和歌がつくられている。しかし、古代の日本語は「ラ行音」から始まる語がないので、ラリルレロの歌の先頭には漢語を使うしかない。例えば、「リ」では漢語「リ（利）」が、「ル」では漢語「ルリ（瑠璃）」、「レ」では漢語「レイ（例）」、「ラ」では漢語「ラセチキ（羅刹鬼）」が使われている。そしてダブルアクロスティックを実現させるために、少し無理がみられる。たとえば「ワタツミノソコノイロクツミナ、カラスクハムコトヲネカフアミタワ」（わたつみの底のいろくづ皆ながら救はむ事を願ふ阿弥陀は）の末尾は助詞の「ハ」なので、一般的には「は／ハ」と書く。しかし、ここでは「ワ」から始まって「ワ」で終わらないといけないので、（発音が「ワ」だということは当然あろうが）末尾には「ワ」とある。同様に「オモヒテモナキフルサトソサカミタモコタヒナミセソフルノスミカオ」（思ひ出も無きふるさとぞ釈迦弥陀もこたびな見せそ古のすみかを）の末尾は助詞の「ヲ」であるのに、「オ」で始まって「オ」で終わるために、助詞の「ヲ」を「オ」と書いている。「ヰテモタチワカミヲステ、コクラクノカタトオモヘハミチヲノミトヰ」(居ても立ち我が身を捨てて極楽の方と思へば道をのみ問ひ)の末尾は「トフ(問)」という動詞なので、古典かなづかいでは「ヒ」を書くところであるが、あえて「ヰ」を書いていると思われる。このように、一般的、標準的な書きかたを採ると、ダブルアクロスティックが実現できないために、少々無理な書きかたを採らざるをえなかったという場合が散見する。しかしそれはやはりやむをえないことだろう。

ソシュールとことばあそび

フェルディナン・ド・ソシュール(Ferdinand de Saussure)(一八五七~一九一三)という人物がいる(以下ソシュールと呼ぶ)。近代的な言語学の創始者といわれる。言語にかかわる研究をするのが言語学だが、言語にはいろいろな面があるので、ソシュール以降、そうした言語のいろいろな面に分析が加えられた。だから、「いまさら、ソシュール?」という言語学者も少なくないだろう。しかし、ソシュールは言語について幾つかの重要な指摘をしている。

幾つかの「語」が並んで「文」をかたちづくる、といえば、改めてそんなことをいわなくても当然のことだと思われるかもしれない。例を使って説明してみよう。「この砂みんな石英だね」(宮沢賢治『銀河鉄道の夜』)という一文がある。「コノ」「スナ」「ミンナ」「セキエイ」「ダ」「ネ」という語からこの一文はかたちづくられている、とみることにする。宮沢賢治の自筆原稿をみると、いったん「この砂みんな石英だね」と書いてから、助詞「ハ」を付け加え、「セキエイ（石英）」を「スイショウ（水晶）」に換え、末尾の「ネ」を抹消して、「この砂はみんな水晶だ」という文に書き換えていることがわかる。今ここでは「なぜ宮沢賢治はそのように書き換えたか」ということを話題にしない。それが「課題」であるならば、その「課題」は文学研究の枠組みにおいて取り組むべき「課題」だと考えるからであるし、さらにいえば、書き換える前の文と書き換え後の文とをいくら対照しても、その答えは得られないだろうと筆者が考えているからだ。

さて、「セキエイ」を「スイショウ」に換えても文は成り立っているのだから、一つの文を構成する語、ということを考えた時に、構成することができる語は一つではないということがわかる。もちろん語には語義があるのだから、ある語を別の語に換えれば、文全体の意味＝文意は変わることになる。しかしとにかく文は成り立つ。「セキエイ」はいったん選択された語で、この「セキエイ」を使って文をつくった時には、「セキエイ」という語はいわば「顕在化」していた。「スイショウ」は「セキエイ」にとってかわることができるのだが、最初は選択されなかった。つまり「潜在化」していた。これを「顕在化」した語の周囲には「顕在化していない語＝潜在している語」があるととらえ、表現することにしよう。このことをさらにいえば、一つの語の周囲には、その語と、「何らかのかかわりをもった（幾つかの）語」が存在しているということになる。ソシュールはそういう「関係」を「連合関係（rapport associatif）」と名づけた。「セキエイ（石英）」と「スイショウ（水晶）」とは「連合関係」にある語ということになる。

一方、一文をかたちづくる語同士の関係を、ソシュールは「連辞関係（rapport syntagmatique）」と名づけた。さきほどの例でいえば、「コノ」「スナ」「ミンナ」「セキエイ」「ダ」「ネ」は文の始めから終わりに向かって、一直線に並んで文を構成しているのだから、「連辞関係」にある語である。宮沢賢治は後から助詞「ハ」を加え、助詞「ネ」を除いているが、そのように、一文を構成する語も、一定不変ではない。

先に、「一つの語の周囲には、その語と、「何らかのかかわりをもった（幾つかの）語」が存在している」と述べたが、ソシュールは、その「何らかのかかわり」を多面的にとらえている。ソシュールがあげた（であろう）例は、「発音と語義両方に重なり合いがある場合」「語義のみに重なり合いがある場合」「発音のみに重なり合いがある場合」の三種類であるが、「連合関係」について「与えられた語に対して心が結びつけるさまざまな語との関係」とも述べており、そのことからすれば、ある語と何らかの連想によって想起される別の語とは「連合関係」にある、とみることもできる。日本語を使って例示すると次のようになる。

1　発音と語義とに重なり合いがある……試み・試みる

2　語義のみに重なり合いがある…………豪邸・お屋敷

3　発音のみに重なり合いがある……恋女房・鯉のぼり

2は「類義語」、3は「同音異義語」といってもよい。こうした例の他に、「クロ(黒)」から「シロ(白)」を想起すれば、「クロ」と「シロ」とは「連合関係」にあるといってよい。この場合は「対義語」になる。「シロ」という発音から同音異義語である「シロ(城)」を想起し、「城といえば兵がいるな」と「ヘイ(兵)」をさらに想起するというように、次々と連続して想起する語がひろがっていくことはむしろ自然であろう。「シロ(城)」と「ヘイ(兵)」とは「縁語」といってもよい。「発音のみに重なり合いがある」語である、「マツ(松)」と「マツ(待)」とをうまく重ね合わせることによって、表現に重層性をもたせるのが和歌の技巧＝掛詞である。このように考えると、ソシュールの「連合関係」は、ことばあそびと深くかかわっていることがわかる。というよりも、ソシュールの「連合関係」は人間の言語活動と深くかかわっている概念で、ことばあそびは、「あそび」とはいいながら、やはり人間の言語活動と深くかかわっているから、両者に重なり合いがある、と考えたほうがよいのかもしれない。

先に、いろは四十七文字を和歌の上下においた沓冠歌である「極楽願往生歌」を紹介したが、「いろは歌」はいろは四十七文字、つまり仮名を一度ずつ使ってつくられた「歌」ということになる。つまりそもそも「いろは歌」がことばあそびといってもよい。次にはこの「いろは歌」について採りあげてみよう。

第二章

いろは歌あれこれ

ある助詞を使わないで和歌をつくる――『万葉集』のチャレンジ

『万葉集』巻十九に大伴家持のつくった次の和歌二首が収められている。「霍公鳥《ほととぎす》を詠みし二首」という詞書きが附されているが、詞書きどおり、ホトトギスを詠んだ歌である。

ほととぎす今来鳴きそむあやめ草かづらくまでに離《か》るる日あらめや（四一七五番歌）
わが門ゆ鳴き過ぎ渡るほととぎすいやなつかしく聞けど飽き足《だ》らず（四一七六番歌）

和歌中の「ホトトギス」は「霍公鳥」と書かれている。「霍」は「鬼の霍乱」の「霍」で、発音は「カク」なので、「霍公（鳥）」は「カッコウ（チョウ）」で、カッコウとホトトギスとは似ているために、ホトトギスに「霍公鳥」という漢字列をあてていると思われる。後になると「郭公」という漢字列をあてることもある。カッコウという鳥名はいうまでもなく、その鳴き声に由来するわけで、これも「聞きなし」ということになる。四一七五番の歌意は「ホトトギスが今来て鳴き始めた。あやめ草を蘰《かずら》にする日（五月五日）までに、ここを離れてしまう日があるだろうか。いやない」ぐらいで、次の四一七六番歌の歌意は、「わが家の門を鳴きながら通り過ぎていくホトトギスの鳴き声には、心が惹かれるが、（いくら聞いても）満足しない」ぐらいだ。

この二首にはそれぞれ「毛能波三箇辞欠之（＝モ・ノ・ハ三箇《みつ》の辞《こと》を欠く）」、「毛能波氏尓乎六箇辞欠之」（モ・ノ・ハ・テ・ニ・ヲ六箇《むつ》の辞《こと》を欠く）という左注が附されている。つまり、四一七五番の歌は、「モ・ノ・ハ」の助詞を使わずにつくられ、次の四一七六番歌は、「モ・ノ・ハ・テ・ニ・ヲ」の助詞を使わずにつくられているということだ。この左注がいつ附されたかということはあるが、とにかく、そのように作歌されていることはたしかだ。右であげられている助詞が『万葉集』の中でよく使われているということはすでに指摘されているので、そういう「よく使う助詞」を使わずにつくったということだ。四一七六番歌は、「聞けど飽かぬかも」（＝聞いたが飽きないなあ）のような表現のほうが自然だという指摘もあり、そうだとすると、やはりよく使う助詞を使わないようにしたために、表現が少々不自然になったということになる。表現が不自然でもあえてそうしたのは、「よく使う助詞を使わずに作歌するぞ」という気持ちがあったからで、やはりその気持ちは「ことばあそび」に通じる。

同じ仮名を使わないで和歌をつくる――『古今和歌集』のチャレンジ

「よく使う助詞を使わない」という「制限」は『古今和歌集』では「同じ文字なき歌」

という「制限」としてみえる。

世のうきめ見えぬ山路《やまぢ》へ入らむには思ふ人こそほだしなりけれ（九五五番歌）
よのうきめみえぬやまちへいらむにはおもふひとこそほたしなりけれ

たしかに同じ仮名が使われていない。つまり異なる仮名三十一字によってつくられた和歌ということになる。詞書きにあるのだから、わざわざそういう和歌をつくったことになる。「いや偶然じゃないの」と思われる方もいるだろうが、なかなかそうはいかない。『古今和歌集』に収められている、よく知られている和歌を「検証」してみよう。まず漢字も使ったかたちをあげて、その隣に仮名だけで書いたかたちをあげてみる。

春の夜の闇はあやなし梅花色こそ見えね香やはかくるる（四十一番歌）
はるのよのやみはあやなしうめのはないろこそみえねかやはかくるる

全然だめだ。「は」が四つ、「る」が三つ、「の」が三つ入っている。

ひとはいさ心もしらずふるさとは花ぞ昔の香ににほひける（四十二番歌）
ひとはいさこころもしらすふるさとははなそむかしのかににほひける

これも全然だめ。「は」が三つ、「こ」「る」「か」「に」「ひ」「さ」が二つずつ入っている。案外難しいことがわかってきたので、「検証」はこのくらいにしておこう。「同じ仮名を使わない」は「仮名を重複させない」ということなので、これは仮名四十七字を重複させない作歌、「いろは歌」と隣り合わせにみえる。

あめつちの歌

平安時代の歌人で相模《さがみ》と呼ばれている人物がいる。生没年がよくわかっていないが、九九八年頃に生まれたといわれることもあるので、だいたい十世紀末から十一世紀初めにかけての頃に生まれた人と考えておくことにしよう。この相模の歌を集めたのが『相模集』であるが、その中に「ある所に庚申の夜天地を／かみしもにてよむとて／よませし十六」という詞書きの歌群がある。次にその和歌をあげる。

あさみとりはるめつらしくひとしほにはなのいろますくれなゐのあ**め**
つきもせぬねのひのちよをきみかためまつひきつれむはるの山み**ち**
ほかよりはのとけきやとのにはさくらかせの心もそらによくらし**し**
そのかたとゆくへしらる、はるならはせきすへてましかすかの、は**ら**
やとちかきうのはなかけはなみなれや思やらる、ゆきのしらは**ま**

かたらは丶おしみなはてそほと丶きすき丶なからたにあかぬこゑを**は**
みしまえのたまえのまこもなつかりにしけくゆきかふをちこちのふ**ね**
たきつせによとむ時なくみそきせんみきはす丶しきけふのなこし**に**
むしのねもあきすきぬれはくさむらにこりゐるつゆのしもむすふこ**ろ**
このはもるしくれはかりのふるさとはのきのいたまもあらしこそふ**け**
えこそね丶ふゆの夜ふかくねさめしてさえまさるかなそてのこほり**の**
えたさむみつもれるゆきのきえせぬは冬はみるかなはなのときは**を**

詞書きの「天地」は「アメツチ」で、「あめつちほしそらやまかはみねたにくもきりむろこけひといぬうへすゑゆわさるおふせよえのえをなれゐて」(天地星空山川峰谷雲霧室苔人犬上末硫黄猿、生ふせよ、榎の枝を、慣れ居て)という仮名四十八字からなる「歌」=「あめつちの歌」のことと思われる。

和歌は「あめ」の「あ」と「め」とを沓冠にしてつくられている。詞書きには「十六」とあるが、実際には右の十二首しか載せられていない。「いろは歌」が仮名四十七文字であるのに対して、「あめつちの歌」が仮名四十八字であるのは、ア行のエとヤ行のエとの発音の区別がある時期につくられたためと推測されている。しかし、ア行のエとヤ行のエとの発音の区別が失われたのが、ちょうど仮名がうまれる頃だったために、ヤ行のエに対応する仮名がない。右は、かつて「浅野侯爵所蔵古鈔本相模集」と呼ばれていたテキストに基づいて翻字しているが、このテキストは現在では東京都八王子市にある公益財団法人東京富士美術館に蔵されており、国の重要文化財指定を受けている。このテキストには「家本承久三年失之／以大宮三位本令書留／嘉禄三年五月廿日」という奥書がある。家の本が、承久三（一二二一）年になくなってしまったので、「大宮三位」の本を写させたものだという奥書で、その奥書が書かれたのが嘉禄三（一二二七）年であることがわかる。そして、この奥書は藤原定家の筆蹟であると考えられている。そのためか、このテキストは藤原定家が書いたものと伝承されてきていたが、現在はそうではないと考えられている。

さて、このテキストにおいては「えこそ」の「え」には漢字「盈」を字源とした仮名が使われているが、この仮名は本来的にはヤ行のエにあたる。「えたさむみ」の「え」には漢字「衣」を字源とした仮名が書かれているが、この仮名は本来的にはア行のエにあたる。二つある「え」がヤ行のエとア行のエであるところまではいい。ところが「えこそ」の「え」はア行のエ、「エダ（枝）」の「え」はヤ行のエであるので、あてられている仮名が違ってしまっている。もともとの「あめつちの歌」の「えのえを」の箇所は、どのような語をひきあてればよいか、諸説あるが、「榎の枝を」で、上の「え（榎）」がヤ行のエ、下の「え（枝）」がア行のエというみかたを採るとすると、「えたさむみ」の「え」はやはりヤ行のエであることになり、そこにア行のエにあたる仮名を置くのはふさわしくない。

発音がちかいから、区別が失われていくので、まず区別を失ったア行のエとヤ行のエは、後に区別を失うア行のイとワ行のイと比べれば、発音が「ちかい」とみることができる。ヤ行のエをあらわす仮名がないのだから、仮名でそれを区別することはできない。

それはそれとして、源　順《みなもとのしたごう》（九一一〜九八三）という人物がいた。『和名類聚抄』という辞書を編纂したことでも知られているし、二番目の勅撰集である『後撰和歌集』の編纂をし、『万葉集』を解読した「梨壺の五人」の一人であることでも知られている。この源順の歌を集めた『（源）順集』という家集がある。三十六人集の一つにもなっている。この家集に「あめつちの哥　四十八首」が収められている。江戸時代、正保四（一六四七）年に出版された『哥仙家集』を使って示してみよう。

あめつちの哥　四十八首
本藤原のありた丶の朝臣藤六か丶へしなり
かれはかみのかきりにそのもしをすへたりこれは
しもにもすへときをもわかちつ丶よめる

春

あらさしとうちかへすらんを山田の苗代水にぬれてつくるあ
めもはるに雪まもあをく成にけり今日こそのへに若なつみてめ
つくは山さける桜の匂ひをはいりておらねと外《よそ》なからみつ

千くさにもほころふ花の匂ひ哉いつら青柳ぬひし糸すち
ほの〳〵と明石の浜をみわたせは春の波ともいつる船のほ
しつくさへ梅の花かさしるき哉雨にぬれしと君やかくし、
空さむみ結ひし氷うちとけていまや行らん春のたのみそ
らにもかれきくもかれにし秋の、のもえにける哉さほの山つら

夏

山も野も夏草しけく成にけりなとかまたしきのへのかるかや
待人も見えねは夏も白雪や猶ふりしけるこしのしら山
かた恋に身をやきつゝも夏虫のあはれわひしき物を思ふか
はつかにも思ひかけてはゆふたすき賀茂の河波立よらしやは
身をつめは物思ふらし郭公《ほとゝぎす》なきのみまとふ五月雨のやみ
ねをふかみまたあらはれぬあやめ草人を恋ちにえこそはなれね
たれによりいのるせゝにもあらなくにあさくいひなすおほぬさにはた
庭みれはやをたておいて荒にけりからくしてたに君かとはぬに

秋

呉竹のよさむに今は成ぬとやかりそめふしに衣かたしく
最上河いなふねのみはかよはすておりのほりなをさはくあしかも
昨日こそゆきて見ぬほといつのまにうつろひぬらんのへの秋萩

りうたうも名のみ也けり秋の野の千草の花のかにはおとれり
結ひきし白露をみる物ならはよるひかるてふ玉もなにせん
ろもかちも舩もかよはぬ銀河《あまのがは》七夕わたるほとやいくひろ
木のはのみふりしく秋は道をなみわたりそわふる山川のそこ
今朝みれはうつろひにけり女郎花《をみなへし》我にまかせて秋はゝやゆけ

冬

日をさむみ氷もとけぬ池水やうへはつれなくふかきわかこひ
とへといひし人はありやと雪分てたつね＊きつる三輪の山本
いつみともいさやしら波たちぬれてしたなる草にかけるくものい
ぬることに衣をかへす冬のよに夢にたにやは君か見えこぬ
うちわたしまつあしろ木のいとひをのたえてよらぬはなそやこゝろう
へひゆみのはれるにもあらてちる花は雪かと人にいる人にとへ
すみかまのもえこそわたれ冬さむみひとりおもひのよるはいもねす
ゐこひする君かはしたかしたかれの野になはなちそはやくてにすゐ

思

夕されはいとゝわひしき大井川かゝり火なれやきえかへりもゆ
わすれすもおもほゆる哉朝な〳〵ねしくろかみのねくたれのたは
さゝかにのいとたにやすくねぬ比は夢にも君にあひみぬかうさ

るり草の葉にをく露の玉をさへ物思ふ君は涙とそみる
思ひをもこひをもせゝにみそきするひとかたなてゝはらへてはおゝ
吹風につけても人を思ふにはあまつ空にも有やとそ思ふ
せをふちにさみ＊れかたの成行はすをさへうみに思ひこそなせ
芳野河そこのいは波いかてのみくるしや人を立居こふるよ

恋

えもいはて恋のみたるゝ心かないつとやいはにおふるまつのえ
残なくおつる涙は露けきをいつら結ひし草村の野の
えもせかて涙の川のはて〳〵やしゐて恋しき山川ゝまゐ
をくら山おほつかなくもあひみぬかなくしかはかり恋しき物を
なきたむる涙は袖にみつしほのひるまにたにもあひみてしかな
れうしにもあらぬ我こそ逢ことをともしのまへのもえこかれぬれ
ゐてもこひふしてもこふるかひもなく影あさましくみえぬ山の井
照月ももるゝ板間のあはぬよはぬれこそわたれかへす衣手

小松英雄『いろはうた』には『群書類従』に収められた『源順集』の「本文」が載せられているが、右の『哥仙家集』の「本文」とはさまざまに異なっている。もともとどういう「本文」であったかということがもちろん大事であるが、今そこにはふみこまないことにして、幾つかの点についてだけ補足しておこう。『哥仙家集』には振仮名が施されていないが、『群書類従』の「本文」を参考にしながら、幾つかの漢字列に「濁点使用の古典かなづかい」で振仮名を施した。今回、本書をまとめるにあたって、これまでに出版されている「ことばあそび」にかかわるさまざまな書物にあたり、多くの情報を得た。そういう先人の研究成果の上に本書があることをここに述べ、学恩に感謝したい。その上でいえば、そうではあるが、誤っていると思われる情報が述べられていることも少なくない。「ことばあそび」だから、所詮「あそび」だ、とは誰も思っていないであろうが、「ことばあそび」だからこそ、きちんと遡って、情報を確認しておく必要がある。一字違っていても、「ことばあそび」に響いてくることもある。そして、遡った時に、そもそもその「ことばあそび」(的なもの)がどのように文献に文字化されていたのか、ということも重要である。それはその「ことばあそび」(的なもの)がその文献ができあがった時期にどのようにとらえられていたかを推測する手がかりになることもある。

「とへといひし〜」の歌の＊には「ゾ」が脱落しているか、あるいは「たつねきつるゾ」かと思われる。「思ひをも〜」の歌の末尾は「はらへてはおゝ」としか読めないが、これでは意味が通じない。感動詞「オオ」だろうか。『群書類従』では「はてはてはしお」となっているが、これも意味がよくわからない。「せをふちに〜」の歌の＊には「た」が脱落していると思われる。「えもせかて〜」の歌の末尾「山川ゝまゐ」の箇所、

『群書類従』では「山は筑波え」となっている。

もともと無理がなかったとはいえないので、通常の和歌では採らない表現になっていたり、通常の和歌では使われない語が使われていた可能性はたかい。それゆえ、書写の過程で、どのような語であるか、どのような表現であるかがわかりにくくなって、「本文」に「揺れ」が生じたのだろう。

それはそれとして、春夏秋冬思恋の六つに分け、それぞれに八首ずつ収め、四十八首をつくったという技量はすばらしい。「あめつちの歌」は「あめ」「つち」「ほし」「そら」と二拍名詞を並べていくが、「さる（猿）」までくるとその後がちょっと苦しい感じになっている。この四十八字の「あめつちの歌」の後にできたのが四十七字の「いろは歌」だ。

江戸時代につくられた「いろは歌」

「いろは歌」は改めていうまでもなく、いろは四十七文字を重複させることなく使って、七五の四句、今様形式にしたてたもので、辞書に収める見出し項目の配列順としても用いられるようになった。

江戸時代後期の国学者、名島政方《なじままさみち》（?〜一八三二）の「晤語《ごご》」という題名の（後に「雙《なみ》樹落葉《きのおちば》」と改題される）随筆の中に、「ある時翁、御国言の四十七字を、長歌の体に作られしを示されたり」という記述がみられる。名島政方は谷川士清《たにがわことすが》に就いて古学を学んでいたので、この「翁」は谷川士清をさす。そこにあげられているのは次のような長歌である。

あめつちわき、かみさふる、ひのもとなりて、ゐやしろを、おほむへゆには、うちまけぬ、これそたえせね、すゑいくよ

右は『日本随筆大成』新装版（一九七五年、吉川弘文館）第二期24から引用した。加藤竹男『国学者谷川士清の研究』（一九三四年、湯川弘文社）には「あめつちわき、かみさふる、ひのもとなりて、ゐやしろを、おほむへゆには、うらまけね、これそたえせぬ、すゑいくよ」とある。「いろは歌」と対応してみればわかるが、『随筆大成』の歌は、「うちまけぬ」の箇所「ち」が「あめつち」の「ち」と重複してしまっており、「うらまけぬ」でなければならない。一方、『国学者谷川士清の研究』の歌は、「うらまけね」となっており、さらに「これそたえせぬ」となっており、いろは四十七字が重複なく使われている。『日本随筆大成』の「これそたえせね」は係助詞「ゾ」が使われているのに、助動詞「ズ」の已然形「ネ」が使われているところが「破格」で、連体形「ヌ」であるほうが落ち着く。そのように考えると、「あめつちわき、かみさふる、ひのもとなりて、ゐやしろを、おほむへゆには、うらまけね、これそたえせぬ、すゑいくよ」が谷川士清のつくったかたちであろうか。

織田正吉『ことば遊びコレクション』(一九八六年、講談社現代新書)においては、「あめつちわき、かみさぶるひのもとなり、ゐやしろを、おほむへゆには、うらまけてこそねれ、たえせぬすゑいくよ」というかたちが掲げられている。これはこれでいろは四十七字でつくられているが、このかたちがどのような文献に記されていたかが『ことば遊びコレクション』には記されていないので確認することができない。「うらまけてこそねれ」の箇所、「こそ」が係助詞「コソ」だとすれば、「ねれ」という已然形があることになるが、「ねれ」という已然形は古語においては考えにくいのではないだろうか。

九州大学の図書館には『以呂波考』と題された一書が蔵されている。著者は賀茂真淵の学統を受ける国学者、伴直方《ばんなおかた》(一七九〇〜一八四二)である。この『以呂波考』は写真版が『異体字研究資料集成』二期六巻(一九九五年、雄山閣出版)に収められている。この本に、右で紹介した谷川士清のいろは歌を初めとして、細井知慎《ともちか》(一六五八〜一七三六)、本居宣長(一七三〇〜一八〇一)、田中道萬呂(一七二四〜一七八四)、拙斉正重、鶴峯戊申《しげのぶ》(一七八八〜一八五九)のつくったいろは歌が載せられている。

細井知慎は細井広沢《ほそいこうたく》と号した儒学者、書家で、田中道萬呂は本居宣長最初期の門人となった国学者、鶴峯戊申は江戸後期の国学者。『以呂波考』に載せられているそれぞれのいろは歌を次にあげておこう。

きみまくらおやこいもせにえとむれぬゐほりたうへてすゑしけるあめつちさかゆよ

をわひそふねのろなは　　　細井知慎
あめふれはゐせきをこゆるみつわけてやすくもろひとおりたちうゑしむらなへその
いねよまほにさかえぬ　　　本居宣長
あめつちわきかみさふるひのもとなりてゐやしろをおほんへゆにはうらまけぬこれ
そたえせぬすゑいくよ　　　谷川士清（ぬ重複）
すみのえなるたゐにさをとめわせうゑぬいねかりてよおちほひろへこらそゆしもむ
きまけあはふつくれや　　　田中道萬呂
あめつちなせるたみのくさいねゆまけりをしへそふわかおやこえとよほろらもうゑ
すむれゐてにきはひぬ　　　拙斉正重
あめつちをうしはくわかおやよみたまえさせてこそゐなすいほりにゆふへぬうもろ
ひとのむねゑらきけれ　　　鶴峯戊申

『以呂波考』では平仮名の右横に漢字が添えてあるが、それでも歌意がわかりにくいものはある。いろは四十七文字を重複なく使って和歌をつくるのだから、少々の無理は生じてもしかたがないともいえよう。細井知慎広沢の和歌では「きみまくら」の右に「君臣」と記されており、「君臣歌」と呼ばれることがある。塚本邦雄は『ことば遊び悦覧記』（一九八〇年、河出書房新社）において、この「君臣歌」を紹介しているが、そこには「きみまくらおやこいもせにえとむれぬ　ゐほりたうえてすゑしげる　あめつちさか

えよをわびそ　ふねのろなは」と紹介されている（傍点筆者）。

ワ行下二段に活用する動詞「ウウ（植）」の連用形は「うゑ」であるが、「田ウエテ」を「たうゑて」としてしまうと、「スエ（末）」の「すゑ」と抵触する。「えとむれぬ」の「え」に添えてある漢字は「兄」なので、〈兄〉という語義の「エ」を詠み込んでいるものと思われるが、それは「え」となる。「あめつちさかゆ」の「サカユ（栄）」はヤ行下二段活用動詞なので、この連用形は「さかえ」（「え」はヤ行のエであるが、ヤ行のエの仮名がないので、結局ア行のエと同じ仮名を書かざるをえない）になる。〈兄〉という語義の「エ」と「サカエ」とを歌に使うと、ア行の「え」が二つになってしまう。だから、「あめつちさかえ」ではこの歌が成立しない。そしてまた塚本邦雄があげた和歌には、「へ」と「ゆ」がない。これも不都合だ。

さて、それはそれとして、細井広沢からさらに五十年ほど経った十八世紀末には、未足齊六林子（堀田六林）（一七一〇～一七九二）という人物が現われる。「未足齊」はもちろん「みそくさい」だ。この人物が『つの文字』という書物を著わしている。ここでは東北大学狩野文庫に蔵されているテキストのマイクロフィルムを使っている。

書名は『徒然草』第六十二段にみえる「ふたつ文字牛の角文字すぐな文字ゆがみ文字とぞ君はおぼゆる」という謎の和歌からとられている。ちなみに、「ふたつ文字」は「こ」、「牛の角文字」は（いろいろな議論があるが）「い」、「すぐな文字」は「し」、「ゆがみ文字」は「く」で、「こいしく」思うと解くのが一般的である。『つの文字』には

「序」が附されているが、その末尾には「乙未春」とあって、この「乙未」は堀田六林の生没年から判断し、また「凡例」末尾に「安永午冬至日」とあることから、安永四（一七七五）年のことと推測できる。「凡例」の冒頭には「広沢子きみまくらおやこいもせにゑとむれぬと賦せしをもとゝして」とあり、細井広沢の君臣歌を認識していることがわかる。また他人が、かなづかいを知らないと批難したとしても、自分は「もとより、てにおは、かなつかひ等の沙汰は学はす」と記し、「いゐひえゑへのたくひ通し用ひされは餘不足をつくのいかたし」と述べており、かなづかいに関しては緩いとらえかたをしていることがわかる。堀田六林はいろいろなかたちでいろは歌をつくっており、序文を含めて二十七の作品が収められている。今この狩野文庫本の二十七作品に出現順に番号をつけるとすれば、織田正吉『ことば遊びコレクション』はこの『つの文字』に収められている作品のうち、一（序）・四（題寒梅）・七（寄節分庵：俳諧哥）・十三（琴歌）・十四（夏の初）・二十三（春興）の六作品をあげている。塚本邦雄は『ことば遊び悦覧記』に、十九、十三、四、二十五、十八をこの順であげている。ただし、塚本邦雄は『つの文字』に、「詩三、歌十四、文章二、琴歌十三、弦歌一、小謡一」（四十頁）が収められていると述べており、狩野文庫本とは収められている作品数がまったく一致しない。『補訂版国書総目録』（二〇〇一～二〇〇三年、岩波書店）によれば、『つの文字』は写本が一、版本が狩野文庫以外に、五箇所に蔵されており、あるいは使用したテキストが異なるのだろうか。

和田信二郎『巧智文学』（一九五〇年、明治書院）にも『つの文字』は採りあげられており、そこには「詩三歌十四文章二琴歌一三弦歌一小謡一計二十二篇、その外を輯めて「つの文字」と題した」（七頁）とある。右は『巧智文学』のままに引用したが、途中に読点が施されておらず、「琴歌一三弦歌一小謡一」のあたりがわかりにくい。十四の「夏の初」は小字で「三縁哥與藤尾勾當」と記されており、あるいはこの「三縁哥」を「三弦歌」とみたか。いずれにしても、「琴歌」が十三なのではなくて、「琴歌」が一、「三弦歌」が一ということである。引用でわかるように、『巧智文学』は14を「十四」と書く。これは塚本邦雄も同じであり、13を「一三」と書くことはない。塚本邦雄は、この『巧智文学』の記事を参照している可能性があるのではないか。『巧智文学』がとりあげている作品は、十九、十三、五、四、二十三、一、二十五（横井也有の「雪中寄懐」）、十八（太田南畝作）である。

せっかくの機会なので、これまで紹介されていない作品「試筆三つ物」（6）、「送田子庵之東都」（10）と題された漢詩、「金龍道人府下賦贈」（11）と題された漢詩、小謡（15）を紹介しておこう。漢詩以外の作品では、下に漢字をあてたかたちを、漢詩ではもともと片仮名でそえられていた振仮名を平仮名にして示した。「試筆三つ物」は「この章には京の一字をそへたる変体也」と記されていて、いろは四十七文字に「京」を加えての作品であることがわかる。

試筆三つ物

6 ふてはしめいろやわらけるかなよりそ　筆始め色和《やわ》らげる仮名よりぞ
ゆきおれまとのゐほへうくひす　雪折れ窓の庵へ鶯
たつねゑむみえもせぬ京をあさこちに　たづね得む見えもせぬ京を朝東風《こち》に

10 酒満兼攀柳　さけみちぬかねてやなぎをよづ
征衣天遇春　せいゑそらもはるにあへり
飛花路傍苗　ひくわろほうのなえ
未是駐遊人　ゐまたこれゆしむおとめす

11 奇才世待許　きさえよゆるすをまち
乗浪木杯浮　なみにのせてほくはゐうかめす
蓮社虎蹊路　れむしやこけいろ
酔嗤尋友遊　ゑひわらへりともおたつねあそふ

小謡

15 いろそひめつれはなをさへくもと　色添ひ愛づれ花をさへ雲と
みよしのたねうゑてこすえふけ　みよしの種植ゑて梢吹け

おほゐかわせにあまるゆきや　大井川瀬に余る雪や
ちりぬらむ　散りぬらむ

しかしまあ、変幻自在といってもよいだろう。

『萬朝報《よろずちょうほう》』の国音の歌――明治期のいろは歌

明治三十六（一九〇三）年七月十五日水曜日の『萬朝報』第三五三四号に、いろは四十七字に「ん」を加えた四十八音を重複なく使ってつくられた歌二十編が発表された。当時『萬朝報』を主宰していた黒岩涙香は「国音の歌」と名づけた。第一等に選ばれた歌は「とりな歌」と呼ばれて、よく紹介されるので、あるいはご存じの方もいらっしゃるだろう。第三等までの作品はいろいろな本に紹介されているので、ここでは二十編すべてを作者名とともに次に示してみることにする。新聞は読点を施している。また、第一等から第五等までは、平仮名書きで示し、その右傍に漢字をあてているが、第六等から第二十等までは、漢字をあてたかたちで示し、その漢字に振仮名を施しているので、第一等から第五等までは、平仮名書きで示して、その後ろに新聞であてられていた漢字をあてたかたちを丸括弧に入れて示し、第六等から第二十等までは、新聞に載せられていたかたちで示すことにする。漢字字体は「常用漢字表」に載せられている字体をおもに使用した。幾つかのいわゆる「変体仮名」は必要あって、保存した。第十五等の作者名「川村」の下の字が複製の紙面では判読不能であった（ちなみにいえば、先に紹介した織田正吉『ことば遊びコレクション』においては、第二等の歌の「やすらけく」が「やすけらく」となっている）。

第一等（埼玉県児玉郡青柳村大字中新里：坂本百次郎）
とりなくこゑす、ゆめさませ、みよあけわたる、ひんがしを、ろらいろはえて、おきつべに、ほふねむれゐぬ、もやのうち。（鳥啼く声す夢覚ませ見よ明け渡る東を空色栄えて沖つ辺に帆船群れ居ぬ靄の中）

第二等（東京麻布区本村町卅九番地：堀幸）
ゐせきいねうゑ、かりをさむ、おふほもそろひ、つちこえぬ、まれにみるゆめ、やすらけく、あなたのしよと、わはへてん、（堰塞き稲植ゑ刈収む負ふ穂も揃ひ土肥えぬ稀に見る夢安らけく嗚呼楽し世と我は経てん）

第三等（小石川区大塚上町十三番地：常盤千代）
ほそやまがはの、すゑをみよ、ちふねむれゐる、ひろせあり、ゆめおこたらで、わざとげん、いつにしきえぬ、なもうべく、（細山川の末を見よ千船群れ居る広瀬ありゆめ怠らでわざとげんいつにし消えぬ名も得べく）

第四等（千葉県安房郡館山町館：高木徹）
うなゐのころろ（濁点附）、ちゑをねり、かへらぬつきひ、むだにせで、ふみわざはげめ、ほまれ𛀁よ、くゆるもあすや、としおいん、（髫髪の頃ぞ智恵を練り還らぬ月日無益にせで文技励め誉れ得よ悔ゆるも明日や年老いん）

第五等（伊豆国田方郡中大見村梅木：鈴木多喜）

ゆきふるみねは、おいまつも、ろび𛀁しこずゑ、うちたれぬ、わをやどらせよ、ゐろりべに、あけぼのさむく、ふがめてん、（雪降る峯は老松も聳えし梢打ち垂れぬ我を宿らせよ囲炉裏辺に曙寒く眺めてん）

第六等（武蔵国豊多摩郡下渋谷三七八：服部元彦）

智能《さとり》を広《ひろ》く、胸《むね》に据《す》ゑ、世《よ》の為《た》め道徳《みち》も、推《お》し行《ゆ》かば、尽《つ》きせぬ名誉《ほまれ》、揚《あ》げ得《え》んぞ、奮《ふる》へや髫童《うなゐ》、いで若子《わこら》等。

第七等（福岡県遠賀郡八幡町門田二九：今村元三郎）

終日汗《ひねもすあせ》に、己《おの》が業《わざ》、卒《を》へてこそ得《え》め、足《た》る八千穂《やちほ》、野菜摘《ねなつ》み円居《まどゐ》、夕餐張《ゆふげは》り、清《きよ》く笑《ゑ》むらん、色嬉《いろうれ》し、

第八等（伊予国北宇和郡成妙村字大藤：芝重義）

植《う》ゑ置《お》ける菫《すみれ》、冬経《ふゆへ》得《え》て、綻《ほころ》び初《そ》めぬ、小《ちさ》き花《はな》、騰《た》つや薫《かをり》、弱《よわ》くとも、愛《あい》の胸《むね》にし、参《まゐ》らせん、

第九等（但馬国豊岡郡滋茂町八：宮脇郁）

笑《ゑみ》を含《ふく》める、朝日《あさひ》影《かげ》、蒔《ま》きし野面《のづら》も、色栄《いろは》えて、大根《おほね》茄子《なす》瓜《うり》、早稲《わせ》豊《ゆた》に、家内《やぬち》ぞ群《むれ》居《ゐ》、常世《とこよ》経《へ》ん、

第十等（東京芝区南佐久間町一、二、井上方：赤松景福）
飛鳥山姫《あすかやまひめ》、もみぢ植《う》ゑ、今日《けふ》くれなゐの、濃《こ》き色《いろ》に、染《そ》むる手業《てわざ》は、おぼえぬを、昨夜白露《よんべしらつゆ》たねとせり、

第十一等（仙台市北三番町旧五四：大友ちゑ）
五月雨《さみだれ》の、降《ふ》る頃《ころ》ゆ、田舎人《ゐなかびと》は、家余所《いへよそ》にし、娘等《むすめら》も、早稲晩稲《わせおくて》、骨折《ほねをり》植ゑつけぬ、秋《あき》や待《ま》ち得《え》ん、

第十二等（滋賀県伊香郡菅並：桐畑徳俊）
広《ひろ》き道《みち》ふめ、幼子《うなゐご》ら、吾《わ》れを責《せ》むとの、彝《つね》に依《よ》り、育《そだ》てあげぬる、行末《ゆくすゑ》は、家《いへ》も栄《さか》えん、大八洲《おほやしま》、

第十三等（京都上京区中立売通烏丸西へ入る東町七：山本行範）
八重《やへ》の大海《おほうみ》、我《わ》れ小舟《こぶね》、知《し》らぬ外国《とつくに》、末《すゑ》はるう、なんぞ撓《たは》まむ、双手《もろて》あげ、ひきゐ攻《せ》め入《い》り、幸《さち》を得《え》よ、

第十四等（大坂西区江戸堀北通二、一五三、管兵洽方：神村常太郎）
邪《よこしま》せぬ、吾《われ》は寝《ね》てさへ、夢安《ゆめやす》かり、栄禄顕位《えいろくけんゐ》を襲《おそ》ふ人《ひと》、笑《ゑみ》の中《うち》にだも、猶剣《なほつるぎ》あらむ、

第十五等（京都上京区聖護院町卅二、橋本方：川村）
明《あ》けて雲井《くもゐ》に、色添《いろそ》へつ、打覆《うちおほ》ふ闇《やみ》、消《き》えぬれば、結《むす》びし夢《ゆめ》を、覚《さ》ませよと、告《つ》げ渡《わた》るらん、鐘《かね》の声《こゑ》、

第十六等（神戸市楠町七丁目四番屋敷：岡崎久寿）
生《うま》れ長《お》ひぬる、青年等《せいねんら》、ゆめ綾羅《あや》競《きそ》ふ、誇《ほこ》りすな、智恵《ちゑ》得《え》て万《よろ》づ、業励《わざはげ》み、国《くに》の
基礎《もとゐ》を、鞏固《かた》むべし、

第十七等（佐賀県肥前国東松浦郡唐津町：戸川俊雄）
磯辺《いそべ》の汐干《しほひ》、見《み》おろせば、こぎ寄《よ》りにけん、蜑小舟《あまをぶね》、得《え》ぬる海幸《うみさち》、わうつ故《ゆゑ》、女《め》
等《ら》も群居《むれゐ》て助《たす》くとや、

第十八等（東京本郷区駒込千駄木林町五：万年昭明）
八十氏増《やそうぢま》して、大江《おほえ》、布留《ふる》、櫻井《さくらゐ》、権田《ごんだ》、長谷《はせ》、楡木《にれぎ》、餌守《ゑもり》、犬飼《いぬかひ》、根津《ねづ》、夢野《ゆめの》、
小室《をむろ》、和気《わけ》、など、算《よ》み能《あ》へず、

第十九等（下野国河内郡本郷村大字西蓼沼：菱沼倉四郎）
粗朶火《そだび》燃《も》え散《ち》る、囲炉裏辺《ゐろりべ》に、賤《しづ》の夜寒《よさ》むを、嘆《なげ》く見《み》ゆ、女子《めご》弟飢《おとうゑ》て、顔瘠《かほや》せぬ、
哀《あは》れ着寝《きいね》ん、藁衾《わらふすま》、

第二十等（伊勢国度会郡七保村大字野原：福井斗美郎）
額《ぬか》に汗《あせ》して、労働《はたらき》す、その小団欒《をまどゐ》や、幸福殖《さちふ》えん、喜楽享《よろこびう》けつ、笑多《ゑみおほ》く、眠《ねむ》れる夢《ゆめ》
も、平和《へいわ》なり、

明治三十三（一九〇〇）年八月二十一日に、文部省令第十四号としてだされた「小学校令施行規則」の第一章「教科及編制」の第一節「教則」の第十六条において、「小学

校ニ於テ教授ニ用フル仮名及其ノ字体」が示された。そこで示された「字体」は現在使われている字体と同じで、この時をもって、それ以外の字体を「変体仮名」と呼ぶことになった。右の『萬朝報』の記事は明治三十六年の記事であるが、新聞の印刷にはこの時点でもまだ「変体仮名」が使われていることがわかる。それはむしろ当然のことともいえるが、「𛀁」の使用は少し気になる。「𛀁」は（原理的には）ヤ行のエにあたるはずで、藤原定家などは、ヤ行のエにこの字体を使うことがあった。「いろは四十七字（＋ん）」にはヤ行のエが含まれていないので、明治三十六年の時点では、「エ」と発音する仮名は「え」と「ゑ」との二つであった。第五等の歌では「ろび𛀁しこずゑ」の中に、「𛀁」と「ゑ」とが含まれており、その他にはもちろん「エ」はない。だから、この𛀁はア行のエとして使われているとみるのが自然である。しかし、「ソビユ」というヤ行に活用する動詞の連用形に使われている点が興味深い。

「いろは四十七字」を重複なく使うということになると、発音上は区別がなくなっている「ゐ」と「い」、「ゑ」と「え」の「ゐ」「ゑ」をどのように使うかということが重要になる。それは一つの制限となっていると思われ、それゆえ、同じような語が使われることになる。

しかしそうはいっても、明治三十六年であれば、まだまだ和歌をつくる人が多かったと思われる。それは右にあげた二十首がよく練られていることから推測できる。漢語を交えるということはあっても、和歌らしさ、和歌の表現は保たれていると感じる。

塚本邦雄は『ことば遊び悦覧記』に十等までを掲げ、第一等を「比較を絶してゐる」、「人麻呂風とも、家持風とも言へさうな、この清清しい叙景歌は、堂堂として四十八音一回限りの制限を全く意識させない」と絶賛する。その一方で、「二十番まで似たり寄つたり、道歌紛ひの勤労讃歌、俗臭紛紛たる自然讃歌が、舌足らずな辞句を集めて捏ち上げられてゐる」と述べ、さんざんな評価だ。その塚本邦雄が、第一等の次に認めているのが、第十八等の「氏姓尽し」である。塚本邦雄が、第十八等の歌を評価する気持ちはなんとなくわかる。

筆者は今から二〇年以上前に、俵万智の短歌について（分析した）文章を書いたことがある（『日本語学』第十一巻八号、一九九二年、明治書院）。そこで述べたことでもあるが、例えば、俵万智の「吾大、克二、健一、秀明―それぞれに命名をせし高ぶりを読む」においては、人名＝固有名詞が短歌の「五七五七七」の言語量のある程度の部分を占めている。「それぞれに命名をせし高ぶりを読む」という三句四句五句があるので、「歌意」はもちろん成立している。しかし、固有名詞部分を拡大することもできなくはない。そういう可能性をみた時に、それを「（意味から解放され）音で満たされた短歌」への可能性とみることはできるかもしれない。岡井隆や寺山修司とともに「前衛短歌」という表現と結びつけられることが多い塚本邦雄がどのようなつもりで、第十八等の歌を評価したか、結局はわからないとしかいいようがないが、筆者が「和歌らしさ、和歌の表現は保たれている」と述べた、その対極において、第十八等の歌を評価したように思われる。

棋士のつくったいろは歌

『圍爐端歌百吟』（一九九九年、芸艸堂）という本がある。「圍爐端歌」は「イロリバタ（囲炉裏端）」を一瞬思わせるが、「イロハウタ」だろう。「だろう」というより、この本の内容からして、そうであるはずだ。著者は中山典之《なかやまのりゆき》、日本棋院七段、囲碁のプロだ。中山典之はこれまでに、いろは四十七文字＋ん＝四十八字を使った歌を千首あまりつくったという。右の本にはそのうちの百首が収められている。中山典之は、「四十七字歌を作るのは、四十八字歌を作るのよりも百倍くらゐ難しい。碁に例へれば六もくらゐ、将棋で言へば二枚落ちぐらゐの差がある」（二十七頁）と述べている。「ん」を助動詞「む」の代用として使い、「む」を他の語にあてることによって、全体がつくりやすくなるとのみかたを示している。そこで、中山典之はあえて「ん」を助動詞「む」の代用として使用せず、「ん」はすべて名詞の中（語中尾）で使うというやりかたで、四十八字歌をつくったことを述べている。気迫にあふれる発言だ。千首を紹介することはもちろんできないので、何首かを紹介してみよう。

囲碁いろは歌

いろはうたよみ　なのりあげ　いろは歌詠み　名乗あげ

ゐこにちゑおひ　ゆめをえぬ　　囲碁に智恵追ひ　夢を得ぬ
てるつきわらへ　ほしねむれ　　照る月笑へ　星眠れ
ふくかせやます　そもさんと　　吹く風止まず　怎麼生と

盧に春歌

ろにはるのかせ　ふきそめて　　盧に春の風　吹き初めて
おいまつやちよ　さくすみれ　　老松八千代　咲くすみれ
ほけえぬゆゑん　ゐこをねり　　呆け得ぬ所以　囲碁を練り
ともあひなしむ　わらへうた　　友あひ馴染む　わらべ唄

花摘歌

はなつむのすゑ　ひもおちて　　花摘む野末　日も落ちて
そらゆふやけし　いろさえぬ　　空夕焼けし　色冴えぬ
とりきくみんか　うめあまた　　鳥聴く民家　梅数多
われへほにせよ　ゐこをねる　　吾へぽにせよ　囲碁を練る

もちろんまだ続くわけだが、右では歌のでだしが、また「いろは」順になっている。なんという凝りよう。そしてまた囲碁についてのことがらが詠み込まれている歌が多い。「二子歌」では「二子《にもく》の頭見ずはねし」とあるが、「にもくの頭見ずはねよ」というのは囲碁でよくいわれる格言のようなことばで、相手の石が二つ並んでいて、自分の石と競り合いをしている時は、相手の二子の頭のところにはねることができるのだったら、無条件ではねろ、ということで、そういう格言が巧みに詠み込まれているところがすばらしい。「遠き歌」の「烏鷺」もカラス＝黒とサギ＝白ということで、囲碁のことをいうことがある。「烏鷺の戦い」といったりもする。

なかむらなかむらのいろは歌

「なかむらなかむら」は「中村菜花群」と書く。本名は中村秀実とのことなので、ペンネームということになるが、『仮名手本新いろは歌――燃える自撰四十七首』（二〇〇四年、新風舎）、『新いろは歌舌鼓撰集――ことば遊びの味会席』（二〇〇九年、文芸社）などの著書が出版されている。両書とも「いろは四十七字＋ん＝四十八字」で歌をつくっているのだが、両書とも、それが「い」で始まる歌から「す」で始まる歌まで配列されている。

前にも述べたように、日本語はラ行音から始まる語がなかったので、「らりるれろ」をどうするかということに興味がある。両書から「ら」のところを抜き出してみよう。

仮名手本新いろは歌

らんぷともせる　いへみえて
そのひめざしつ　ろぢゆきぬ

ランプ点せる　家見えて
その灯目指しつ　路次行きぬ

われをやまねく　うたごゑに
よげゐむおかほ　あはすなり
我をや招く　歌声に
好げ居むお顔　合はすなり

新いろは歌舌鼓撰集

らいうもさりぬ　ゆゑにまた
われはえんへぞ　こしおろす
ひやむぎくふを　あぢよげで
とほのねながめ　ゐつるみせ
雷雨も去りぬ　故に又
我は縁へぞ　腰下ろす
冷や麦食ふを　味好げで
遠の峰眺め　居つる店

「ランプ」は外来語、「ライウ（雷雨）」は漢語で、やはりいずれも和語ではない。古い時期の日本語にはラ行音から始まる語がなかったのだから、語の先頭にラ行音を使うのであれば、結局は漢語を使わざるをえない。「いろは歌」の出だしにラ行音を置こうとすると、一段と制限がきつくなる。だから中村典之や中村菜花群のチャレンジはすごい。その一方で、使う語に制限をかけなければ、時代が進むほど使うことができる語が（原理的に）増えていく。何をいっているのかといえば、本居宣長が「いろは歌」をつくろうとした時に、「レストラン」という語は使えなかったということだ。また、「ゐ」「ゑ」を詠み込むために、「ゑみつ（笑）」や「ゐつる（居）」という語句を使う。これは現代からすれば、「古語」だ。その一方で、「メロンソーダ」という外来語も使う。したがって、例えば、江戸時代に同様のことを試みようとした時と比べれば、詠み込む候補の語がかなり多いことが推測される。だから簡単につくれるということではもちろんないが、宣長はたった一首しかつくることができなかったのかあ、と思われると少々気の毒な気はする。

しかし、やっぱりこうなってくると、筆者もやってみないといけないだろう。駄作も駄作、塚本邦雄が「意味不明」といいそうなものができてしまった。「ゐ」「ゑ」を除いて「ん」を加える四十六字でやってみた。形式は整えたかったので、「五七七五七七」の旋頭歌の最後にさらに七をつけて、四十五、どこかを字余りにして、四十六字というが「ねらい」だ。結局最後が八音で字余り、かつ係助詞「コソ」を使っているのに、末尾が已然形ではなく連体形「ヌ」となっている文法的破格で、これではとても「いけてない」。

【「ゐ」「ゑ」を除き、「ん」を加えた四十六字・旋頭歌風】
かわとんぼ　なつのひざしに　ゆらめきたえて
ふみけせず　よねむるはちを　うろへやりおく
あいこそまもれぬ
川蜻蛉　夏の日差しに　ゆらめき耐えて

踏み消せず　夜眠る蜂を　洞《うろ》へ遣り置く
愛こそ守れぬ

次は七五七五七五で最後を五五にする「ねらい」であるが、やはり最後がぼろぼろ（襤褸襤褸）になってしまった。筆者は子供の頃昆虫好きだったので、どうしてもそういうイメージで始めてしまうが、それで最後までつくるのはきわめて難しい。やはり実際につくってみると難しさがいくらかでも実感できるように思う。

【「ゐ」「ゑ」を除き、「ん」を加えた四十六字：七五調】
おにやんまとぶ　はねたちて
きらめくあさの　かわもより
うつしぞみゆる　いけこえず
へびむれぬ　なぜぼろを
オニヤンマ飛ぶ　翅立ちて
きらめく朝の　川面より
映しぞ見ゆる　池越えず
蛇群れぬ　なぜ襤褸を

【いろは四十七字：万葉調？】

やますげの　おもひみだれて　あがこふらくは
とろしなる　いさりせむわを　よべえぬゆめに
ちゑゐぎ　ほそねうつ
山菅の　思ひ乱れて　吾が恋ふらくは
取石なる　漁りせむ我を　夜べ得ぬ夢に
智恵威儀　細根打つ

これまたぼろぼろだが、これは「ん」を入れずにいろは四十七字でつくってみた。「山菅の思ひ乱れて」は万葉調じゃないか、と思われた方がいるかと思うが、そう、というより、『万葉集』三二〇四番歌の三句、四句をいただいた。さらに「あがこふらくは」は三一九六番歌から、「とろし（取石）」といういささか変わった地名は二一六六番歌に詠み込まれているものだ。といっても、『万葉集』に「チエ（智恵）」や「イギ（威儀）」といった漢語が使われることは原則的にはないので、まさに「ぼろぼろ」であるが、最後になると、使っていない文字が限られてくるので、苦しくなるということは変わらない。

【四十五字＋「ん」】

あけ**たまち**みる　いぬとねこ
しながわれては　やりきらん
さそ**うえの**おに　せ**めくろ**す
ゆびをふむ　つぼもよべ
明けた街見る　犬と猫
品が割れては　やりきらん
誘う絵の鬼　責め十字架《クロス》
指を踏む　壺も呼べ

「指を踏む」「壺も呼べ」って……ううむ、という感じであるが、右は少し工夫を凝らして、山手線の駅名を入れようと思った。ところが、山手線の駅名には、「おおさき（大崎）」とか「ごたんだ（五反田）」とか、一つの駅名ですでに文字が重複しているものが少なくない。「よよぎ（代々木）」「しんじゅく（新宿）」「しんおおくぼ（新大久保）」「たかだのばば（高田馬場）」「しんばし（新橋）」「こまごめ（駒込）」「にしにっぽり（西日暮里）」、みんなだめだ。「めじろ（目白）」と「めぐろ（目黒）」はどちらかしか使えない。というわけで、山手線の駅名を詠み込むのにも四苦八苦して、結局「たまち（田町）」「しながわ（品川）」「うえの（上野）」「めぐろ（目黒）」の四つを詠み込んだにとどまったので、山手線風とまではいかないが、ご笑覧あれ。

「やりきらん」は方言になってしまっているし、「責めクロス」もよく意味がわからない語だが、とにかくつくってみた。実際につくってみると、そう簡単にはできないこともわかるし、少々無理やり感があっても、できた時はけっこう嬉しいものだ。やはり、ことばあそびは実際にやってみるとおもしろさが増す。

第三章

中世——なぞなぞの宝庫

『徒然草』のなぞ

十四世紀に成立したと考えられている『徒然草』第一三五段の「なぞ」については先に紹介した。「むまのきつりやうきつにのをか中くほれいりくれんとう」とは何か、というなぞである。先には、「かり(雁)」を解とする説を紹介した。これは、伴蒿蹊《ばんこうけい》(一七三三〜一八〇六)の随筆『閑田耕筆《かんでんこうひつ》』に江戸時代後期の俳人、柏原瓦全《かしわばらがぜん》の説として載せられている(山崎美成《よししげ》の『海録』では富士谷成章《なりあきら》の説とされている)。

簡単に繰り返せば、「のきつ」を「退きつ」とみて、まず「むま」をはずす。「りやうきつにのをか」の文字列の「中窪れ入り」で、中を除くと「りか」が残る。「くれんとう」を顚倒の指示とみて、「りか」を顚倒させて「かり」を導き出すというものだ。

鈴木棠三は『ことば遊び』(一九七五年、中公新書)において、「りやう」に「了」をあて、「馬退きつ了」で、結局そこまでの文字列が除かれ、「きつにのをか」の「中窪れ」で「きか」、それを「ぐれんどう」=顚倒させて「かき(柿・垣)」が解ではないかという説、あるいは、「中窪れいり」を「きつにのをか」の中二文字を除くと解し、「きつをか」が残り、それを顚倒させて「かをつき(顔付)」が解ではないかという説を示している。

あるいは安良岡康作『徒然草全注釈』(上下、一九六七〜八年、角川書店)には「かれき（枯木）」説が示されている。これは「きつにのをかなかくほれいり」を「きつにのをか」を「中窪」させて「きか」を残し、それに「れいり」する、すなわち「れ」を入れるというもので、そうすると「きれか」となり、それを顚倒させると「かれき」になるという解だ。

さらに平成三（一九九一）年には、このなぞを正面から採りあげた論文が勝俣隆によって書かれている（「『徒然草』「むまのきつ云々」の謎の解釈について」『国語国文』第六十巻第十一号）。勝俣隆は、「むま」が、いろは歌の「む」から「ま」までをさしていると解し、「むうゐのおくやま」とみる。それを「りやうきつにのをか」から除く。

りやうきつにのをか
むうゐのおくやま

「りやうきつにのをか」と「むうゐのおくやま」で完全に一致するのは網掛けをした「や・う・の」三文字で、「を」と「お」とは『徒然草』が成った時期には発音が同じになっていたから、同じとみなせば、「を・お」も一致していることになる。そうすると一致している文字は「や・う・の・を（お）」の四字。これを「りやうきつにのをか」から「のきつ」＝除くと、残るのは「りきつにか」になる。「中くほれいり」を「中（文字の間）の凹れ（挟まれた部分）に入り込んで」あるいは「中（文字の間）に凹れる

（挟まれる）ように入って」と解し、「りきつにか」の「きつに」がとりだされる。勝俣隆は「くれんとう」が「文献上、他に例を見ない語である」ことを認めながら、これまで行なわれてきた解釈同様、「顚倒」を表わす用語であるとみている。そして、「きつに」を顚倒させて、「につき（日記）」を導き出す。この解釈では、「むま」をいろは歌の「むうゐのおくやま」とみることはよいとして、それを除くといいながら、「を／お」の異なりを考えないことにしても、四字しか除く字がなく、「む・ゐ・く・ま」は除くことができないことになる。

さて、『徒然草』二三五段のなぞは解けているのか、いないのか。ずいぶん複雑な解き方をするな、と思った方もいることかと思うが、中世のなぞなぞでは右のようなものが少なくない。ここからは中世（鎌倉・室町）にできあがっていたと思われるなぞを紹介していくことにしよう。

十世紀初頭には仮名がうまれ、仮名によって日本語を書くという経験が積み重ねられて中世にはいっていく。鎌倉時代は古代日本語が変化を始める時期であり、室町時代はその変化が進行し、古代日本語に続く、近代日本語がうまれ始める時期にあたる。つまり、中世とは古代日本語から近代日本語への過渡期にあたる。あるいはその過渡期を中世とみているといってもよい。

言語はかならず変化をするものであるが、変化がある程度ひろまりをみせると、今まで使っていた言語と異なる、ということに気づく。変化に気づくと、あるいは異なりに気づくと、言語をよりいっそう観察するようになる。言語を（ある程度にしても）「客観的」にみることができるようになる、といってもよい。あるいはまた、言語を「客観的」にみることができるようになったから、変化や異なりに気づいたといってもよいかもしれない。

連歌とことばあそび

室町時代になると連歌が盛んに行なわれるようになっていく。連歌といっても、現在ではあまり馴染みがないだろう。簡単に説明すれば、「五七五」をAさんがつくったら、Bさんが「七七」をつくって、Aさんのつくった「五七五」につける、ということを繰り返していく形式の文芸だ。和歌「五七五七七」の上の句と下の句とを別の人がつくり、その下の句「七七」にさらに「五七五」をつけるといってもよい。基本的には何人でつけていってもよい。一人ですべてつくる場合もあるが、それは特殊な場合といってよい。基本的に連歌は「場の文芸」として発展していった。

右では「つける」という表現を使ったが、前の句を受け、それとつかず離れずの句をつくって全体としては「展開」をめざす。前の句にあまり密着しすぎると同じところにとどまってしまうし、あまりかけ離れてしまうと、つけていることにならない。前の句をどうよみ、つまり解釈し、どうそれを展開させるか、というところが眼目といってよい。当然、表現や言語についての観察が精緻になる。精緻になった観察は連歌論というかたちで蓄積されていく。

『知連抄《ちれんしょう》』という名の作者未詳の連歌学書（上下二巻）がある。室町初期以前には成立していたと考えられている。上巻では、例句をあげながら、どのように句をつければよいかについて説明している。その中に「重《かさね》てには」という条がある。そこには次のような句があげられている。

いたつらにこそ身はふりにけれ
月影のひまもるやとの板ひさし
あまりにうきは太山《みやま》ちの秋
袖はよも千里もあらし雨《あま》そゝき
いくたひおしきいのちなるらん
このやとの人の尋し生《いく》くすり

「重てには」の「てには」は助詞・助動詞をさしているのではなく、ここでは「文字」（実際には発音）のことを指していると思われる。すぐにはわかりにくいが、「いたつら」

と「板（いた）ひさし」の「いた」の重なり合い、「あまりに」と「雨（あま）そゝき」の「あま」の重なり合い、「いくたひ」と「生（いく）くすり」の「いく」の重なり合いを話題にしているのだと思われる。これは掛詞ではなくて、異なる語に同じ発音が含まれているという現象だ。こういうところにまで、いわば「気がまわっている」。これをよしとするにせよ、これはだめだとするにせよ、発音の重なり合いに気配りをしなければならないということだ。この先に、ことばあそびがある、といったら言いすぎだろうか。

「水無瀬三吟」は、宗祇（一四二一～一五〇二）とその高弟牡丹花肖柏、宗長の三人による作品としてよくしられているかと思う。「三吟」は三人による、ということで、二人なら「両吟」、一人なら「独吟」と呼ばれる。作品の最初の三句（発句・脇句・三句）をあげてみよう。

賦何人連歌《なにひとをふすのれんが》

雪ながら山もとかすむ夕《ゆふべ》かな　宗祇
行く水とほく梅にほふ里　肖柏
川かぜに一むら柳春みえて　宗長

宗祇の発句は『新古今和歌集』巻第一「春歌上」に収められている、後鳥羽院の「見渡せば山もと霞む水無瀬川夕べは秋となにおもひけむ」(=見渡すと山の麓が霞んでいる。そこを水無瀬川が流れゆく。夕べは秋がよいとどうして今まで思っていたのだろうか)を本歌として、「雪が残ったまま、春霞で山の麓が霞んでいる夕べだなあ」と春の夕べを句としてまとめている。肖柏は、春の季節をそのまま受け継ぎ、「雪消《ゆきげ》の水が遠くから流れてきて、あたりには梅が匂う里」とつけ、宗長も春の季節を続け、「川風に川辺の一群《ひとむら》の柳がなびき、いちだんと春めいてみえて」と自然に展開させていく。

さて、「賦何人連歌」はどういうことかというと、「何人」を賦した連歌ということだ。「フス(賦)」は〈詩などをつくる〉ことであるが、この場合は〈こめる〉ぐらいにとらえておけばいいかと思う。「賦何人」といった時には、「何」のところに発句にある語あるいは字を入れると「〜人」という語が成立するようにつくられている。右でいえば、発句にある「ヤマモト」という語の「ヤマ」を入れると「ヤマビト(山人)」(=山に住む人、山で働く人あるいは仙人)という語ができる。これを「賦物《ふしもの》」という。実際には発句をつくってから、賦物を考えるのだが、場合によっては賦物が先に決まっていて、それに合う発句をつくるということもある。あるいは百韻すべてが賦物に「しばられている」場合もある。

応仁の乱の折の西軍の総大将として知られる山名持豊(宗全)(一四〇四〜一四七三)の家臣に金沢(あるいは蟹沢)下野守入道源意という人物がいた。この源意があえてむずかしい十の賦物を選び、全句にわたってその賦物を反映させた独吟の千句がある。「異体千句」と呼ばれることもある。

例えば、「賦源氏国名連歌」（第一の百韻）では、『源氏物語』の巻名と国名とを交互に句によみこんで百句をつくっている。八句までを紹介しよう。

花のえに下葉うつろふ小萩かな　花宴
すゑこす風もなひくおき原　隠岐
夕霧のまかきほのめく月出て　夕霧
山とも見えす雲そへたゝる　大和
旅のうさかきりなみちを行舟に　賢木
つるゝ千とりのあとさきの声　土佐
袖さむみゆきにしほくむあま衣　御幸
たきけつあし火せんかたやいさ　肥前

「花のえ」は〈花の枝〉で、「エン（宴）」は仮名で「え」とのみ書かれたこともあったと思われるので、その書きかたを踏襲したということだ。「おき原」は「オギハラ（荻原）」で古典かなづかいでは「をき」と書くが、仮名遣いの違いはこういう場合には問題にならないことが多い。「賢木（さかき）」や「御幸（みゆき）」が語をまたいでよみこまれていることと比べると、「夕霧」は『源氏物語』の巻名が直接的によみこまれている。こうした賦物は和歌の「物名」のいっそう複雑になったようなかたちだ。

第三の百韻は「賦古今集作者連歌」で、『古今和歌集』の作者名を賦している。これもすごい。少し紹介してみよう。

秋とたにしら菊い**つらゆき**の庭　紀貫之
としゆきかへる空のかよひち　藤原敏行
こほりは波にくたけて**そうく**　承均（宋均）
鶯は日のさす**あさやす**をいでし　文屋朝康
あひ**みつね**ての夢かとそおもふ　凡河内躬恒
風よさくら**木よき**てふかなん　橘清樹
たれにか**きせん**よそのぬれ衣　喜撰
かみの**なりひら**めく雨のはれすまに　在原業平
けふりのほそ**さたき**ゝともしさ　小野貞樹
うけよむ**経しむ**へそたうとき　敬信

第四の百韻は「賦一字露顕連歌」となっている。「一字露顕」とは何か。賦物について記した「賦物篇」をみると、「日　火　蚊　香　名　菜」と例示した上で、「如此一字有一字訓之類也」(この如く、一字に一字の訓有る類なり)と記されている。そのまま理解すれば、漢字一、字が仮名一、字の訓を有している場合ということになるが、少し説明が足りないようにみえる。例が「日・火」「蚊・香」「名・菜」と語を対にしたかたちで示されているので、結局は「一拍語の同音異義語ペア」ということになりそうだ。「賦一字露顕連歌」の冒頭八句を次に示してみよう。

木にもあらぬ心色つく時雨哉　き(木・城・酒)
葉にをく露の青き竹のよ　よ(節・世・夜)
ときうつる空蟬の音《ね》の秋かけて　ね(音・根)
月をまちとる日はくれにけり　ひ(日・火)
からろをし真梶しけぬき行舟に　ろ(櫓・炉)
しほのさすまはいそくおきなか　ま(間・目・真)
ありかなき雪の千鳥の鳴めくり　ち(千・路・茅)
をやまぬ風のふかき夜の声　よ(夜・節・世)

丸括弧内に考えられそうな「同音異義語」を入れておいた。もちろんこの他にもあるが、連歌で使われる語なので漢語は除外されるはずだ。

さて、「二字露顕」は少し変わった賦物だが、その他に「二字返音《へんおん》」「三字中略」「四字上下略」と名づけられた賦物がある。「大原野十花千句」と名づけられた千句連歌の第六に「賦二字返音連歌」があって、その発句は「露ならで花房重き盛りかな」（＝露のためではなくて、花が咲きほこっているために花房が重くみえる花盛りだなあ）となっている。この発句中の「花（はな）」が「二字返音」だと考えられている。さきほど紹介した「賦物篇」では「花　縄　夏　綱　水　罪」が例示され、「反読二字名成」（反し読み二字名に成る）と記されているので、「はな（花）」と「なは（縄）」、「なつ（夏）」と「つな（綱）」、「みづ（水）」と「つみ（罪）」のように、顚倒させると二拍名詞になる語のペアであると思われる。

「賦物篇」は「三字中略」の例として「霞　紙　菖蒲　雨　桂　唐」をあげている。「かすみ」三字の真ん中の字を略すと「かみ（紙）」となる。同様に「あやめ（菖蒲）」「かつら（桂）」の真ん中の字を略すと「あめ（雨）」「から（唐）」となる。文明三（一四七一）年につくられた宗祇の「独吟千句」の第八に「三字中略」を賦した作品があって、それは「春よまてちる桜あれば遅桜」という句になっている。「さくら」の真ん中の字を略すと「さら（皿）」になる。

「四字上下略」の例として「賦物篇」があげているのは「鶯　櫪　玉章　松　苗代　橋」で、「うぐひす」「たまづさ」「なはしろ」の上下を略すと、それぞれ（清濁は問わないこととして）「くひ」「まつ」「はし」となる。

「たわいない」といえば「たわいない」が、言語についての観察、それにともなう「機知」を評価する気持ち、いろいろなことが背景にあると思われる。
「賦源氏国名連歌」にならって、『平家物語』の登場人物で、かつ謡曲の題名となっている名前をよみこんだ連歌八句を「お目汚し」だが、ちょっとご披露。連歌としてのつながりはご容赦いただき、「五七五」の発句をならべたということで。句意ももう一つであることもご容赦のほどを。

賦平家登場人物名連歌

春日野の野守久しくあと絶えて　もりひさ（盛久）
これはこれ漏り来る月は飽かなくに　これもり（維盛）
畷《なはてみち》道森の下草生ひぬれば　みちもり（通盛）
頼めただ法《のり》の言の葉繰り返し　ただのり（忠度）
玉くしげ開く朝《あした》の風そよぎ　しげひら（重衡）
夕月夜常より勝る虫の声　きよつね（清経）
夕日影清滝川に澄む月は　かげきよ（景清）
心より勝るうつつの思ひかな　よりまさ（頼政）

まあ「雰囲気だけ」ということで。

廻文連歌

「異体千句」の末尾には「賦廻文連歌」二十二句が添えられている。各句は「回文（廻文）」になっている。以下では「回文」と書くことにする。まず仮名のみで書いたかたちをあげて、回文となっていることを確認していただき、その左側に、筆者が句意を推測して、適宜漢字をあてたかたちを示してみよう。ある程度はやむをえないこととといえるが、句意がしっかりしていないものもあるために、どのように漢字をあてるか不分明のものも含まれている。

1　なかはさくはきのそのきはくさはかな
　半ば咲く萩のその木は草葉かな

2　きくのえもなははなもえのくき
　菊の枝も名は花萌えの茎

3　しらくものきりふけふりきのもくらし
　白雲のきりふ煙りき野も暗し

4　つきにとやとひひとやとにきつ
　月にとや訪ひ人宿に来つ

5　むらさめとやまこえこまやとめさらむ

6
村雨と山越え駒や止めざらむ
ふかきゆききゆゆき、ゆきかふ

7
深き雪消ゆ行き来行き交ふ
てそふらはむめかとかめむはらふそて

8
手ぞ触らば梅か咎めむ払ふ袖
しかつむなそななそなむつかし

9
しか摘むなぞななぞな難し
きしくろしたさはのわさたしろくしき

10
岸黒し田沢の早稲田白く敷
ぬれあみのみななみのみあれぬ

11
濡れ網の皆波のみ荒れぬ
めもかくなともにけにもとなくかもめ

12
目もかくな共にげにもと鳴く鷗
しろくてくろししろくてくろし

13
白くて黒し白くて黒し
なかもみすかみふるふみかすみもかな

14
中も見ず紙古る文か墨もがな
ことのはよけききけよはのとこ

15 言の葉避けき聞け夜半の床
をのもつまはかなきなかはまつものを

16 己も妻はかなき仲は待つものを
むなしくとはすはとくしなむ

17 虚しく訪はずすは疾く死なむ
そこにへむたまのをのまたむへにこそ

18 底に経む玉の緒の又むべにこそ
なかきためしははしめたきかな

19 長き例しは始めたきかな
きみのけさはるひのひるはさけのみき

20 君の今朝春日の昼は酒飲みき
さくらかはなははなはからくさ

21 桜か花は花は唐草
まやのはにのとかにかとのにはのやま

22 馬屋の端にのどかに角の庭の山
みなわいぬらししらぬいわなみ
皆は去ぬらし知らぬ岩波

回文は謎ではないので、解いたり説明したりする必要がほとんどない。「なるほどうまくできている」と感心するか、「ちょっと無理があるなあ」と思うかぐらいだろう。これまでにも指摘されていることであるが、仮名は日本語の音節に対応している「音節文字」であるので、仮名書きは回文をつくりやすい。

「Madam, I'm Adam.」はよく知られている英語の回文であると思われるが、英語等を書くために使うアルファベットは「音素文字」なので、幾つか並んで音節と対応するために、回文が原理的につくりにくい。塚本邦雄は『ことば遊び悦覧記』の中で、「英語回文の傑作は、左の一例に極まる感あり、そのまことしやかな、しかも有り得る嘘は爽やかな哄笑を誘ふ」（五十八頁）と述べて次のような英語回文を紹介している。この例は和田信二郎『巧智文学』に載せられている。

ナポレオン、イングランド侵略について、自信の有無を質された時、答へて曰く。

「Able was I ere I saw Elba ＝余、エルバ島を見るまで不可能の文字を知らざりき」

さて、日本の話に戻ろう。これもすでに指摘されているが、「むらくさにくさのなはもしそなはらはなそしもはなのさくにさくらむ」（叢草に草の名はもし備はらばなぞしも花の咲くに咲くらむ）という「廻文歌」＝回文の和歌が、藤原清輔（一一〇四～一一七七）という人物が編んだ『奥義抄《おうぎしょう》』という歌学書＝和歌に関する書物に収められている。そしてこれがもっとも古い回文和歌と目されている。

回文は、和歌・連歌・俳諧いずれの作品もあり、中世から江戸時代、明治時代、現代までつくられ続けているといってよい。江戸時代の回文は江戸時代の章で採りあげるべきであるが、ここでまとめて採りあげておくことにする。

はじめに、松江重頼編の俳諧論書『毛吹草』（一六四五年）に載せられている「廻文之発句」を紹介しておこう。作者名を省いて、まず『毛吹草』に書かれているかたちをあげ、その左側に、すべて仮名書きしたかたちを示すことにする。「廻文之発句」は七十八句が載せられているが、ここではそのうちの八句を示す。

1　目をとめよ梅かながめん夜目遠目
　めをとめよむめかなかめむよめとをめ
2　ながむへき庭はや母に木《き》へんかな
　なかむへきにははやははにきへむかな
3　ながめしは咲むめ六種《むくさ》はじめかな
　なかめしはさくむめむくさはしめかな
4　ながめんの花よ木よ名は野梅哉
　なかめむのはなよきよなはのむめかな
5　盛かとむめかとがめんとがり笠

さかりかとむめかとかめむとかりかさ

6　ながくたゞなづな七つ菜たゝく哉
なかくたたなつななななつなたたくかな

7　長菜つみ春うりうるは水菜哉
なかなつみはるうりうるはみつなかな

8　松の木の雪やはやきゆ軒の妻
まつのきのゆきやはやきゆのきのつま

『毛吹草』では右に示したように、1であれば「ながめん」、2であれば「木へん」というように、撥音には「ん」を使っている。これは『毛吹草』が刊行された時期ではごく一般的なことであったと思われる。左側に添えた仮名書き形では、「ん」はすべて「む」に換えてあるが、そうでなければ「廻文」が成り立たない。改めていうまでもなく、撥音から始まる語はないので、「ん」は「む」と見なさなければならない。

次には慶安四（一六五一）年に刊行された、鶏冠井《かえでい》良徳編の『崑山集《こんざんしゅう》』（全十三冊）を紹介しよう。『崑山集』は十二冊を四季類題発句集にあて、一冊を回文の句にあてている。例えば、「霞」という題で四句、「梅」という題で六句が並んでいる。

霞

1 真砂地をめす笠かすめお児さま
まさこちをめすかさかすめおちこさま
2 なかたつたみすかすかすみ龍田哉（名が立った御簾貸す霞龍田哉）
なかたつたみすかすかすみたつたかな
3 松の木の霞はみすか軒のつま
まつのきのかすみはみすかのきのつま
4 へいみすか戸口にちくと霞家
へいみすかとくちにちくとかすみいへ

梅

1 松の木のむめやなやめむ軒のつま
まつのきのむめやなやめむのきのつま
2 目をとめよ梅かなかめむ夜め遠め
3 なかむへき庭はや母に木へん哉
4 なかめしは咲むめ六種はしめ哉
5 盛かとむめかとかめんとかりかさ
6 むへや窓の梅かなかめんの筈や辺
むへやまとのむめかなかめむのとまやへむ

「霞」の4の「ちくと」は〈ちょっと〉という語義をもつ語であるが、口語で使われることが多かったことが推測される。そのような語も、回文を成立させるためには使われることになる。そこがおもしろい。「梅」の2～5は『毛吹草』に載せられていた句と重複している。江戸時代には回文が数多くつくられている。

右をみていると、よく使われる語句があることに気づく。例えば「のきのつま」を顛倒させると「松の木の」となる。こういうことには当然気づいた人がいるわけで、鬼藤皆虚編『世話焼草《せわやきぐさ》』（一六五六年、五巻五冊）の巻五の冒頭には「廻文詞」と題して、語を単位として回文になるものや、語句を単位として回文になるものがあげられている。

例えば、「ナヅナ（薺）」「ミナミ（南）」「キサキ（后）」「フウフ（夫婦）」「コネコ（子猫）」「イルイ（衣類）」といった語や、「スゲノカサ（菅の笠）」と「サカノゲス（坂の下衆）」、「タハツキカ（田は月か）」と「カキツバタ（杜若）」、「ヨキツチモ（良き槌も）」と「モチヅキヨ（望月夜）」といった語句があげられている。こういう語、語句を探すのもおもしろい。江戸時代の回文和歌も紹介しておこう。

石田未得《みとく》（一五八七？～一六六九）の家集に『吾吟我集《ごぎんわがしゅう》』（一六四九年成立）がある。書名はいうまでもなく『古今和歌集』のもじりであるが、本格的な狂歌集の嚆矢とされている。十五首すべてがあげられることは必ずしも多くはないので、ここでは十五首をあげてみよう。

1
春
身の留守にきてはおりとるこのはなはのこる鳥《とり》をは敵《てき》にするのみ
みのるすにきてはおりとるこのはなはのこるとりをはてきにするのみ

2
しら雪《ゆき》は今朝野ら草《くさ》の葉にもつも庭《には》のさくらのさけはきゆらし
しらゆきはけさのらくさのはにもつもにはのさくらのさけはきゆらし

3
夏
田うへ哥《うた》てうしはやみつつてんてん手鼓《つゝみ》やはしうて田うへうた
たうへうたてうしはやみつつてんてんてつつみやはしうてたうへうた

4
秋
草《くさ》くきの葉にふる霜《しも》に見やるなる闇《やみ》にもしるふ庭《には》の菊《きく》さく
くさくきのはにふるしもにみやるなるやみにもしるふにはのきくさく

5
冬
月のもときよしといへは冬《ふゆ》の夜の夕はへいとしよき友《とも》のきつ
つきのもときよしといへはふゆのよのゆふはへいとしよきとものきつ

6
戀
つれなきを門《かと》にまつまひかつてこて使《つかひ》まつ間にとかをきなれつ
つれなきをかとにまつまひかつてこてつかひまつまにとかをきなれつ

7
君のためとひよりたあく門《かと》の戸のとかくあたりよ人めたのみき

8　きみのためとひよりたあくかとのとのとかくあたりよひとめたのみき
へかたしと年月事《としつきこと》を望《のぞ》むらむその男きつしと、したかへ
へかたしとゝしつきことをのそむらむそのをとこきつしとゝしたかへ

雑

9　ねふりつる篝《かゝり》たきすて浪《なみ》くらく皆出《みなて》過《すき》たりかゝる釣舟《つりふね》
ねふりつるかかりたきすてなみくらくみなてすきたりかかるつりふね

10　湊川《みなとかは》とまのそきつゝまはりけり浜《はま》つゝきその窓《まと》は門《かと》なみ
みなとかはとまのそきつゝまはりけりはまつゝきそのまとはかとなみ

11　むせうつり鷹鼻ひかん貞徳と出むかひなはかたりつうせむ
むせうつりたかはなひかむていとくといてむかひなはかたりつうせむ

述懐

12　しろ髪《かみ》は毎日《まいにち》見るそうかるなるかうそる道《みち》に今《いま》は身かろし
しろかみはまいにちみるそうかるなるかうそるみちにいまはみかろし

哀傷

13　又飛《とひ》ぬ女《め》とおとあはれぬしらし死《し》ぬれは跡《あと》をとめぬ人玉《ひとたま》
またとひぬめとおとあはれぬしゝらしゝぬれはあとをとめぬひとたま

神祇

14　冬《ふゆ》らしきけしきおもしろ岩《いは》の木の葉いろ霜《しも》をきしけきしらゆふ

ふゆらしきけしきおもしろいはのきのはいろしもをきしけきしらゆふ

15　賀

なかき代は君民《きみたみ》の体《てい》たうとしとうたいてのみたみきはよきかな
なかきよはきみたみのていたうとしとうたいてのみたみきはよきかな

中御門《なかみかど》宣胤《のぶたね》のなぞ

室町時代の歌人に中御門宣胤という人物がいた。従一位権大納言までなっているが、後花園、後土御門、後柏原の三天皇に仕え、三条西実隆や姉小路基綱らとともに、室町期の歌壇で活躍した人物である。この人物が『宣胤卿記』という日記を、文明十二（一四八〇）年の正月から大永二（一五二二）年の正月まで断続的につけていた。日記には、いろいろなところで行なわれた和歌や連歌の会のこと、さまざまな人との交流が記されているが、その中に「なぞなぞ会」の記事がある。よく知られているのは、文明十三（一四八一）年の二月二日の記事だ。この日、宣胤は「番衆」（＝宿直当番）として参内している。他に、西川前宰相、右衛門督、勧修寺中納言、源大納言、侍従中納言、滋井前宰相中将、言国朝臣などが出仕していたが、蔵人頭であった甘露寺元長によって後土御門天皇の「なぞなぞ当座各令新作」（＝ここで新作のなぞなぞをつくれ）という「仰」

せが伝えられた。宣胤は「乍迷惑加思案、則申入」(＝迷惑だったが、思案をして、なぞをつくって申し入れた)と記している。「乍迷惑」と記しているが、実は、宣胤のつくったなぞが「殊有御感」(＝殊《こと》に天皇に気にいられ)、ご褒美を下賜されて面目をほどこしたのだった。その宣胤の新作のなぞが第一番目に記されている。『宣胤卿記』に記されているなぞは、後に紹介する『なぞだて』(天理図書館蔵)という本、その『なぞだて』と内容がちかい『謎立』(香川大学図書館蔵)という本にも収められているので、それも参考にしながら紹介していくことにしよう。

殿上の下侍のうへにをくすゝりを見うしなひぬ　石上

問題文にあたるのは「殿上の下侍の上に置く硯を見失ひぬ」(＝宮殿の下侍の上に置いた硯を見失った)で、答えが「石上」だ。「石上」には「セキシヤウ」と振仮名が施されているので、「セキショウ」と発音することがわかる。中世のなぞには、このように、「～とかけて～と解く」形式で、問題文と同時に答えが示されているものが多くみられる。問題文はある程度は意味がとおる文であることが多いが、右のように部分的には「?」ということもある。なぞだから完璧というわけにはいかないということだろう。

さて、解法だが、「殿上の下侍」で、「殿上」という文字列の下に「侍《さぶら》」う字は「上」で、その「上」の上に「硯」を置くのだが、「見」を失うのだから、「硯」から「見」を除いて「石」。これを「上」の上に置くのだから、答えは「石上」となる。このまま〈石の上〉という語義をもつ漢語「セキショウ／セキジョウ（石上）」が答えとみること もできなくはない。「石上」はよく知られていた『和漢朗詠集』巻上の秋、秋興《しゅうきょう》の冒頭「林間煖酒焼紅葉／石上題詩掃緑苔」（＝林間に酒を煖《あたた》めて紅葉《こうえふ》を焼《た》く／石上に詩を題して緑苔《りょくたい》を掃《はら》ふ）という白居易の詩に使われている語である。

筆者は『新明解国語辞典』の編集者として知られている山田忠雄に『和漢朗詠集』は暗記しておけ、といわれたことがあり、しばらくは『和漢朗詠集』の詩句を少しずつ書いて、家の洗面所に貼っていたことがあったが、結局覚えることはできなかった。この秋興ぐらいまでは覚えようとしていたので、「石上」をみると、あったような気がする、というぐらいの感覚はある。まことに情けない次第であるし、和歌研究をしている人であれば、『和漢朗詠集』の全文を記憶しているのではないかと思うが、とにかくそんな「低空飛行」だった。

こういうことがらに関しての、「現在の感覚」はまったくあてにならないのであって、過去においては、『和漢朗詠集』の詩句は相当に記憶されていたとみるのがむしろ自然ではないかと思う。そうなると宣胤も当然「セキショウ（石上）」という語が『和漢朗詠集』に使われていることを知っており、宣胤周辺の人々ももちろん知っていた。そうであれば、これはそのまま理解すればよいことになる。振仮名が「セキシヤウ」（発音はセキショウ）なので、「セキショウ」と発音する他の語に引き当てる「みかた」もされることがあり、根が漢方薬として使われる植物「セキショウ（石菖）」が答えだという説明がされることもある。とにかくこのなぞが評価された。

他の人がつくった新作のなぞも紹介しよう。次のなぞは西川前宰相が申し入れたものである。ただし右衛門督《うえもんのかみ》がつくったと注がある。

のなかの雪　　ゆの木

問題文である「のなかの雪」は「野中の雪」で、おお風情のある風景だ、と思うと答えが「ゆの木」とある。「ゆの木」は漢字「木」が使われているので、まずは「柚の木」を思わせる。現在は「ユズ」という語形がもっぱら使われるが、もともとは「ユ」という語形であった。だから、「ヒノキ（檜の木）」と同じように「ユノキ（柚の木）」だ。「野中の雪」から「柚の木」を思わせておいて、実は「ユノキ（湯の器）」が答えだというところにおもしろみがあるのではないかという気もする。「ユノキ」あるいは「ユキ」は〈湯を入れる器〉だ。実は『日本国語大辞典』第二版は「ユノキ（柚の木）」を見出し項目にしていない。頻繁に文献に足跡を残すような語ではなさそうだ。一方、見出し項目「ゆ（湯）」の条に「ゆの器」の記事がある。

次のなぞは右衛門督の作だ。

うはきえしたる雪は、いつもこそあれ　きつね

答えの「きつね」は動物のキツネだろう。問題文「うはきえしたる雪は、いつもこそあれ」は「上消えしたる雪は、いつもこそあれ」で、「ユキ（雪）」が「上消え」すると「キ」が残る。「いつも」だから「ツネ（常）」で、「キ＋ツネ」＝「きつね」だ。次のなぞは「だめだし」されている。勧修寺中納言がつくったことが記されているが、そこに「これはよろしからず」とある。何がよろしくないのかみてみることにしよう。

やまのかねこゑありて、野に水あり　さんせうのかは

答えである「さんせうのかは」は「山椒の皮」であろう。山椒の若い枝の皮を十センチメートルぐらいに切って串に刺し、回虫駆除薬として使ったといわれている。あるいは、皮を細かく刻んで醤油漬けや粕漬けにして食すこともあったようだ。そういう日常的な物と問題文の「山の鐘声有りて野に水あり」という、（なんだか意味がわからないといえばわからないが）なんとなく雅やかな感じとの落差がなぞの問いと答えとして組み合わせられているということも大事だったのであろう。

さて、「声」は漢字の音《おん》をさす。したがって、「やまのかね」＝「山鐘」の音で、「サンショウ」。ここまではいい。「野に水あり」が「かは」を指示しないといけないことに

なるが、おそらく「野原に水がある」のが「川」だという解なのであろう。そうだとすると、これがあまりいただけない。「川」をなんとなくわかりにくくして説明しているだけで、直接的すぎるように思われる。次も失敗作のようだ。

うくひすの、**わ**かきこゑを、**た**つねて、**木**々のうへにあり

これは勧修寺中納言の作だが、「一向不得其意」（＝まったく意味がわからない）ので、「作者」の「所存」が尋ね下された。四句の上の字をとって、それをつなげ「うはたき」（上薫）が答えだとのことだが、それに対して「太不可然之由被仰下」（はなはだしかるべからざるの由仰せ下され）たという。仮名遣いの違いは、問題にならないこともあるが、これも「うはたき」とあるべきところが「うわたき」となっている。そのことよりも、「木々の上に有り」が四句の上の字をつなぐということには理解しにくいというところが問題なのだろうと思う。次は勝仁「親王」（後の後柏原天皇）の「御作」とのこと。「勧中」すなわち勧修寺中納言が「とき申」したと記されている。

木のぬしかこよかし　　はしらまつ

答えの「はしらまつ」について『日本国語大辞典』第二版は「一端を地中にさしこみ、

庭上に立てて燃やすたいまつ。たちあかし。たてあかし」と説明する。さて、「木のぬし」は「木の主」で、「柱」。これは漢字をその構成要素に分解したなぞで、「字謎」である。「こよかし」は「来よかし」（＝来てほしい）なので、〈待っている〉＝「マツ（待）」で、合わせると「はしらまつ（柱松）」となる。

少し要領がわかってきたところで、実際に考えてみよう。

1　さけのさかな（酒の肴）　答え：けさ（袈裟）
2　建長寺《けんちやうじ》の山門《さんもん》に聴聞《ちやうもん》もなし、門もなし　答え：源氏の一門
3　雁《かり》はひがごと、花を帰《かへ》るゆへ　答え：かなは（鉄輪）

解説：1は「さけ」の「さかな（逆名）」で「さけ」を顛倒させて「けさ」。2は建長寺の山門＝三門から「聴聞（ちやうもん）」を除く。「けんちやうじ」から「ちやう」を除くと「けんじ」が残る。さらに「さんもん（三門）」から「もん（門）」を除き、「門もなし」とあるので、もう一つ門を除く。すると三門から二つ門を除くので、残りは一つ、つまり「一門」が残り、答えの「源氏の一門」になる。「げんじ」と「けんじ」との違いがあるが、清濁の異なりは問題にしないのが一般的である。3は「かり」から「り（理）」で、「僻事」は〈道理に合わないことがら〉なので、理がない。「かり」は「僻事」を除き、残るのが「か」。「はな」を「かへる」（かえすというべきだが）のだから、「な

は」。「か」と「なは」をつなげて「かなは」。「カナワ（鉄輪）」は古典仮名遣いでは「かなわ」と書くので、これは仮名遣いが一致していないことになるが、それも許容されることが多い。雁が「花を帰る」は、『古今和歌集』巻一、春歌上に収められている「春霞立つを身捨てて行く雁は花なき里に住みやならへる」をふまえていると思われる。

さらに『宣胤卿記』に記されているなぞを紹介してみよう。

4　関白中に及ばずとて、山城守を離し置かれたり　関山（文明十三年二月二十五日）
5　世の中の人は道理ありながら無道也　ひとり（同前）
6　宿《やと》の柳よ、など花の頃花のなき　ところ（文明十三年三月四日）
7　陶淵明が門に植えし木は、名ばかりに成りぬれども、文字のあとは残れり　梨（同前）
8　堰にせきこめられて、水逆さまに流る　泉（同前）
9　とし立ちかへるとしの初め　しとど（文明十三年五月五日）
10　梅の木を水にたてかへよ　海（同前）
11　屋の軒のあやめ　雨（同前）
12　氷の上、魚躍て、孝子の例《あと》を残す　孔子・小牛（同前）
13　無上無二なるは宿のうちの箏　かんなぎ（巫）（同前）
14　そのかみ失せし浦島帰る　ましら（猿）（同前）

15　西川はさとりて後、髪をそる　経　（同前）
16　あま日にひまなし舟の上浪の底　鐙　（同前）
17　紅の糸くさりて虫となる　虹　（同前）
18　風終成雨声　香又セウ　鷹名　（同前）

4は「関白」の「白」字が「もうす」という訓をもっているので、「申すに及ばず」で「白」字を除いて「関」。それに「やましろのかみ（山城守）」だから、この文字列の上部の「やま」を離して置く、つまりつなげて「関山」。

5は「世の中の人」は結局「人」で、「道理ありながら無道」で、「道理」から「道」を無くして、残るのが「理（り）」。「人」と「理」とをつなげて「ひとり」。

6は「やとのやなぎ」は「やと」の「や」が無い、で「と」が残る。「花の頃」の「花の」が無くなると、「ころ」が残る。「と＋ころ」で「ところ」になる。

7は「陶淵明が門に植えし木は」はただ、その木はなんという木かといえば、ということで、ここは考慮する必要がない。だからここは「白居易が門に植えし木は」でもいいし、「蘇東坡が門に植えし木は」でもいい。「名ばかり」だから「な」。「もじ（文字）」の「あと」＝後ろだから、「じ」。つなげると「なじ」となってしまうが、清濁は問題にしないので、これで「なし（梨）」を導き出すことができる。

8の「堰」は「いせき」で、「せき」が籠められてしまう＝除くと残るのは「い」。

「みづ（水）」が「逆さま」なのだから、「づみ」で、「い＋づみ」＝「泉」となる。

　9は「とし」が「立ちかへる」のだから、「しと」。「としの初め」は「と」で、両方をつなげて、「しとど」。「シトド」は「巫鳥」という漢字列をあてることもある、ホオジロ類の鳥（ホオアカ、クロジ、シロジなど）の総称である。

　10は「梅」という字の「木」偏を「水」すなわちさんずいに換えるのだから、「海」という字になる。これも字謎だ。

　11は端午の節句に菖蒲を軒に飾る様子をあらわしていると思われるが、「あやめ」から「やが退いた」ということで、残るのは「あめ（雨）」。

　12は「氷（こほり）の上」は「こほり」の上、すなわち「こ」をとる。「魚躍て」は「うををとりて」だから、「うを（魚）」の「を」をとる＝除きとるので「う」が残る。「孝子（こうし）」の後《あと》を残すのだから、「し」を残す。「こ＋う＋し」で「孔子」あるいは「小牛」となると解くのであろう。

　13の「笋」は「タケノコ」ではなく「タカンナ」とみなす。「無上無二」だから、上も無いし、二（番目）も無い。「ヤド」の中の「タカンナ」は「ヤタカンナド」で、この一字目と二字目とをはずすと「カンナド」が残ってしまって、答えの「カンナギ」にならない。この解法で、「カンナギ」になるためには、「ヤド（宿）」ではなくて「ユキ（雪）」でなければならない。「雪のうちの笋」は、厳寒の時期に母が食べたがったタケノコを得た二十四孝の一つの故事を思わせ、おそらく問題文は「無上無二なるは雪のうちの笋」（＝この上もなく、並ぶものがないのは、雪の中の笋）だったはずで、その「雪」が誤写されて「宿」になっているのだろう。『謎立』では「無上無二なるは雪の中の笋」という問題文になっている。

なぞは言語上の重なり合いをもとに成り立っているので、解くためには、その「言語上の重なり合い」を解きほぐす必要がある。だから、言語に対しての「感覚」が求められる。しかし、中世のなぞは、それだけではなく、例えば二十四孝の話を知っているというような、もっと文化的な背景、「文脈」が支えている場合が少なくない。「支えている」が大袈裟であれば、そういう「文脈」を当然の前提としているといってもよい。そこにまた、おもしろみが発生する。ただ単に言語上なぞを解くのではなくて、いろいろなことを想起させるところに、なぞのおもしろみがあるし、そうなっていなければ、真におもしろいなぞとはいえないのではないか、と思う。

14の「そのかみ失せし浦島帰る」は〈昔いなくなった浦島が帰る〉ということで問題文は自然な文となっている。その答えが「ましら（猿）」だ。「うらしま」の「かみ（上）」が失せるのだから、「らしま」。「かえる」はこの文字列を顛倒させることだから、「ましら」となる。

15は「西川」と書いてあるが、おそらく「西行（さいきやう）」の誤記であろう。「さいきやう」が「悟る」すなわち「さいきやう」から「さ」を取ると「いきやう」となる。「後」に＝それから「髪を剃る」のだから、「いきやう」の「かみ」＝上を除く。すると

「きやう（経）」が残る。

16の「あま日」は「アマビ」と発音するとすれば、『日本国語大辞典』は見出し項目としていない。もちろん「アマニチ」も見出し項目となっていない。となると、少し無理のある語形である可能性もあるが、「雨日」ぐらいを意図したものと考えておくことにする。「あまひ」に「ひまなし（暇無し）」なので、「あまひ」から「ひ」と「ま」とを除くと、「あ」が残る。あとは簡単で、「舟の上」は「ふ」、「浪の底」は「み」で、これらをつなげると「あふみ（鐙）」となる。

17も字謎だ。「紅の糸くさりて」は「紅の糸鎖りて」＝紅の糸がつながって、とも解釈できるし、「紅の糸腐りて」とも解釈できるが、おそらく前者であろう。「腐りて」はむしろ解になっており、「紅」という漢字の「糸」が腐って（なくなり）、虫になると「虹」という漢字になる。

18「風終成雨声」は「風終て《は》雨声を成す」（風が吹きやんで雨が降り始めた）ということだろうか。『中世なぞなぞ集』（一九八五年、岩波文庫）は「風の終り雨の声と成る」とよんでいる。もちろんそのようによむことはできるが、「風の終わりが雨の声になる」では文意がしっかりとしていない。「風終て雨声を成す」だと風が終わって雨になったということを、雨の音がし始めた、という文意で、まとまりがあるように思う。ただし、これはなぞにはかかわらない。「かぜ」の終わりは「せ」で、「雨」という漢字の「声」＝音《おん》は「う」なので、両者をつなげると「せう」となる。これが第二の答えで、「セウ」

は「兄鷹」という漢字があてられることがあり、〈小さい鷹・雄の鷹〉のことである。また「かぜ」の終わり「ぜ」の箇所が「雨声」になると「か＋う」で「香」になる。したがって、問題文の解釈によって、答えが二つになることがわかっていたのだろう。

さて、文明十三年の五月五日の条には、右に掲げたなぞの他に、「継連歌」が行なわれている。今『宣胤卿記』の「本文」としては『増補史料大成』44（一九六五年、臨川書店）を使用しているが、そこには「繼連哥」とある。前句と付句だけで成る連歌を「短連歌」と呼び、それに対して百韻を単位としてつなげていく連歌を「長連歌」と呼ぶ。次第に「長連歌」が主流となっていくが、そうなるとわざわざ「継連歌」という必要がない。『日本国語大辞典』第二版はこの「ツギレンガ（継連歌）」を見出し項目としておらず、あるいはなんらかの錯誤があるかもしれない。小野恭靖『ことば遊びの文学史』（一九九九年、新典社）は「謎連歌」という表現を使っている。『中世なぞなぞ集』の「解説」も「謎連歌」という表現を使っている。さてその連歌を紹介しよう。

1　ふる雨の晴ぬるあとや草の露　　蕗也
2　こゑはうへなる萩の下かせ　　御器
3　暁の月のいる後まとろみて　　茜
4　菊のうへはらへは露のあともなし　　沓

5　鐘にかはかり夢そみしかき　粥
6　草にこゑある荻の下かせ　将棋
7　立かへる旅とてたれをさそはまし　直垂
8　みるをはしめのあつまちの末　道
9　春のくる方より花のほころひて　東方朔・菟
10　山の尾上にまつかすみぬる　鎌・松山

句の下に「答え」にあたる語が示されている。1は「露」という字についての字謎で、雨が晴れたのだから、まず雨冠をはずす。「草の」という表現がみられるので、残った「路」に草冠をつけて、「蕗」となる。2では「こゑ（声）」の上の「こ」と「はぎ（萩）」の下の「ぎ（き）」とをつなげて「ごき（御器）」となる。3は「暁の月の入る」だから、「あかつき」の「つき」が入ってしまって（沈んでしまって）なくなるので、残るのは「あか」。「まどろみて」＝〈うとうと寝入る〉だから「ね」。つなげると「あかね（茜）」。5は「鐘にかばかり」なので、「かね」の「か」だけを残す。「夢ぞ短き」なので、「ゆめ」を短くして「ゆ」。つなげると「かゆ（粥）」となる。

6は「草にこゑある」なので、漢字「草」の「こゑ」＝音《おん》の「さう」（現在の発音ではソウ）、「おぎ（荻）」の下なので、「ぎ」。つなげると「さうぎ」となる。「将棋」の発音は「ショウギ」で、これを仮名で書くと「しやうぎ」となる。「さうぎ」は発音すると

「ソーギ」となり、「しやうぎ」は発音すると「ショーギ」となるので、「さうぎ」はぴったりとはしない。ただし、「将」字の漢音は「シヤウ」（＝ショウ）だが、呉音は「サウ」（＝ソウ）で、「サウギ（将棋）」という語形も文献上で確認できなくはない。また「ソーギ」と「ショーギ」とは（こういう謎という場面では）類似音として「ほぼ同じ」とみなされる可能性もある。

7は「立かへる旅」なので、「たび（旅）」を顚倒させて「びた（ひた）」。「たれを誘はまし」なので、「たれ」をつなげて「ひたたれ」となる。

8は「見るを初めの東路の末」（＝見るのが初めてである東路の末）という句であるが、「みるをはじめ」で、「みる」という語のはじめの「み」を導きだす。ここは少々苦しくみえる。「みるのはじめ」なら文句なく「み」であるが、「みるをはじめ」だと「みる」二文字を初めに置くととることが自然だ。しかし、句意を成立させるためには、「みるのはじめ」ではだめで、「みるをはじめ」となる。句意を成立させようとすると、謎に無理が生じ、謎を大事にすると句意がおかしくなってくるので、このあたりが「ことばあそび」の永遠の苦しみかもしれない。「あづまぢの末」は「ぢ（ち）」で、「み」と「ち」とをつなげると「みち（道）」になる。

9は「春の来る方」が東のほう、「東方」で、「花のほころびて」だから「さく（咲）」で、「東方さく＝東方朔」となる。「東方朔」って何と思われた方もいるかもしれない。東方朔（BC一五四～BC九二）は中国の政治家であるが、さまざまな言い伝えとともに知られている。『東方朔』という題名の謡曲もつくられている。中国の（実在していたが）伝説的な人物という感じといってよいだろう。十二支を方角にあてはめると、アナログ時計の三時の位置に「卯」があたる。つまり東は卯（う）なので、これに「さき（咲）」をつなげると「うさき（菟）」となるので、この謎には答えが二つあるというわけだ。

10は「山の尾上に松霞みぬる」（＝山の頂に松が霞んでいる）という句であるが、山の上に松が「すみぬる」＝〈住んでいる〉ので、「松山」（山という字の上に松という字がある）という答えになるのはすぐにわかる。もう一つの解「かま（鎌）」は、まず「やま」の「尾」だから「かま」という文字列のしっぽの「ま」を導き出す。「まつかすみぬる」は「先《まず》、か、住みぬる」で、つまり「か」という文字が住んでいる。「尾上」だから、「か」が上になって、「かま（鎌）」となる。

少々苦しいものもないではないが、連歌の句意はおおむね「正調」で、やはりよくできたものといえる。『宣胤卿記』をつけていた中御門宣胤にしろ、親交のあった三条西実隆にしろ、和歌もつくれば連歌もつくるし、漢詩もつくっていた。こうした作品をつくるためには、当たり前のいいかたになってしまうが、言語の運用に敏感でなければならない。あらかじめ題を与えられて作品をつくる題詠もあった。そうした場合は、よくよく考えて作品をつくって、披露の場にのぞんだはずだ。連歌のように、場の文芸となると当意即妙の機知も必要になってくる。また他者の作品のよみ＝解釈もできなければならない。現在は話しことばを使ったコミュニケーションばかりが求められているが、他の人々とともに連歌をつくるということは、書きことばによるコミュニケーションといってもよいかもしれない。そういうトレーニングも必要かもしれない。

『なぞだて』の世界

天理図書館に、表紙に『なぞだて』と記されている本が蔵されている。巻末には「本文」と同じ筆致で「永正十三年正月廿日（花押）」とあって、永正十三（一五一六）年に書かれたものと考えられている。筆者は後奈良天皇（一四九六～一五五七）であると考えられており、宸筆ということになる。『後《ご》奈《な》良《ら》院《いん》御《ご》撰《せん》奈《な》曽《ぞ》』と呼ばれるテキストのもとになる本と考えられている。この本には一九四題の謎が収められているが、第八十四と第一四七とは同じ謎なので、この重複を除くと一九三題の謎が収められていることになる。その中には、先に採りあげた『宣胤卿記』に記されていた謎も含まれている。『なぞだて』の中から幾つか謎を紹介してみよう。番号は『なぞだて』でその謎が何番目であるかを示している。『なぞだて』でどのように書かれているかをまず示し、その左隣に、適宜漢字をあて、濁点を使い、必要に応じて読点を施したかたちを示した。

十八　ないしのうへのきぬ殿上人のしたかさね　しと、

内侍の上の衣、殿上人の下襲　巫鳥

二十一　しちくのなかのうくひすはをはかりそみえける　はちす

紫竹の中の鶯は尾ばかりぞ見えける　蓮

二十五　鷹心ありてとりをとる　鷹

鷹、心有りて、鳥を獲る　鷹

四十六　にかみ〳〵ゆかみ〳〵　はゝ木ゝ

苦み苦み、歪み歪み　箒木

五十六　十里のみちをけさ帰る　にこりさけ

十里の道を今朝帰る　濁り酒

五十八　かせまつはうす　すゝむし

風待つ坊主　鈴虫

六十　恋のひやうちやう　あふき

恋の評定　扇

六十七　はらのなかの子のこゑ　はしら

腹の中の子の声　柱

七十　やまからか山をはなれてこそことし　からにしき

山雀が山を離れて、去年今年　唐錦

八十七　わこせにそはふもこの春はかり　なつめの木

わ御前に添はふも、この春ばかり　棗の木

九十五　かとのなかの神なり　からいと

門の中の雷　唐糸

九十七　やうしのさきにちつきたり　ちやうし

楊枝の先に血つきたり　丁字

一〇一　せなかのうしろはこまのすみか　はらまき

背中の後ろは駒の栖　腹巻

一一五　かきのうちのさゝ　かさゝき

垣の内の笹　鵲

一一八　ひつしのつのなきは仙人ののり物　ひしつる

羊の角無きは仙人の乗り物　菱鶴

一二二　露しもをかて萩のはそちる　つき

露霜置かで萩の葉ぞ散る　月

一三一　よせ手のひかこと　しやうり

寄せ手の僻事　草履

一三五　さしぬきのすそゝむしたるかへしはな　さしなは

指貫の裾損じたる返し花　差縄・指縄

一三七　廿人木にのほる　茶

一五一　源氏のはしめさ衣のはしめ人に申さむ　　伊勢物語
二十人、木に登る
源氏の始め、狭衣の始め、人に申さむ

さて、謎を検討してみよう。

十八では「内侍の上」が退くので残りは「し」、「殿上人の下」は「と」で、それを重ねるのだから「し+と+と」となって「しとと」となる。「シトド」は前に説明したように、ホオジロ類の鳥の総称。中世の謎を現代みた場合に、例えば、この「シトド」という語にまったく馴染みがないので、ぴんとこないということがありそうだ。「問題文」の文意のおもしろさ（あるいは変な具合）、「問題文」が雅びやかな内容で「答え」が俗といったような、「答え」と「問題文」とのアンバランスなどが、謎のおもしろさを支えている。あるいは「前提になること」もある。謎は単なることばあそびにとどまらず、そういう（大袈裟にいえば）文化的な「文脈」の中で成立しているので、それをどれくらいとらえることができるかによって、おもしろさの度合いが変わってくる。だから「ドン・カルロの上の衣、ドメニコの下襲」、答えは「ロココ（rococo）」というような謎なら現代はわかりやすい。

二十一は「しちく」を「七・九」とみなす。そうすると「七九の中」は「八（はち）」で、「うくひす（鶯）」の尾だけ、すなわち「す」。つなげると「はちす」となる。では現代仮名遣いの問題。「珊瑚の中の鰹は尾だけが見える」で、答えは「しお（潮・塩）」。同じ「解法」だ。

二十五は字謎になっている。「鷹」という字の「心」はあって、「鳥をとる」のだから、「鳥」を除いたところに「心」を入れる。そうすると「應（応）」という字になる。「應」が答えであるが、これは応答のことばで「おう」ということであろう。「鷺、みちをはずれて、木の上に乗る」、答えは「フクロウ（梟）」という「新作」はどうだろうか。

四十六は「にかみ」はいろは歌で「に」の上《かみ》なので「は」。「ゆかみ」は同様に考えると「き」。「〳〵」は繰り返し符号なので、「は」を重ねて「はは」、「き」を重ねて「きき」となり、つなげると「ははきき」となる。『源氏物語』の巻名が意識されているのであろうか。ここでまた駄作。「女将《おかみ》の歯嚙み」、答えは「ノロ」。ノロウイルスが流行って、居酒屋の女将が歯嚙みをしているというような感じを表現したつもりだ。

五十六は「十里」を「五里＋五里」とみて、「五里」が二つだから「二・五里（にごり）」。「けさ」がかえるのだから「さけ」で、「にごりざけ」となる。「十里の道を積み帰る」だったら、「にごりみづ（濁り水）」となる。

五十八は「風待つ」ということは「すずむ（涼）」ということだとまず置き換えをして、「坊主」は「師（し）」と置き換えをする。つなげると「すずむし（鈴虫）」となる。「坊主」を「し」と置き換えることが他にもある。

六十は「恋」を「あふ（逢）」とまず置き換えて、「ひやうちやう（評定）」も〈議論〉という語義の「ぎ（議）」に置き換えて、つなげると「あふぎ（扇）」になる。このタイプは置き換えが自然なものかどうかで、謎のできばえが決まってきそうだ。置き換えはかなり自由にできるわけだから、謎を解く側が納得できるような置き換えでないといけない。

駄作。「水道の蛇口の上のコクリコ」、答えは「けしからん」。「コクリコ」はほんとうは「ヒナゲシ」のことだが、「ケシ」ということにさせてほしい。「水道の蛇口」は「カラン（kraan）」。『三省堂国語辞書』第七版は「カラン」を「水道の蛇口」と説明している。そうすると「カラン」の上に「けし（罌粟）」を置くので、「けしからん」。

六十七は「こゑ（音）」＝（漢字の）音《おん》であることがわかれば、「はら」の中に、漢字「子」の音＝シを入れるのだから、「はしら」となる。

駄作。「水の中の魅《すだま》の声」、答え「みみず（蚯蚓）」。「スダマ」は妖怪である。

七十は「やまから」が山を離れるのだから、残るのは「から」。「こぞことし」は去年と今年なので、二年ということになる。一年めぐると四季だから、二年となれば、四季が二めぐり、つまり「二・四季＝にしき」で、つなげると「からにしき（唐錦）」となる。

八十七は〈あなたに添うのはこの春まで〉ということなので、夏になると「妻《め》が去る」つまり「妻が退く」で、「なつめのき」。

九十五は「かど（門）」の中に「かみなり」すなわち「雷（らい）」が入るので、「からいと」となる。「水の中の雷」だったら「未来図」となる。

九十七は「やうじ（楊枝）」の先に「ち（血）」がついているのだから、「ちやうじ」。「チョウジ」は香料、香辛料、薬用にされる植物でクローブのこと。

一〇一は「せなかのうしろ」が「はら（腹）」で、「駒のすみか」が「まき（牧）」で、つなげると「はらまき（腹巻）」。

一一五は「かき」のうち＝中に「ささ」を入れるので、「かささき（鵲）」となる。

一一八は「ひつじのつのなき」で、残りは「ひじ（ひし）」。仙人は鶴に乗ることになっているので、「ひし＋つる」で「ひしつる（菱鶴）」。「菱鶴」は紋の名前。

一二二は「つゆしもをかで」で「つゆ」のしも＝下を置かないということから「つ」が残る。「はぎのはぞちる」で「はぎ」の「は」が散ってなくなってしまうので、残るのは「ぎ（き）」。つなげると「つき（月）」になる。「ツユ（露）」「シモ（霜）」「ハギノハ（萩の葉）」などが和歌でよく使われる語になっている。駄作。「雪霜去りて亀の香《か》消える」。まったく雅やかではないが、答えは「夢」。

一三一はまず答えの「しやうり」とは何かということになる。当時の発音では「ショウリ」または「ジョウリ」なので、「ショウリ（勝利）」なども考えられる。厳密にいえば、「しやうり」から導き出される発音と「勝利」の発音とはやや異なっている可能性もあるが、この時期にはほとんど同じであったと思われるし、異なっていたとしても、その発音の差はおそらく許容されたはずで、そこまで考えに入れての「可能性もある」だ。だが、「ゾウリ（草履）」の変化形「ジョウリ」だと考えられている。そんな語形があったのか、ということになりそうであるが、案外と多くの文献に足跡を残しており、この時期には確実にあった語形である。

さて、「よせ手」は城を包囲している軍勢だ。「ヒガゴト（僻事）」は〈道理に合わないことがら〉なので、理がない。寄せ手の側に理がないとなると、城側に理があることになって、城（じやう）に理（り）がある＝「じやうり」。

一三五は問題文がいささか分裂気味で、「指貫の裾損じたる」と「返し花」との関係がしっかりしていない。『日本国語大辞典』第二版は「かえしばな」を見出し項目としていない。〈花を咲かせる時期を過ぎてからまた咲く花〉という語義の「かえりばな〈返花〉」は見出し項目となっており、「かえしばな」はこの「かえりばな」のことかと思われる。しかしそれが指貫とどうかかわるかということになる。解法は簡単で、「さしぬき」の裾が損じるのだから、下のほうがなくなって残るのは「さし」。「かへしはな」で「はな」を顛倒させて「なは」。つなげると「さしなは」となる。「サシナハ」には〈馬具〉の差縄と、〈罪人を捕らえて縛る縄〉である指縄とがある。

駄作。「雪だるまの上が溶けて折返し」。「折返し」とのつながりがよくないが、答えは「マリオ」。あるいは「柳の幹も根も腐っているのに返り咲き」。答えは「山羊座（やぎざ）」。柳は花で知られている木ではないので、どちらもあまりいいできではないかもしれない。「朝顔の下が枯れて返り咲く」。答え「浅草」。五十歩百歩だ。

一三七は字謎になっている。「茶」という字を文解すると「艹＋人＋木」となる。「艹」が「十」が横に二つ並んでいるかたちをしているので、これで「二十」、木の上に「人」のようなかたちがあるので、「二十人、木に登る」だ。現在の草冠は「艹」というかたちをしているので、このかたちからは「十」が二つが、ひきだしにくい。ちなみにいえば、『中世なぞなぞ集』では「「茶」の字を分解すると、木の上に廾人がのっている形である」と説明しているが、これでは説明になっていないのではないだろうか。

駄作。「二十の黒い田んぼ」というのはどうだろう。答えは「蓄」。「玄」には「くろ」という訓がある。「二十日で大きな馬になる」、答えは「驀」。八十八歳のお祝いを「ベイジュ（米寿）」というが、「米」という漢字を（向きは気にしないで）「八＋十＋八」に分解できるので「米」と「八十八」とが結びついている。七十七歳は「キジュ（喜寿）」であるが、こちらは「喜」という字を「㐂」のように書くことがあり、それによると考えられている。あるいは「カコウ（華甲）」という語があるが、六十一歳、還暦のことをいう。「華」という字を文解すると、六つの「十」と「一」とになり、「甲」は「甲子」の略で、「甲子」が十干十二支のそれぞれ最初であるところからのものだ。

一五一は『源氏物語』、『狭衣《さごろも》物語』の冒頭を知らなければ解けない。『源氏物語』の冒頭は「いづれのおほんときにか」であることはよく知られているだろうが、『狭衣物語』はどうだろう。こちらは「少年の春は惜しめども」で始まる。「少年」は仮名で書けば「せうねん」なので、それぞれの始まりの仮名は、「い」と「せ」となる。「人に申さむ」が「モノガタリ（物語）」ということで、答えの「イセモノガタリ（伊勢物語）」にたどりつく。

「明日どこで待ち合わせようか」「始めに「羅生門」「山椒魚」「檸檬」「夜明け前」「銀河鉄道の夜」を読んでね」という会話があったとする。なんだかかみあわない会話であるが、いつ、どこで待ち合わせるのだろうか（答えは179頁）。

さて、この『なぞだて』には当時の日本語のありかたについて貴重な情報をもたらす、よく知られたなぞが含まれていた。

四十三　はゝには二たひあひたれともちゝには一ともあはす　くちひる

「窓」は1、「机」は0、「手紙」は1、「マウス」は1、では「スマホ」は幾つ？　というようなクイズと同じ原理だ。この数字はその語を発音した時に、唇が合わさる回数を示している。つまりその語に含まれている両唇音の数を示している。

そうだとすると「ハハ（母）」を発音する時に唇が二度合わさるというのはどういうことなのだろうか。今の日本語の発音であれば、「ハハ」は0だ。「チチ」も0で、こちらはなぞと一致している。ということは「ハハ」の発音が、現在とこのなぞがつくられた時期とで異なっていることになる。これはそのとおりで、この時期にはハ行の子音が現在のように、[h]ではなく、[f]であったと推測されている。これはこの時期に限ったことではなくて、日本語のありかたがある程度具体的につかめる八世紀頃にはすでにそうだったと考えられている。ハ行の子音が[f]であるというとわかりにくいかもしれないので、ハ行を少々無理をして片仮名で書くと「ファ・フィ・フ・フェ・フォ」だったということだ。「母（ハハ）」の発音は「ファファ」のようだった。だから唇が二度合わさる。

このなぞからそこまでわかるのか、と思われた方もいるだろうが、他にも幾つかヒントになるようなことがあって、そうしたことがらを総合しての判断である。そういえば、俵万智の第二歌集『かぜのてのひら』（一九九一年、河出書房新社）には「いにしえのハ音で「はは」とつぶやいてみるくちびるを二回あわせて」という短歌がのせられている。

「ファファ」のその後を少し記しておこう。「ファファ」は西暦一〇〇〇年頃に日本語におこった「ハ行転呼音現象」という音韻変化を蒙って、「ファワ」という語形になった。慶長八（一六〇三）年に成った『日葡辞書』という、日本語とポルトガル語との対照辞書にはこの「ファワ」という語形が見出し項目としてのせられている。しかし、その一方で、「ファファ」という語形も見出し項目となっており、そこでは「ファファ、またはファワ」という形式で見出し項目がつくられている。このことからすれば、「ファワ」という語形は確実にあったが、「ファワ」のみになったのではなく、「ファワ」が使われる一方で、「ファファ」も使われていた可能性がたかい。今「ファワ」とか「フ

「母」、「はは」からは、「ファファ」「ファワ」と書くことはめったにない。仮名で「はわ」と書くことはおかしなことではなく、それは仮名では「かは」（川）と書いているが、発音は「カワ」であるということとまったく同じことだ。しかし、仮名で「はは」と書き続けていると、発音が「ファワ」になっても、「この語の発音はかつては「ファファ」だったんだろうなあ」と

漢字で書けばァファ」とかいっているのは、発音がそうだということであって、仮名で書けば「はは」であるので、その「ファワ」どちらの語形であるかは判断できない。仮名では「はは」と書いているが、発音は「ファワ」であるといういうこととまったく同じことだ。


177ページの答え：それぞれの作品の「始め」は次のようになっている。

羅生門（芥川龍之介）…………或日の暮方の事である。

山椒魚（井伏鱒二）…………山椒魚は悲しんだ。

檸檬（梶井基次郎）…………えたいの知れない不吉な塊が私の心を始終圧えつけていた。

夜明け前（島崎藤村）…………木曽路はすべて山の中である。

銀河鉄道の夜（宮沢賢治）……「ではみなさんは、そういうふうに川だと言われたり、乳の流れたあとだと言われたりしていた、このぼんやりと白いものがほんとうは何かご承知ですか」

これらの最初の一文字をつなぐと「あさえきで」、つまり朝駅で待ち合わせということだったわけだ。

か、もっとふみこんで、「この語は「ファファ」と発音するのがほんとうは正しいのではないか」と思う可能性が残されていることになる。文字にひかれて、そういう「解釈」がうみだされる。この場合の右の「解釈」はいわば「正しい」が、正しくない「解釈」がうまれることもある。さて、そうしたことから、いったんは「ファワ」という発音になっているのに、「はは」という表記形によって、発音が「ファファ」に戻ったのではないかという推測がなされている。それは、「父母」という、身近にある「セット」の一方が、「ちち」と同音を重ね、同じ仮名を重ねていることとの「平行性」を保つということでもあるだろう。「ハ行転呼音現象」は日本語全体におこった音韻変化なので、例外がほとんどない。その中で、「はは」が現在も「ハワ」ではなくて「ハハ」という発音であるのは、珍しいことだ。なぞなぞが、思わぬことで、当時の日本語についての情報を与えてくれた例だ。

『平家物語』の和歌

『平家物語』巻第九に、「小宰相身投《こざいしょう》」と呼ばれる章がある。通盛《みちもり》の北の方が「小宰相」であるが、その北の方が通盛の死を知って、入水するというくだりだが、その末尾に、通盛と小宰相とのなれそめが記されている。そこに、通盛が小宰相にわたした和歌がみえる。通盛が小宰相にわたした和歌をまずあげ、次にその和歌に対する小宰相の返歌をあげてみよう。

わが恋は細谷川のまろ木橋ふみかへされてぬる、袖かな
ただたのめ細谷川のまろ木橋ふみかへしては落ちざらめやは

通盛の和歌は、「私の恋は細谷川にかかっている丸木橋のようだ。丸木橋が踏み返されて濡れるように、私は文《ふみ》を返され、悲しみの涙で、袖が濡れています」という歌意と考えられている。これに対しての小宰相の返歌は、「ひたすら、あてにしていらっしゃい。細谷川の丸木橋が落ちないはずはない」というもので、情にほだされる時が来るだろうということを小宰相側が伝えているかたちになっている。あてにしている丸木橋が落ちてしまったら困るが、そこをどう考えればよいのだろうか。

一見なぞのようにはみえないが、「私の恋は細谷川の丸木橋だ」、その心は「踏み返されて濡れる袖」だから、というようにみれば、中世のなぞと通う。そして「ふみかへされて」の箇所が「踏み返されて」と「文、返されて」との掛詞になっている。この理解でいいのだが、筆者は「ふみかへす」という語に少しひっかかりを感じてしまう。そもそもこの「ふみかへす」という語の語義はどういうものなのだろうか。『日本国語大辞典』第二版は他動詞「ふみかへす」の語義を「①何度も踏んで土などをほじくりかえす。また、繰り返して踏む」「②踏んで、ひっくり返す。蹴ってくつがえす」「③踏みはずす。

踏みそこなう」と三つに分けて説明している。「ふみかへす」は他動詞だから目的語を採る。そうすると目的語は「丸木橋」としか考えようがない。「丸木橋をふみかへす」だ。そうなると「ふみかへす」主体は私もしくは誰か「人間」ということになる。和歌では「ふみかへされて」となっているので、「丸木橋が踏み返されて」と理解するのが自然だ。そうすると、私もしくは誰かが丸木橋を渡る際に、「(丸木橋を) 踏み返し」たために、つまり「(丸木橋) をひっくりかえしたために」丸木橋が濡れる、ということではないのだろうか。丸木橋がひっくりかえってしまうのだから、渡っていた人も川に落ちて濡れてしまうのだろうが、とにかくそういう「情景」ではないだろうか。

新日本古典文学大系『平家物語』下 (一九九三年、岩波書店) はこの和歌について「私の恋は、細谷川にかかっている丸木橋のようだ。多くの人に何度も踏み返されて水に濡れているように、私もあなたから何度も手紙をつき返され、悲しみに袖を濡らしています、の意」(一九〇頁) と説明している。「多くの人に何度も踏み返され」るのは丸木橋だということが少しわかりにくいようにも思う。小野恭靖『ことば遊びの文学史』においては、「跳ね上がる川の水のために」(一六三頁) 袖が濡れると説明しており、この説明では、丸木橋を渡っている人の袖が「跳ね上がる川の水」で濡れるように思われるが、丸木橋が踏み返されているのに、渡っている人が無事であるわけはなく、川に落ちるから袖が濡れるのではないか。

そのように理解してよいとすると、小宰相の返歌は、「細谷川の丸木橋」は (渡っていくとすぐに落ちてしまいそうで）危ういようにみえる＝頼りにならないように見えるが、それを「ひたすら頼りにしてごらんなさい」。頼りにすれば……あれ？　やっぱり「ふみかへして」しまった。「ふみかへして」しまえば、落ちないはずがない。落ちる。私もそのように落ちないことはないのですよ、という意外性のある展開、結末になっているのではないだろうか。「ただたのめ」といっているのだから、細谷川の丸木橋は、落ちそうにみえるけど、案外落ちないものですからということでは「落ちそうだけど落ちない」ということになって、通盛への返歌としては、拒絶の返歌になってしまう。そうではなくて、あなたの気持ちは通じる時が来るのですよ、という結末になっていなくてはいけない。

ここまで中世頃のなぞについて紹介をし、説明をしてきた。先にも述べたように、中世頃になると、日本語についての「観察」がすすみ、使っている日本語について、さまざまな面からある程度「客観的」にとらえることができ始めたのではないかと考える。言語をコミュニケーションの「道具」として使うだけではなく、それを使った和歌、連歌といった文学、文芸もいっそう盛んになっていく。自身が作者＝「書き手」として和歌や連歌作品をつくるだけではなく、他者がつくった作品をよみ、解釈する「読み手」となることで、観察は深まったと考える。次には江戸期のことばあそびについてみてみることにしよう。

第四章

江戸時代——言語遊戯百花繚乱

江戸のことばあそび

江戸時代に成ったことばあそびにはさまざまなものがあり、そのすべてを紹介することは当然ながらできない。したがってそのごく一部を採りあげるということになる。まずはなぞなぞから採りあげてみよう。

『寒川入道筆記《さむかわにゅうどうひつき》』のなぞなぞ

『寒川入道筆記』は慶長十八（一六一三）年に成った作者未詳の随筆で、和歌、連歌、謎など文芸的話柄に関する聞き書き風の雑書である。「謎詰之事」という小題のもとに、一〇九題（重複が一題ある）の謎が記されている。冒頭の一題を次にあげてみよう。

一　春夏秋冬を昆布に裹《つつん》だ　何《なに》ぞ　小式部

「問題文」があって「何ぞ」とあってから「答え」があるという形式だ。答えの「小式部」は「大江山」の和歌で知られる和泉式部の娘、小式部内侍のことであろう。「昆布（こぶ）」の間に「春夏秋冬」＝「四季（しき）」が入るので、「こしきぶ」となる。中世のなぞなぞと特に「解法」が異なるということはないが、「問題文」の内容と「答え」

として示される語が中世よりもだいぶ幅広くなってくる。どう「幅広くなってくる」かというと次のような謎がでてくる。

四　股蔵のたぬき　何ぞ　枕

「またぐら（股蔵）」ときた。「またぐら」の「たぬき」だから「まくら」で、「解法」は簡単だ。

さてそれでは次の謎がとけるだろうか。「何ぞ」は省いて「問題文」と「答え」を示した。書きかたは少し調整した。

十一　古今の序やぶれて歌人の中終わる　きんかん（金柑）
十三　あかぬわかれ　はなれうし（離れ牛）
二十四　太刀刀皆失せて果てに鉈《なた》を包む　はなたて（花立）
二十七　風呂の中に床《とこ》がある　ふところ（懐）
三十五　海の向ひ　とりゐ（鳥居）
四十一　唐土《もろこし》の果てはあらじと立ち帰る　ころも（衣）
五十　東には風もなし　うなぎ（鰻）
五十三　堂の隅《すみ》　とう（塔）

七十三　後ろに垢もなし　　せきれい（鶺鴒）
七十七　ツバキ葉落ちて露となる　　ゆき（雪）

十一「こきん（古今）」の「序」すなわち初めが破れる＝なくなると「きん」。「かじん（歌人）」の中が「終わる」＝なくなると「かん」。両者をつなげると「きんかん」となる。十三「あかぬわかれ」は離れたくないということで、「離れ憂し（はなれうし）」。「あかぬわかれ」といういかにも王朝風の「問題文」に「離れ牛」＝〈逃げた牛〉という日常的な情景の「答え」との組み合わせがおもしろい。二十四は「太刀刀皆失せて」だから、ここまでは何もなく、「はて（果）」に「なた（鉈）」を包むのだから、「はなたて」となる。二十七は簡単で、「ふろ（風呂）」の中に「とこ（床）」があるのだから、「ふところ」。三十五は「海」を「う（卯）」と「み（巳）」とに分解して、方位を考えると、卯は東なので、その反対側は西で、「とり（酉）」、巳は南南東なので、その反対側は北北西の「ゐ（亥）」、合わせて「とりゐ」。四十一は「もろこしの果てはあらじ」で「もろこ」、それが「たちかへる」のだから顚倒させて「ころも」。五十はまず「東」を「う（卯）」に置き換える。「風もなし」だから「なぎ（凪）」で、合わせて「うなぎ」。五十三は「どう（堂）」の「すみ（清）」で「とう」。七十三は「後ろ」は「せ（背）」、「垢」がないのだから、「きれい（綺麗）」。合わせて「せきれい」。七十七は「ツバキ（椿）」の「ハ（葉）」が落ちるのだから、「つき」、「つゆとなる」のだから「つき」の

「つ」が「ゆ」に換わって「ゆき」となる。次には少し違うタイプのものを紹介してみよう。

隠句

「隠句」は「いんく」かあるいは「かくしく」か不分明であるが、渡辺信一郎は『絵入りことば遊びを読む』（二〇〇〇年、東京堂出版）において「隠句」に「いんく」と振仮名をつけている。

ここでは『誹風たねふくべ』を紹介する。図6は筆者が所持している「初集」の表紙であるが、早稲田大学がインターネット上に公開している「古典籍総合データベース」によって、早稲田大学図書館が蔵している『誹風たねふくべ』の画像をみると、「初集」ではなくて「初編」となっているので、出版が重ねられた可能性もある。『補訂版国書総目録』第五巻（一九九〇年、岩波書店）には十五集とあるが、渡辺信二郎は『絵入りことば遊びを読む』において「初集は天保十五（一八四四）年に発刊され、終

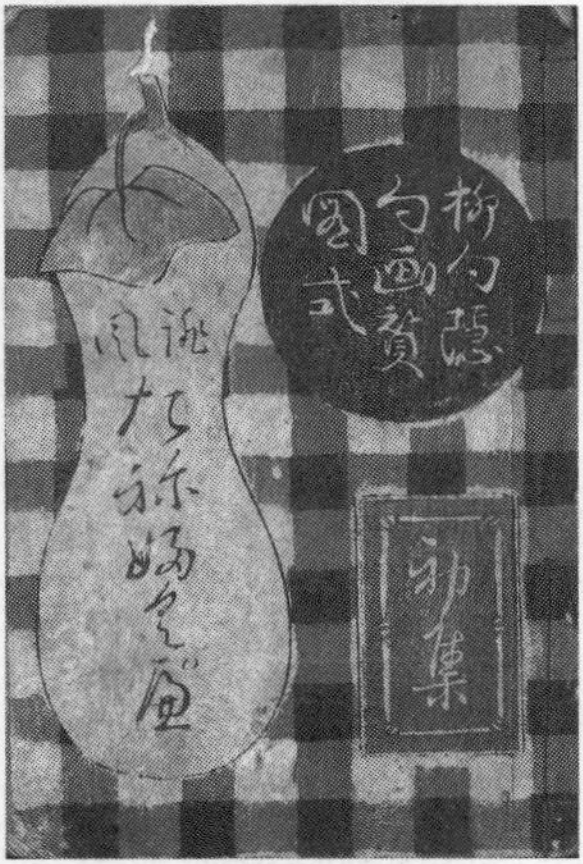

図6　『誹風たねふくべ』初集表紙

集の十八集は嘉永四（一八五一）年の刊行である」（三頁）と述べている。「タネフクベ」は種をとるために残しておく瓢簞のことをいうが、そのように「種がある」ということだろう。

三友堂益亭という式亭三馬の弟子にあたる人物が出版している。図6でわかるように、表紙には「柳句隠句画賛図式」とある。「柳句《りゆうく》」は〈川柳の句〉ということで、表紙裏には「狂句」「隠句」が説明されているので、その「狂句」にあたるものと考えてよいだろう。表紙裏では「狂句」について「世にいふ柳樽の口調にしていつれも目先のあたらしきをこのむ末摘花はのそく」と述べ、「隠句」については「世にいふかんかえものを句となしてしらべをよくす。月々の秀句によるべし」（渡辺信二郎は「かんがえこと」とするが、「かんかえもの」と書かれている）と述べられている。「末摘花」は『誹風末摘花』のことを指していると思われる。『誹風末摘花』は川柳評万句《まんく》合《あわせ》から恋の句を抜粋したものであるが、恋の句というよりは好色的な句といったほうがよいかもしれない。そういう句を「破礼句《ばれく》」と呼ぶことがあるが、「破礼句」は採りあげないということになる。「カンガエモノ（考物）」は「いろいろと考えて解答を出すように工夫してある謎もの。はんじもの」（『日本国語大辞典』第二版）のことで、この語は明治期にも使われていた。

例えば、図7「鳥の考」では「中華《ちうくわ》でもかわらぬものや梅の味」とあって、その下に、何か鳥が描かれている。「チュウクワ（中華）」は「カラ（唐）」で「梅の味」は「ス

（酢）」っぱいということだから、「カラ＋ス」で「カラス」となる。このように絵が添えられているとそれがヒントになるが、全体的にはかなり難問が多い。

図8「くだもの」では「からだにはさむさこたゆる冬のくれ」とある。「からだ（体）」は「ミ（身）」と言い換えることができ、「寒さがこたえる冬の暮れ」だから、「カン（寒）」ということで、「ミ＋カン」で「ミカン（蜜柑）」となる。絵は俵が一緒に描かれているので、俵に入れてミカンを保存していたのだろう。こういうことも絵からわかる。

図9「道く（道具）考」では「孔子《かうし》沓《くつ》子《し》路《ろ》冠《かんむり》を取たまふ」とある。「子路」は孔子の弟子で、孔子が沓を脱ぎ、弟子の子路が冠をとった、ということだが、「カウシ」の沓

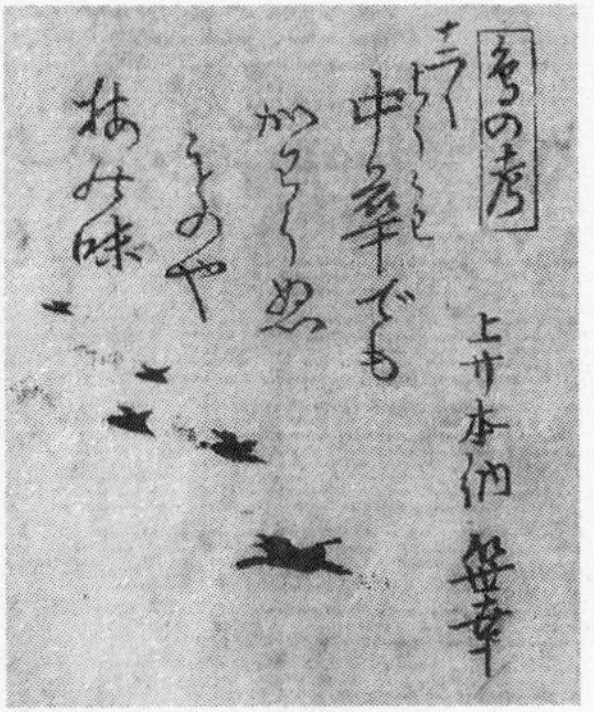

図7　鳥の考

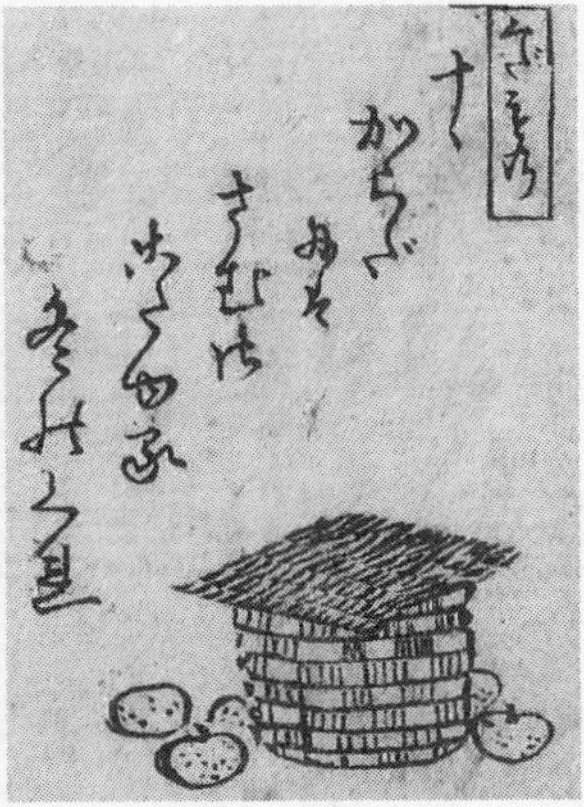

図8　くだもの

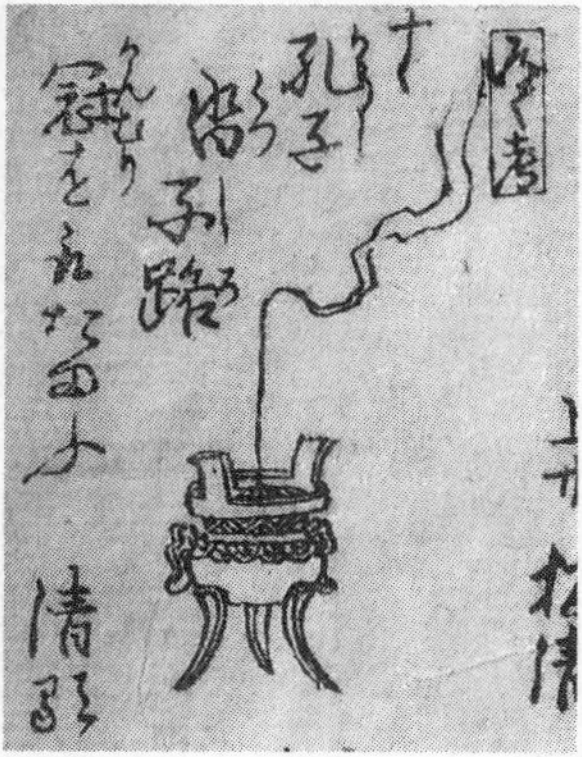

図９　道く考

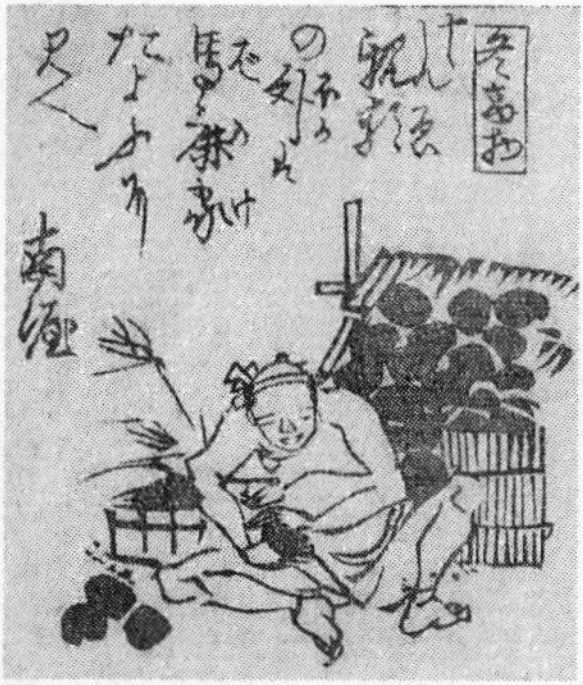

図10　冬商物

＝下の部分をはずすと「カウ」、「シロ」の冠＝上の部分をはずすと残るのは「ロ」で、「カウ＋ロ」＝「カウロ（香炉）」となる。

図10「冬商物《ふゆのあきなひもの》」では「親類《しんるい》の外《ほか》は馬鹿家《ばかけ》たよふに見へ」とある。「親類の外」は他人すなわち「夕（他）」で、かしこくないことを「ドン（鈍）」とすることはよくみられるので、「夕＋ドン」で「夕ドン（炭団）」が答えとなる。

図11「くわし（菓子）考」では「肌《はだ》ぬきて涼《す》しくなれるゆふべかな」とある。「涼しくなれる夕べ」とあるが、暑いから涼しくなりたいということであって、そのためには〈風を待つ〉すなわち「待つ風」＝「マツカゼ（松風）」が答えとなる。絵は松を吹く風をうまく描いている。菓子の松風といっても今は馴染みがないだろうが、小麦粉を溶か

したものを厚く平たく焼いて、表に砂糖を溶かしたものを塗って、芥子粒をつけたお菓子をいう。

ここではもう一つ興味をひくことがある。図11でもはっきりわかるが、「ゆふへ」の「へ」は「ぺ」のようにみえる。ここは語としては「ユフベ」でなければいけないわけであるが、その「べ」という濁音拍を表示するために、濁点ではなくて、現在いうところの半濁点が使われている。これはおもしろいが、実は図6として示したこの本の表紙でも「誹風たねふくぺ」となっている。ただし、狂句としてあげられている、例えば「しぶくとも喰《くつ》て見たいは千代の柿《かき》」では「シブク（渋）」が「しぶく」と書かれており、濁点を使わないわけではなく、半濁点も濁音拍表示に使われているということのように

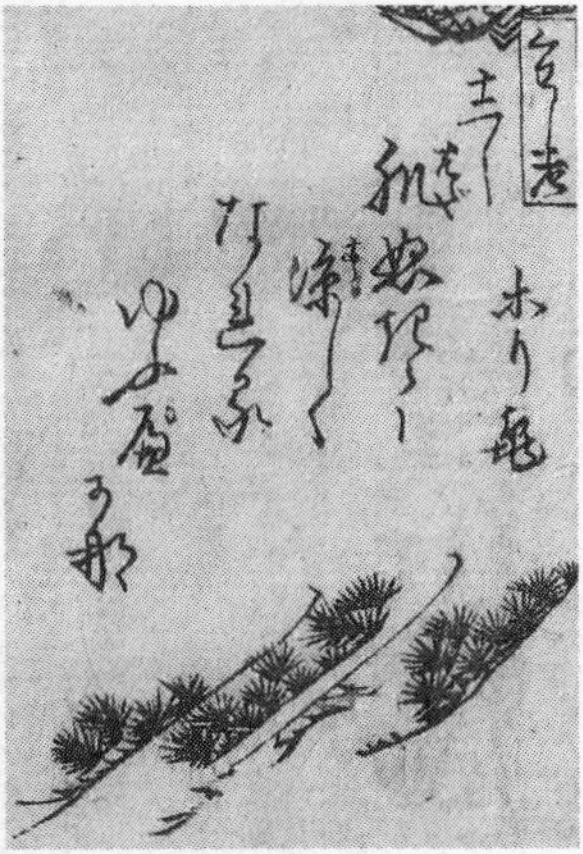

図11　くわし考

図12　貝類考

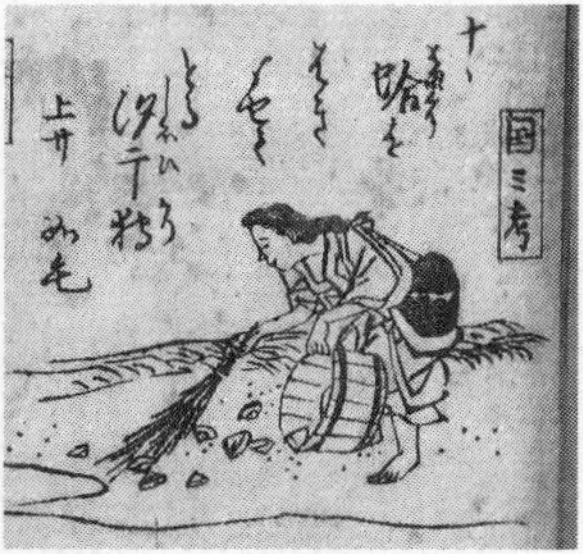

図13　国三考

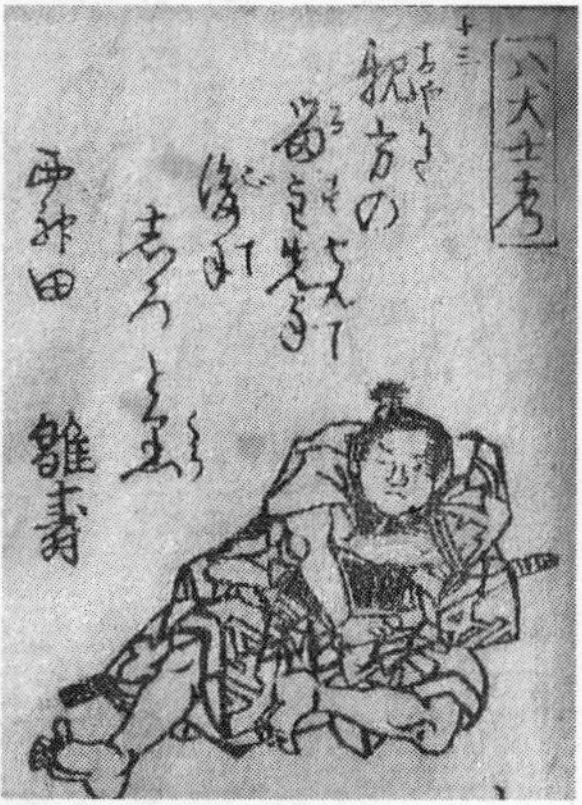

図14　八犬士考

みえる。別の狂句は「筋骨《すぢほね》をぬゐてたゝくはかまぼこや」とあるが、「かまぼこや」は「カマポコヤ」ではなく「カマボコヤ（蒲鉾屋）」であろう。

図12「貝類考」には「稲《いね》かりや日は入《いる》かたとなりにけり」とある。絵には鎌と稲束、それに貝が描かれている。「稲かり」は「田（んぼ）」でする。日が入り方になるのだから、それは日が「ニシ（西）」に沈むということで、答えは「タ＋ニシ（田螺）」となる。

図13は「国三考」とあるので、国名が三つ隠されていることになる。「蛤《はまぐり》をはきよせてとる汐干《しほひ》狩《かり》」で、まず「蛤」は貝なので「カイ（甲斐）」、「はきよせてとる」のは「ホウキ（箒）」を使ってということで、「ホウキ（伯耆）」、「汐干狩」だから汐が引いていて、岩が見えている、すなわち「イワミ（石見）」で、甲斐・伯耆・石見の三つの国

名が隠されているのではないかと思うが、少し自信がない。

図14は「八犬士考」とあるので、『南総里見八犬伝』の登場人物の八犬士の名前ということになるが、「親方《おやかた》の留守《るす》先手後手《せんてごて》しろと黒《くろ》」とある。「親方」が「留守」なのだから、残っているのは「子分（こぶん）」ばかり。「先手後手しろと黒」となれば、「碁（ご）」だから「こぶんご」すなわち犬田小文吾悌順《いぬたこぶんごやすより》ということになる。

図15は「くだもの二」とある。「むかしよりとなりどふしのへたてなし（昔より隣同士の隔て無し）」だから「へだて」＝「かき（垣）」がない。つまり「かきなし（柿・梨）」。

図16は「東海道二」とあるので、東海道の宿駅名が二つ隠されていることになるが、絵に「由井（由比）」と「沖津」とあって、絵によって答えがわかる。実は絵によって答えがわかることが案外と少ないので、これはむしろ珍しい。「其侭《そのまゝ》につひ手拭《てぬくひ》をわすれて来《き》」とあるので、宿駅に手拭いを「ゆひおきつ（結ひ置きつ）」で、「由比・沖津」

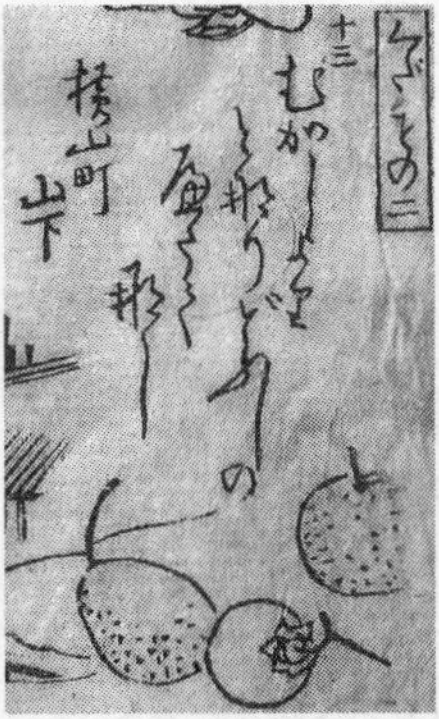

図15　くだもの二

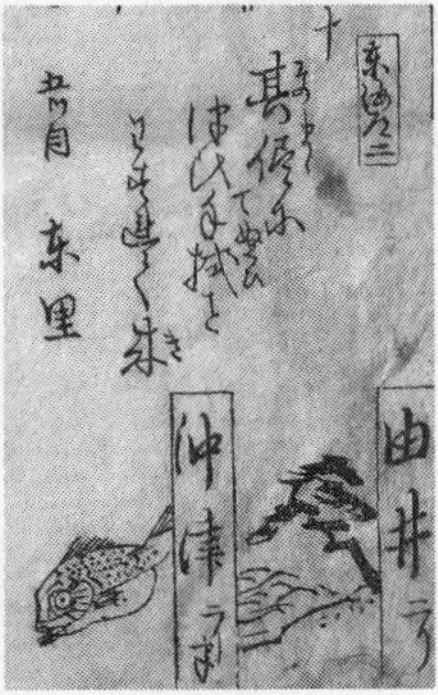

図16　東海道二

図17　書物名

となる。

図17も絵によって答えがわかる。「書物名」が隠されているのだが、絵をよくみると「童子教」と題簽に書かれている。「門前《もんせん》の小僧《こそう》の遊《あそ》び所から」とあり、「門前の小僧習わぬ経を読み」から考えると、「小僧」を「童子」と置き換え、「門前の小僧の遊び」は「経（をよむこと）」とみて、「童子＋経」＝「童子教」となる。

ここまで実は「自力」で謎を解いてきた。ここまできて、『誹風たねふくべ』（上下、一九九一～一九九二年、太平書屋）が出版されていることに気づき、入手した。この本は『誹風たねふくべ』の初集から第十八集までの影印と、飯島花月による翻刻、抄解とがまとめられている。最初からこれを参考にすればよかったようなものであるが、そうしていると、『誹風たねふくべ』の謎がけっこう解きにくいものであることが実感できなかったと思われるので、これでよかったと考えることにしたい。飯島花月は江戸庶民文化の研究家としても知られている飯島保作のことである。この本を参照してみると、ここまでの筆者の解は飯島花月の解と一致しているので、まあ安心したが、図13の「国三考」については、飯島花月は「甲斐」「伯耆」をあげ、「国名一ツがわからぬ」と述べている。「別解」として「①今一ツは常陸か、あるいは天塩か②大和、駿河、尾張（山と為るが終り）か」とも記しているが、筆者の「石見」はわるくないのではないかと少々自信を回復した。

さて、この『誹風たねふくべ』の謎はなかなか骨があるので、さらに考えてみたい。

1　炭部屋《すみへや》をまづ尋《たつね》見ん義士《ぎし》仲間　　魚五考（初集）
2　しやくやくに和名《わめう》はなしと思ひけり　　鳥の考（初集）
3　よき風《かぜ》と武士《ものゝふ》だけにかたくいふ　　虫の考（初集）
4　これきりでとりあけばゝァもふ御めん　　呉服考（二集）
5　品川をあけ六つにたち御江戸入り　　青物考（二集）
6　おきなははがぬけ其角《きかく》は丸イ人　　遊けい考（二集）
7　放生会《ほうせう》鳥籠のそこたゝきけり　　橋考（二集）
8　宮嶋《みやじま》の沖《おき》のけしきをながめてゐ　　十二支五つ（二集）
9　友《とも》のない子《こ》ども大工《だいく》の中間《なかま》入り　　七福神（二集）
10　横《よこ》にして見れは長《なが》さも三百間　　町名考（二集）
11　秋津洲《あきつす》にましたる所《とこ》はよもあらじ　　浮世絵師考（二集）
12　俵《たわら》をば槙木《まき》のかわりにたくこめや　　青物考（二集）

13　媒人《なかふど》を呼《よふ》ほど夫婦《ふうふ》いひつのり　けもの二つ（二集）
14　普《ふ》請《しん》の図植込《づうへこみ》の場処先《ばしよさき》へかき　鳥考（二集）
15　銭《せに》なしをかつゐてかごやはらをたち　武者考（二集）
16　三五九をひとつへらして神《かみ》へあけ　青物考（三集）
17　みゝつくはあたまかくしてさかさたち　乾物考（三集）
18　杖《つへ》をつく中《なか》にくの有老《あるおひ》のたび　手習道ぐ（三集）
19　元日やかけとりへまづもふしわけ　木二考（三集）
20　山鳩《やまはと》が鷹《たか》に追《お》はれて羽《は》ぬけ鳥《とり》　国一考（三集）

1は四十七士の討ち入りで、炭部屋をまず見て、敵である吉良上野介が「いるかいないか」を確かめ、そして「（敵に）あいたい」ということで、「海豚・鯔《いな》・烏賊・鮎《あい》・鯛」。2は「シャクヤク（芍薬）に」を「四八九八九二《しやくやくに》」とみて、これらの合計が四十。「和名はなし」で「から（唐）」、合わせて「シジュウカラ（四十雀）」。3は「よき風」は「スズム（涼）」、和語「モノノフ」をかたく漢語でいえば「シ（士）」で、合わせて「スズムシ（鈴虫）」。4は「とりあけばばあ」＝産婆さんが「もう御めん」だから、お産をとめる、で「サントメ（桟留）」。5は品川を「あけ六つ」＝六時頃に出発すると、江戸には朝のうちに着く。だから「朝着き（アサツキ）」で「アサツキ」。6の「遊けい」は「遊芸」。其角とあるので、「おきな（翁）」は芭蕉翁であろう。「バセウ（芭蕉）」の「ハ

（歯）」が抜けるのだから残るのは「セウ」。其角が丸くなるということは「カド（角）」がとれるということで、「其角」から「角」がとれたら「其（キ）」が残る。あわせて「セウキ」すなわち「ショウギ（将棋）」。絵も将棋をしている絵になっている。7は放生会なので、鳥籠の底を叩いて、飼っていた鳥をみんな逃がしてやる。みんな鳥を逃がすのだから「ミナ・トバシ（皆飛）」で「ミナトバシ（湊橋）」。湊橋は日本橋箱崎にある。8は「宮嶋の沖のけしき」だから海に鳥居が立っている。卯・巳・酉・亥・辰の五つ。9は「友のない子ども」で「コドモ」から「トモ」を除いて「コ」。これが「ダイク」の中に入るので、「ダイコク（大黒）」。絵はまさしく大黒様だ。10は「三百間」は「五町」。「横にして見れば」といっているので、これを立てれば、高さが五町で、「タカサゴチョウ（高砂町）」。11は日本のことを「秋津洲」ということがある。だからこれで「（日本）国」。「ましたる所」がないのだから、〈一番いい〉＝「よし」で、「国良し」つまり歌川「国芳」。国芳は江戸時代後期を代表する浮世絵師の一人として名高い。12は米屋は俵がたくさんあるから、薪のかわりに俵を焚くということであろうが、「俵」は藁でできているので、まず俵を「わら（藁）」に置き換える。焚くを「ひ（火）」とみて、「藁＋火」すなわち「わらび（蕨）」。これもワラビが描かれているのでわかりやすい。13は仲人を呼ばなければならないほどの夫婦喧嘩ということだろう。「出て行け」「出て行く」とお互いに「いいつの」っている様子だ。「出て行く」は「さる（去）」あるいは「いぬ」だから猿と犬。これも猿と犬が描かれているので、すぐにわかる。14では家を普請しようとしていて、「植込の場処」を真っ先に図に書き込んだということで、変な話だが、「植込」をまず「庭」に置き換える。先取りしたのだから、「とり」で、「庭とり」すなわち「にわとり（鶏）」。これもニワトリの絵がえがかれている。15は「かごや（籠屋）」は「銭なし」を乗せてしまったのだが、「銭なし」は結局籠に「ただ乗り」したことになる。「ただ乗り」すなわち「忠度」。これはよく使われるなぞである。16は「三五九」をたすと十七になり、「ひとつへらして」だから十六。「神へあげ」は捧げるということだから、「十六ささげ」。絵もそうみえる。これなどは「十六ささげ」が馴染みがなくなると解きにくくなる。豆は熟すと小豆に似たような感じになるが、若い時期に莢ごと食用にするのが一般的である。17は「みみつく（木菟）」の「あたまかくして」だから「み丶」をはずして残るのは「つく」。これが「さかさたち」だから顛倒させて「くつ」。すなわち「くづ（葛）」。18は杖を突きながら行く老いての旅には苦労もある、ということだろう。「つゑ（杖）」の中に「く」があるのだから、「つくゑ（机）」となる。19は元日から「かけとり」＝〈掛け売りの代金の集金人〉が来ているという容易ならない場面であるが、もう少し待ってくれ、せめて「松過ぎ」＝〈松飾りをはずす正月七日過ぎ〉まで。ということで、「松」と「杉」の二つ。20は「やまはと（山鳩）」が「はぬけ鳥」になるのだから、「やまはと」から「は」を抜いて「やまと（大和）」。次には別の謎の本をとりあげてみよう。

『剽金《ひょうきん》福寿草』のことばあそび

『剽金福寿草』の表紙見返しには「嘉永二酉　初春」とあるので、嘉永二（一八四九）年頃に成ったと思われる。序の末尾には「剽金舎一寸子述」とあるので、この「剽金舎一寸子」が著者ということになるが、この人物の詳細はわかっていない。

図18は「本文」が始まる前、三丁表であるが、「須磨明石わらひのおゝきなかめなり」「松は葉々〳〵船は帆々〳〵」と定家様《ていかよう》（＝藤原定家のような筆跡のこと）のような筆致で書かれている。「葉々」が「はは」、それに「〳〵」が加わるので、「はははは」、「帆々」は「ほほ」で、こちらもそれに「〳〵」が加わっているので、「ほほほほ」で、「松は、はははは、船は、ほほほほ」で笑いが多い、ということになる。

図18　『剽金福寿草』３丁表

どのような内容かを図19で説明しよう。図の右側には「日のもとはことしの米のはつみつぎ」とあって、その後ろに「しんこくでおさめる」とあり、合点（マーク）がつけられている。これが「答え」

図19　『剽金福寿草』３丁裏

あるいは「解」にあたる。「日のもと」すなわち日本は、「今年の米の初貢ぎ」だという。「今年の米」だから「新穀（シンコク）」で、それを「神国（シンコク）」とかけている。

　図の左側では「もろこしは色のくるはの家ふしん」とあって、解が「孔子の見とをしが第一」となっている。「もろこし」＝唐土（中国）が解の孔子と結びつくことになるが、廓は遊女の顔が見えるようなつくり＝「フシン（普請）」であることが「第一」であるということと、孔子が先を見通すことが大事ということ、孔子と格子とをかけている。ごく素朴な同音異義語を使ったことばあそびといってよい。

　図20の上では「三月の中半《なかば》てんぐの山あそび」とあって、「どこもはなたらけ」という解が示されている。書かれている天狗はおもしろい顔をしているが、三月の半ば頃になると、桜が咲き揃ってくるので、「どこも花だらけ」になる。その「花だらけ」と天狗たちが山遊びをして「鼻だらけ」になるということとをかけている。

　図20の下は「そばの客もりはきらひとほとゝぎす」とあって、解は「ぶつかけかけたか」とある。盛りそばが嫌いだとかけそばが好きということにはならないだろうが、こ

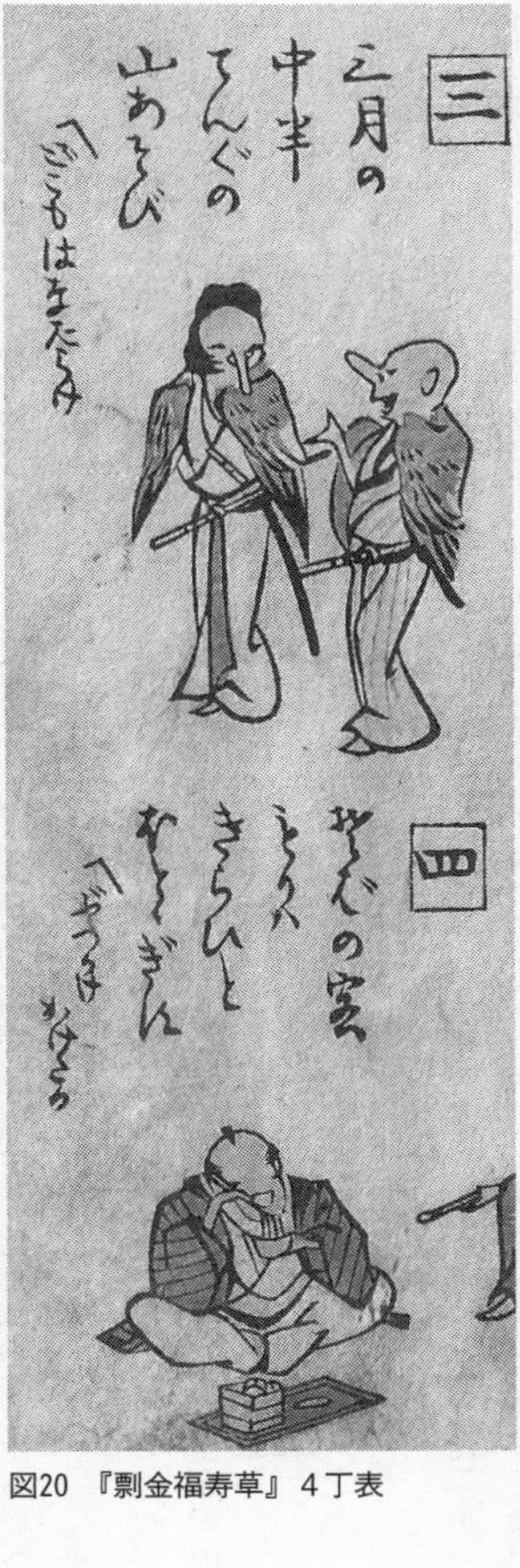

図20　『剽金福寿草』４丁表

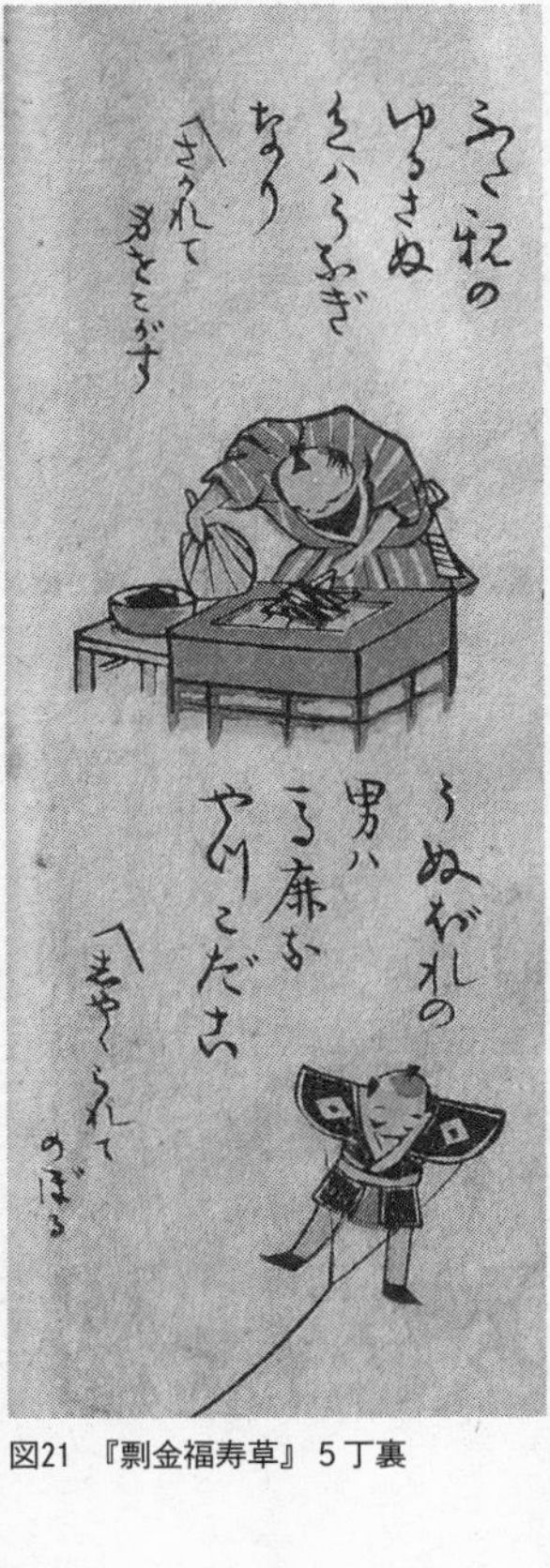

図21　『剽金福寿草』５丁裏

こではそういうことになっていて、この客はぶっかけそばを食べている。「ブッカケカケタカ」はホトトギスの鳴き声の「聞きなし」であろう。「ホゾンカケタカ」と聞きなされることもある。こういうことがわかるのはおもしろい。

図21の上では「ふた親のゆるさぬ色はうなぎなり」とあって、解として「さかれて身をこがす」となっている。「色」は情人、遊女のことで、両親が許さない。仲を裂かれ、恋焦がれて「身をこがす」。一方鰻は割かれて焼かれる。

図21の下は「うぬぼれの男は馬鹿なやつこだこ」とあり、「しやくられてのぼる」と解が示されている。解の「シャクル」は〈前後左右にゆする〉という語義と〈おだてる〉という語義とをもつ。最近は正月に凧揚げをすることがあまりないように思われるが、筆者が子供の頃には、正月になると、あちらこちらで凧揚げをしていた。空を見上げると、幾つか凧が揚がっているのが見えたものだ。筆者も、父に連れられて、少し離れた葛原が岡に凧揚げをしに行ったものだ。凧が揚がりすぎて、糸が切れ、どこかに飛んでいってしまったこともあった。奴凧は揚げるのが案外難しかった記憶があるが、凧は糸をしゃくるようにして、徐々に揚げていく。一方、うぬぼれが強い男は、おだてられると図にのる。「うぬぼれの男」とかけて「馬鹿な奴凧」と解く、その心は「どちらもしゃくられてのぼる」ということだ。

図22は「博学の多才播州赤穂なり」とあって、解が「よきしをつくる」だ。博学の多才だから、漢学に通じていて、「良き（漢）詩をつくる」。一方、播州赤穂は塩の産地だ

から、「良き塩つくる」となる。

図23は「やぶれ鞠もとでのうすひ家業なり」とあって、解が「もうけられぬ」だ。破れた鞠はもう蹴ることができないから「もう蹴られぬ」。一方、「元手の薄い家業」は「儲けられない」。

図24は「はや飛脚麩屋の男と蛸となり」とあって、解が「あしがぜにじゃ」となっている。早飛脚は早く走ることが仕事であり、いわば足で稼いでいるようなものだから「足が銭じゃ」ということになる。お麩屋さんは、麩をつくるために、小麦粉を一日中踏み続ける。だからこれも足で稼いでいる。さて、タコは頭の部分よりも足がおいしいので、「足が銭」ということになる。つまり「早飛脚」「麩屋の男」「蛸」、いずれも足に価値があるということだ。

図25は「羅生門綱は鮎をば追まはし」とあって、解が「鵜でとる」だ。「羅生門」は

図22　『剽金福寿草』８丁裏

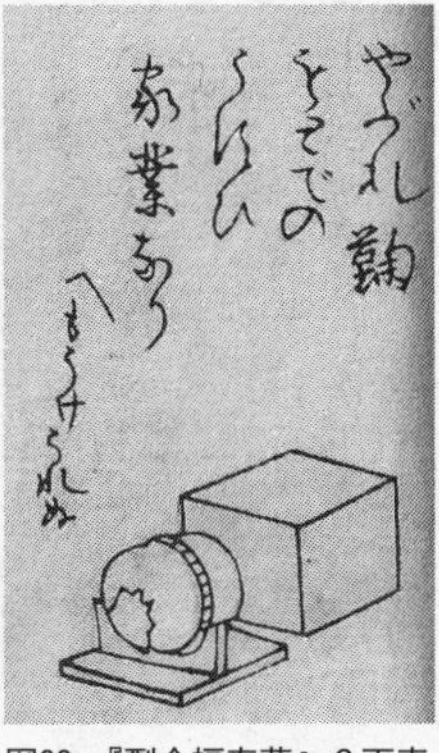

図23　『剽金福寿草』９丁表

図24　『剽金福寿草』10丁表

図25　『剽金福寿草』11丁表

謡曲『羅生門』をさしていると思われるが、鬼の片腕を名刀「髭切の太刀」で切り落とした話で知られている。解は「鵜でとる」と書かれているが、「ウデトル」は「腕取る」に通じている。そして絵はそれを描いているが、鮎を「鵜でとる」鵜飼いとかけている。

先に紹介した『たねふくべ』は「末摘花」は除くと謳っていたが、この『剽金福寿草』はそうではないので、ここに紹介してわざわざ説明をすることが憚られるような例が少なからずある。そういうものも江戸文化だ、というみかたはもちろんあると考えるが（いやそれが正当なみかたといったほうがいいのかもしれないが）、まあ控えておこう。で、図26の右の「雪の暮しうとめがむこつまみぐひ」を紹介し、この数倍すごいのがあると思っていただこうと思う。解は「つもるにつけ道をうしなふ」とある。「雪の暮れ」

だから、雪がずっと降り続いて夕暮れ時になった。このまま降り続き、雪が積もっていくと、「積もるにつけ道を見失う」ことになる。一方、姑が婿をつまみ食いするのも「道を失う」つまり倫理に背くということだ。

図26の左はまた普通のもの。「縁談の見合イ仲人餌さしなり」とあって、解が「とりもちがたね」となっている。縁談のお見合いで仲人は男女を「取り持つ」のが役目だ。だから「取り持ちが種」。「餌《え》さし」は〈小鳥をもち竿で刺して捕らえること、あるいはそれを仕事とする人のこと〉で、絵はよくそれを表している。棒の先には鳥もちがつけ

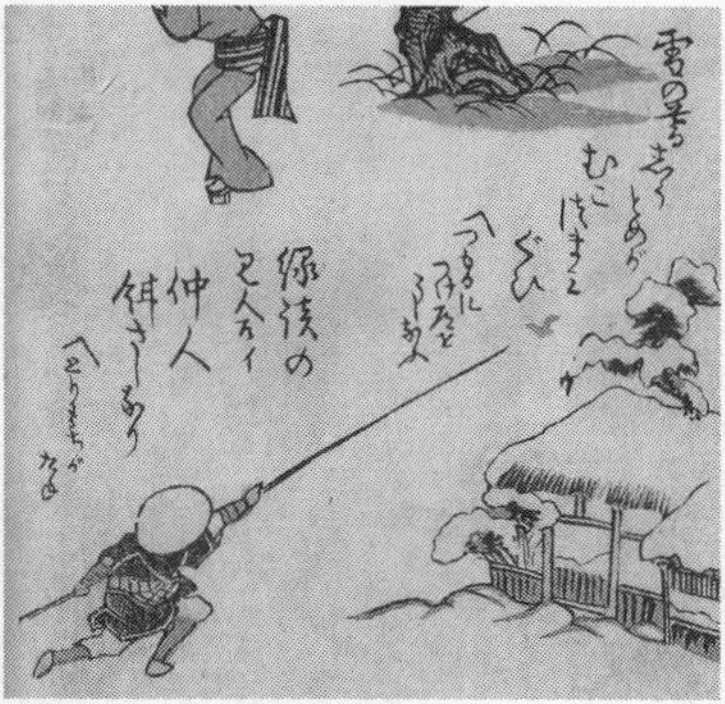

図26　『剽金福寿草』11丁裏

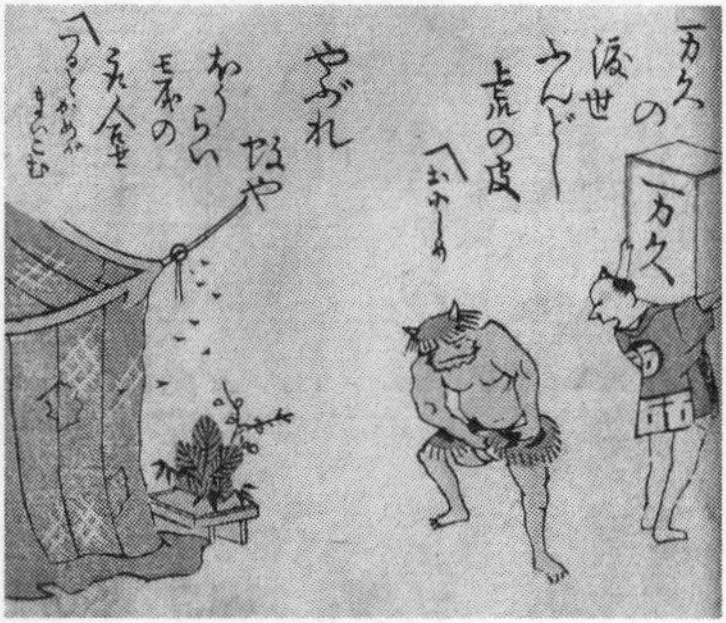

図27　『剽金福寿草』14丁表

であり、それで小鳥を捕らえるので、こちらも「鳥もちが種」ということになる。

図27の右側は「万久の渡世ふんどし虎の皮」で解が「おにしめ」だ。芝居小屋で食べる弁当を笹の折に入れて、「幕の内弁当」と名づけて売り始めたのが日本橋芳町の万久だったといわれている。小さな焼きおにぎり十個と卵焼き、蒲鉾、かんぴょう、コンニャク、焼き豆腐の煮染めで百文、今の価格で千五百円ぐらい。これが当たったという。だから万久は「お煮染め」で渡世をする。一方、鬼は虎の皮のふんどしをしているといわれているので、「鬼締め」。

図27の左側は「やぶれ蚊やほうらい臺の取合せ」で、解が「つるとかめがまいこむ」となっている。「ホウライダイ（蓬莱台）」は蓬莱山をかたどった台の上に、松竹梅や鶴亀、尉と姥などを飾り、祝儀や酒宴の際の飾り物としたものをいう。だから「鶴と亀が舞い込む」。一方、破れた蚊帳は役にたたず、蚊が入ってしまう。絵には穴のあいた蚊《か》帳《や》と蚊とが描かれている。破れた蚊帳は「釣ると（釣っても）蚊めが舞い込む」。

「問題文」と「答え」というかたちにして十問を示したので、考えてみてほしい。

1　だんごやの上手八月十五日　　つきがよいといふ
2　馬鹿がねるからしは九月節句なり　　きくきく
3　助兵への旦那こたつの火をあんじ　　夜るになるとはいかける
4　遠ざかる恋がつもればしやくのたね　　あいたいあいたい

5　まゝ子くう蚊もたゝかれぬ炭屋なり　くろうなる
6　石にたつ矢は元日と大三十日《おおみそか》　一年でたつ
7　年ごろの娘紺屋の小紋おき　かたつける
8　あきられた中は屛風のてうつがい　はなればなれになる
9　賢人は竹のはやしの竹の皮　よくはなれる
10　大江戸は紙一帖を二つにし　半でう半でう

1「だんごやの上手」はうまく搗《つ》いてある＝「搗きがよい」。八月十五日は名月だから、「月が良い」とかけた。2「馬鹿がねるからし」は一心不乱にねるので、よく効く。九月の節句は菊の節句なので、「効く菊」＝「きくきく」。3「スケベエ（助兵へ）」の旦那は「夜になると」夜這いをする＝「這いかける」。この時代の炬燵の火は炭火だから、夜寝る時には、灰をかけて埋み火にするために「灰をかける」。4「遠ざかる恋」はさしずめ「遠距離恋愛」だろう。気持ちが積もると、「逢いたい逢いたい」となる。一方「しゃく」は「あ、痛い。あ、痛い」で、両方をかけている。5は継子を叩くことができないのは継母だ。叩くのは蚊がとまっているからだが、継母ゆえの折檻と思われてはいけないという配慮から蚊を追ってやりたいのに、それもできないという、心あたまる気づかいだ。気苦労だから「苦労なる」。一方、炭屋は炭を扱う商売なので、いつも炭で真っ黒。「黒くなる」で「黒うなる」。6は「思う一念岩をも通す」で、「イチネン（一念）」と元日から「大三十日」までで「イチネン（一年）」。7「年ごろの娘」が「かたづく」のと、小紋を型でつけていく、「型つける」とをかけている。8「あきられた中」の「中」は「仲」と書いたほうがわかりやすい。あきられてしまうと「離ればなれになる」。屏風の蝶番《ちょうつがい》も屏風を開くと「離ればなれになる」。9タケノコがでてくる季節になって竹林に行くと、タケノコの皮がたくさん落ちている。「竹ばやしの竹の皮」は「よく離れる」。賢人はあらゆる欲を超越しているので、「欲（から）離れる」。10は「一帖」を二つに分けると半帖と半帖とになる。この「ハンジョウ（半帖）」を「ハンジョウ（繁盛）」とかけている。

二段なぞから三段なぞへ

鈴木棠三は『なぞの研究』（一九八一年、講談社学術文庫）において、『謎車氷室桜《なぞぐるまひむろざくら》』という本を紹介している。京都の俳人重田梧山の著作であるが、序文末尾に記された「中の新春」を鈴木棠三は「享保十三年（一七二八）」と推定して、まず間違いない」（一七七頁）と述べる。ここではこの推定に従うことにする。『補訂版国書総目録』には『謎車氷室桜』原本の所蔵が記されておらず、活字として同書を収めている『日本教育文庫衛生及遊戯篇』（一九一一年、同文館）が載せられているだけである。したがって、おそらく、鈴木棠三もこの『日本教育文庫衛生及遊戯篇』によって同書を参照しているものと思われる。

『謎車氷室桜』の「目録」には「二重謎」「三重謎」「四重謎」「もじり謎」「当字《あてじ》なぞ」「常のなぞ」とあって、ここに「二重謎」「三重謎」とある。「常のなぞ」には、例えば、「下紐に蚊の一こゑ　ぶんまわし」とある。これは「下紐」を「まわし」に置き換え、「蚊の一こゑ」だから「ぶん」で、つなげると「ぶんまわし」（コンパスのことで『源平盛衰記』にすでにこの語が使われている）となる。これは中世のなぞと同じように、「問と答え」とからなる「二段なぞ」である。

「二重謎」では「〜とかけて」「解《と》き」「心は」といわば整然とした形式で謎が示されている。これは「〜とかけて〜と解く、心は〜」という形式で、謎の研究においては、これを「三段なぞ」と呼んできた。「二段なぞ」では潜在していた「解《と》き」が顕在化したといってよい。「解《と》き」があまりにも複雑だと「二段なぞ」形式は解けないことになり、せっかくの「解《と》き」の工夫が意味をなさない。といって、あまりにも「解《と》き」が単純だとわかりやすすぎて謎としてはおもしろみがないことになる。「解《と》き」を明示することによって、通常では考えられない二つの物や、ことがらを結びつけることが可能になり、これによって、「解《と》き」すなわち「みたて」のおもしろさは一段と深みを増したといえよう。「みたて」とは比喩、メタファーなのであって、言語上のおもしろさもそこにある。解きやすすぎる「二段なぞ」、解けない「二段なぞ」は「三段なぞ」の発生を自然に促したと考える。

さて、『謎車氷室桜』は「二重謎」として次のような謎をあげている。以下では「解《と》き」をわかりやすく「～ととく」と変えて示すことにする。

せかぬ去状とかけて　船弁慶ととく　心は静にいとまをやる

現行の歌舞伎演目の中にも「静（御前）」を「義経の思い者」として、「義経の軽い者」と言い間違えて笑いをとるセリフがあるが、「思い者」（＝恋人・愛人）という語そのものがほとんど使われなくなっている現代においては、「思い者」→「重い者」→「軽い者」という「しゃれ」が理解しにくくなっていると思われる。

右の謎は、謡曲『船弁慶』を知らないと解けない。頼朝にうとまれた義経が西国に下ることを決意し、摂津国尼崎大物浦から船出することになるが、弁慶はここまで義経と同道してきた静御前を都に帰すように進言する。義経は弁慶の進言を受け入れ、静御前と大物浦でわかれるというのが「船弁慶」の前半部であるが、「静にいとまをやる」は「静御前にいとまをやる」と「静かにいとまをやる」がかけられている。「三段なぞ」を説明するために、もう少し詳しく考えてみることにしよう。二つのことがらがかけられているのだがそれを整理してみる。

A：一般的な離縁の場面

B：義経と静御前の別れの場面

AとBという二つの「場面」がある。Aは離縁で、Bは別れであるが、その「内実」はそれほど変わらない。「心は」の「いとまをやる」の箇所はAであってもBであっても、「別れを告げる」ということで共通している。異なる語が重なっているのは英語「quietly」にあたる「シズカニ」と人名の「シズカ（ゴゼン）」とで、この「シズカ（ニ）」という語（及び発音）によって、AとBとが結びつけられている。そしてそれを解く鍵が「船弁慶」である。そうすると、この謎の場合は、発音に重なり合いがあって、語義が異なる語＝同音異義語をキーにした「三段なぞ」であることがわかる。

次のような「二重謎」もある。

草木とかけて　には鳥ととく　心は時をたがへず

A：草木は時をたがへずに花を咲かせたり、葉を落としたりする
B：には鳥は時をたがへずに鳴く

「時をたがへず」どうなるか／どうするかは、「草木」と「には鳥」とでは異なるが、「時をたがへず」というところで両者が重なり合う。そこをキーとして「三段なぞ」が

成立している。ここには同音異義語はかかわっていない。このような謎をつくるにあたっては、「時をたがへず」何かする物や事を探していって、それを結びつければよい。いつも同じ時間に配達をする牛乳屋さんとか、新聞配達の人とかでもいい。五時になると必ず帰宅する同僚のT字（定時）君でもいい。毎日必ず同じ時間にまわってくるお豆腐屋さんでもいい。そうすると次のような謎ができる。

うちに来る新聞配達の人とかけて　同僚のT字君ととく　心は時をたがへず

AとBとに「共通項」があるから、AとBとを重ね合わせることができる。「共通項」としてずっと使われてきているのが、「同音異義語」である。これは発音における「共通項」とみてもよい。「同音異義語」だから単位は語ということになる。一方、「時をたがへず」の謎の場合、「時をたがへず」という表現が成り立つ「文」が異なるといってもよい。

『謎車氷室桜』の「二重謎」を幾つか紹介してみよう。

1　上手の具足とかけて　おし鳥ととく　心は番《つがひ》はなれぬ
2　忌中の神前とかけて　夏の梢ととく　心は憚《はゞか》り
3　茶碗とかけて　草木ととく　心は根は土

4　ふたつなき松とかけて　もろこしのあなたととく　心はからさき
5　やすまんぢうとかけて　初ての門口《かどぐち》ととく　心はあんない
6　天狗をながむるとかけて　彌生の幕ととく　心ははな見
7　今日より大将様とかけて　団《うちは》の進上ととく　心はあふぎたてまつる
8　かきつばたとかけて　ふぐ汁ととく　心はみかわを賞翫
9　七月とかけて　今呑んだきせるととく　心は残るあつさ
10　鴨とかけて　二月堂ととく　心は水鳥
11　名人の占いとかけて　栄螺がらととく　心は見ぬく
12　鶯の籠桶《こをけ》とかけて　盗人ととく　心はとり隠す

1「具足」は「当世具足」の略で、近世の武具の名。甲冑（鎧＋兜）に小具足類を完備したものをさすが、ここでは甲冑も含めての総称と考えてよいと思われる。甲冑は小《こ》札《ざね》を多数連結してつくっていくので、連結がきちんとできていないとすき間があいてしまい、武具としての役にたたない。「上手」な人がつくると連結＝番《つがい》が離れない。現在でも「鴛鴦夫婦《おしどり》」という語があるが、鴛鴦は雌雄が常にいっしょにいるといわれているので、「つがい」＝雌雄のペアが離れない。2「忌中の神前」は「はばかり」がある。一方「夏の梢」は「葉ばかり」。3は茶碗は土からできているということを「根は土」すなわち根本は土である、と表現している。「草木」の根は土中にあるので、こちらも

「根は土」ということになる。4の「からさき」は滋賀県大津市、琵琶湖西岸の地名で、「唐崎の松」といわれる一本松があった。歌枕で和歌にも多く詠まれている。有名な松だから「ふたつなき松」ということになる。「もろこし」は唐土＝中国なので、「から（唐）」。「あなた」はむこうということだから「さき（先）」で、「からさき」を導き出す。5「やすまんぢう（安饅頭）」にはあん（餡）が入ってない。「初めての」訪問だから案内を請わなければならない。6の「彌生の幕」はお花見で引きまわしている幕のことで、「天狗」といえば鼻、「ながむる」は「見る」ということだから、「はなみ（花見・鼻見）」となる。7は「大将様」だから「仰ぎ奉」らなければならない。団《うちわ》を「あふぎ（扇）」と言い換えて、漢語「シンジョウ（進上）」を和語で言い換えれば「たてまつる」だから「あふぎたてまつる」。8「かきつばた」は『伊勢物語』第九段において三河の国、八つ橋で「かきつばたという五文字を句の上にすゑて」詠まれた「からころもきつつなれにしつましあればはるばるきぬるたびをしぞおもふ」という和歌がよく知られており、謡曲ではこの『伊勢物語』第九段をふまえた作品に『杜若（かきつばた）』という題がつけられている。したがって、「かきつばた」なら三河ということになる。「ふぐ汁」はフグの「み（身）」と「かわ（皮）」を賞味＝賞翫する。9呑みおわったばかりのキセルには熱＝熱さが残っている。旧暦七月は新暦では七月下旬から九月上旬にあたるので、残暑の頃にあたる。残暑は暑さが残っている。10では「鴨」は「水鳥」で、東大寺の「二月堂」はお水取りで知られるので、ともに「みづとり」ということになる。したがって、

「鴨」でなくても「鴨」でもいいことになる。11は「名人の占い」だからなんでもお見通し＝見ぬく。「栄螺がら」すなわち身を食べてしまったサザエの殻は身が抜けているので「みぬく（身抜く）」。12の「籠桶」は小鳥を入れておく小さな籠、あるいはその籠を入れる木箱のこと。ここは籠を入れる木箱とみたほうが、「鳥を隠す」＝「とりかくす」に結びつけやすい。「盗人」はいうまでもなく、何か品物を取って隠すのだから「とりかくす」。

『謎車氷室桜』には「三重謎」もあるので、これも紹介しておこう。

1　夢とかけて　竹奉行ととく　心は船著《ふなつき》　その心は伏見

2　天満祭とかけて　こしかけた箱ばしごととく　心は上り坂の小性衆　その心は段じり

3　捨小舟とかけて　行脚の僧ととく　心は下り坂のつぶて　その心は泊りさだめぬ

「三重謎」は「とかけて・とき・心は・その心は」という形式をとるが、「解《と》き」をわかりやすく「〜ととく」と置き換えて示した。1でいえば「夢とかけて竹奉行ととく」「心は船著」でこれにさらに「その心は伏見」がつく。「心は」と「その心は」の展開がうまくできていれば、「ああなるほど」ということになるが、「心は」が結局あまり「解《と》き」に貢献しないとなると、結局は「その心は」によって解ける、ということになり、「三段なぞ」の「〜ととく」が二つあるのとさほど変わらないことになる。右の三つはどちらかといえば、そうなってしまっているように思われる。

1は「夢・竹奉行・船著」が「伏見（ふしみ）」とどう結びつくかということになる。「夢」は臥して＝横になって見るものだから、「臥し見」。「竹奉行（たけぶぎょう）」は『日本国語大辞典』第二版が見出し項目としていない語である。弓矢が重要な武器であった時期、武士は矢に使うための矢竹を自宅に植えていたという。当然、城の敷地内にも矢竹が植えてあった。それを管理するのが「竹奉行」であろうか。「竹奉行」は竹の節を見て回ったのではないと思うが、それを、ちょっとおもしろく「節見（ふしみ）」とした。そして、答えともいうべき「伏見」は江戸時代には淀川水運の港＝船着き場として栄えていた。2は「天満祭」で「だんじり」が導き出される。現在では岸和田のだんじり祭がよく知られている。「こしかけた箱ばしご」の「箱ばしご」は箱でつくった階段のようなもので、その箱に物が入れられるようになっている。だからその段に腰を掛けることもできるわけだが、段に腰を掛けるから、「段尻（だんじり）」。「上り坂の小性衆」は上り坂をたくさんの小性（小姓）がだんだんと連なって上がっていくということだろうか。小姓のお尻がだんだんと続いているので、「段尻」。この二つはどちらも「尻」であるところが変化に乏しいともいえよう。やはりちょっと無理がある。3の「捨小舟」は〈乗る人もなく置き捨てられた小舟〉のことで、頼りにする人がいない身の上のたとえとして、和歌などにも使われる語である。だから「泊りが定まらない」。「行脚の僧」も「泊りが定まらない」し、「下り坂」で「つぶて」＝〈小石〉をころがすと、どこまでもころがっていって、「止まるところが定まらない」。「捨小舟」と「行脚の僧」とが「ちかい」ところがもう一つかもしれない。

　こうした謎はおそらく答え＝その心から展開させるとつくりやすそうだ。ちょっと駄作を使って説明してみることにしよう。

　1　牛若丸の目的地とかけて　夜中の天狗の絵ととく　心はラマ九匹の餌　その心は蔵前

　2　世継ぎ下の折れた蕨を望むとかけて　早く早く六十キロの米がこぼれたととく　心はサラダ記念日　その心は田原町《たわらまち》

　1ではまず「伏見」風に地名を「その心」＝最終解にもってくることにして、「蔵前（くらまへ／くらまえ）」を選んでみた。「ふしみ」のような三拍語よりも「くらまへ／くらまえ」のような四拍語のほうが展開しやすいと考えたからだ。「くらまえ」には「鞍馬（くらま）」が含まれていることがすぐわかる。鞍馬といえば牛若丸が籠もった場所なので、「牛若丸の目的地」「鞍馬へ（行こう）」という気分だ。「天狗」を「ま（魔）」と言い換えるのは、中世のなぞなぞ以来のことなので、「夜中」＝暗い、「天狗」＝魔、で「暗魔絵（くらまえ）」。「ラマ九匹」で「九ラマ」、「餌（えさ）」は「え」ともいうので、「九ラマ餌」で「くらまえ」。これで「三重謎」のできあがり。これに例えば「米一揆の集合場所」＝（米）蔵の前、などをさらに加えると「四重謎」ができる。

2では「たわらまち（田原町）」を最終解にした。「たわらまち」はそのまま俵万智と重なるので、まず一つの解として「サラダ記念日」を考えた。これはちょっと重なりすぎなので、後のほうにもってくることにした。「たわらまち」は「たわら＋まち」と分解するのが自然なので、お米がこぼれてしまったから、「俵待ち」という状況を想定してみた。「たわらまち」を「た＋わら＋まち」と三つに分解し、「た」はいろは歌で、「わかよたれそつねならむ」で、「よ」の次だから「よつぎ（世継）」。これは中世のなぞなぞにある置き換えだ。「下の折れた蕨」だから「わらび」の下がなくなって「わら」で、「まち（待）」を「望む」と言い換えればできあがりだ。

さてそれでは次に「しゃれ」について採りあげてみることにしよう。

しゃれ

現代でも「しゃれ」という語を使う。試みに『集英社国語辞典』第三版を調べてみると「同音・類音などを利用したことば遊びによる、気の利いた文句。また、その遊び」「同音（類音）異義語を活用して言語の指示機能を複雑にする修辞の総称。重義法。▽pun の訳語にも」と記されている。過去においては、「秀句」「かすり」「地口」「口合」など幾つかの語があった。それぞれを厳密に定義することは難しいが、少し整理してみよう。

秀句

「秀句《しゅうく》」は〈詩歌などのすぐれた句〉という語義であったと思われるが、それが十三世紀頃以降、〈掛詞などを用いたしゃれ〉のようにやや限定されても使われるようになった。『徒然草』第八十六段でこの「秀句」という語が使われていることが知られている。

天台宗寺門派の総本山である三井寺（園城寺）の僧侶を「寺法師」、天台宗山門派の総本山である比叡山延暦寺の僧侶を「山法師」と呼ぶことがあった。文保三（一三一九）年四月二十五日に延暦寺の大衆によって三井寺は焼かれてしまうのだが、平惟継《たいらのこれつぐ》（一二六六〜一三四三）が「寺法師の円伊僧正」に対して、「御房をば寺法師とこそ申しつれども、寺はなければ、今は法師とこそ申さめ」（＝あなたのことを寺法師と申すけれども、（焼かれて）寺がなくなってしまったのだから、今はただ法師と申しましょう）と言ったことについて、「いみじき秀句なりけり」とある。ここでは掛詞はみられないので、〈気の利いたしゃれ〉ぐらいの意味合いで「秀句」という語が使われていると思われる。

狂言には『秀句傘《しゅうくからかさ》』あるいは『秀句大名』という演目がある。秀句を習いたいという大名をめぐっての演目であるが、そこには次のような問答がみられる。太郎冠者は秀句を習いたいという大名のために、「遠国方」の者を連れ帰る。「遠国方」の者は傘を持って、大名に会う。大名がどこから来たかと問い掛けると「遠国方」の者は「島から参った」と答える。大名が早く秀句が聞きたいというとさらに「骨折って参った」という。

それを聞いた大名が「はるばる大儀だった。秀句を言え」というと「神気《かみげ》に候」（＝神がかりでございます）という。これらはすべて、傘についての秀句であったのだが、それがわからない大名は怒り出す。「シマ」は〈傘の中骨〉のことで、傘には「ホネ（骨）」がある。「神気は紙のこと」と演目内で説明がある。つまり、傘にかかわる語を使った返答だった。ここでは同音異義語が「秀句」を支えている。

かすり

安土桃山、江戸時代の僧侶であり茶人であった安楽庵策伝の著作に『醒睡笑《せいすいしょう》』という題名の一書（八巻八冊）がある。寛永五（一六二八）年に京都所司代の板倉重宗に献呈されたと考えられている。巻八に「かすり」という小題のついた章があり、そこには三十二の例があげられている。最初の一条をあげてみよう。寛永の版本と目されているテキストを使うが、濁点、句読点、鉤括弧を施したかたちで引用する。振仮名は版本のままにしてある。

正月二日の朝《あした》、西《にし》よりは針売《はりうり》の来る。東《ひんかし》よりは烏帽子《ゑほし》売の行《ゆく》。途中《みち》にて、はたと行あひ、えぼし商人《あき》より、「はりの始《はしめ》の御悦《よろこひ》」と申たれば、はりうり、とりあへず、「何事もえほしめすまゝに」と。

烏帽子売は「はる（春）の初めのお悦び」を相手の商品にひっかけて「はりの始の御悦」といい、針売はやはり相手の商品にひっかけて「おぼしめすままに」を「えぼしめす（烏帽子召す）ままに」という。「はる（春）」と「はり（針）」、「おぼしめす」と「えぼしめす」とをかけているわけだが、同音異義ではなく、いわば「類音異義」で、それが「かすり」＝かすっている、ということだろう。今ならさしずめ「駄洒落」か。他には「煙寺（えんじ）の晩鐘」と「源氏（げんじ）の晩鐘」、「平沙（へいさ）の落雁」と「平家（へいけ）の落雁」とをひっかけた「かすり」がみられる。「煙寺の晩鐘」「平沙の落雁」はともに、中国の山水画の画題としてよくとりあげられる「瀟湘八景」に含まれているので、室町期、江戸期にはよく知られていたと思われる。

口合《くちあい》（上方）・地口（江戸）

口合・地口も同音異義語あるいは類音異義語を使った言語遊戯であるが、「口合」という語は上方で、「地口」という語は江戸で使われることが多かったことが指摘されている。

宝暦六（一七五六）年に出版された洒落本に『穿当珍話《せんとうちんわ》』という書物がある。「セントウチンワ」は中国の短編小説集である『剪灯新話《せんとうしんわ》』にかけたものであるので、書名がすでに「口合」になっている。『剪灯新話』は江戸時代の文学に大きな影響を与えていることが指摘されている。そのためか、銭湯に集まった人々の諸国の奇談を話題にした『銭湯新話』（一七五四年）、洒落本の『船頭深話』（一八〇六年）など、この書名にかけた書物が少なからず出版されている。

宝暦六年の初版をうけて、翌七年には内容を少し増補した版が出版され、その他にも版を重ねたことがわかっている。安永十（一七八一）年の版には「比言《くちあひ》指南穿当珍話」とあり、「口合」の指南書のようにとらえられていたことがわかる。とりあげられている「口合」を紹介してみよう。

1　坂は照る照る鈴鹿は曇る　↓茶釜《ちゃがま》てるてるすずかはくもる
2　痛《いと》うもない腹探らるる　↓湯桶《ゆとう》もない腹さぐらるる
3　貧《ひん》の盗みに恋の歌　↓釿《ちょんの》　ぬすみに恋の哥
4　神は正直の頭にやどる　↓鮫《さめ》は正直の頭にやどる
5　鬼の目にも涙　↓鑿《のみ》のめにもなみだ
6　旅は道連れ世は情け　↓足袋《たび》や道づれ世は情
7　花や今宵のあるじならまし　↓金屋《かなや》今宵の主ならまし
8　右や左のご長者様　↓弓屋《ゆみや》ひだりの御長者様
9　おきやがり小法師　↓近江《あふみ》やがり小法師
10　不思議や虚空に音楽聞こえ　↓伏見《ふしみ》やこくうに音楽聞え

11　桃栗三年柿八年　↓継子《まゝこ》り三年柿八年
12　鯉の滝登り　↓甥《をい》の滝登り
13　声が高い、壁に耳　↓鯉《こい》が高ひかべに耳
14　瓜の蔓には茄子はならぬ　↓鰤《ぶり》のつるには茄子
15　唐崎の一つ松　↓干鮭《からざけ》の一つ松
16　恨みわびほさぬ袖だに（あるものを）　↓海月《くらげ》わびほさぬ袖だに
17　烏に反哺《はんぽ》の孝　↓魳《かます》にはんぽの孝
18　風吹かば沖津白浪（立田山）　↓鯊《はぜ》ふかばおきつ白波
19　葛籠負うたがおかしいか　↓鶉《うづら》おふたがおかしいか
20　近江源氏の嫡流　↓鸚鵡《あふむ》源氏の嫡流

まあよくもこんな……という感がなくもない。いわゆる「ことわざ」の類の「口合」も少なくない。注目しておきたいのは、和歌にかかわるものや、広義の文学作品にかかわるものが多いということだ。7は『平家物語』巻第九「忠度最期」にみられる「行き暮れて木の下陰を宿とせば花や今宵の主ならまし」の「口合」である。謡曲の『忠度』もこの和歌をテーマとしている。あるいは10の「不思議や虚空に音楽聞こえ」は謡曲『竹生嶋《ちくぶじま》』の詞章であるし、18は「風吹かば沖津白波立田山夜半にや君がひとり越ゆらむ」という『伊勢物語』二十三段あるいは『古今和歌集』九九四番の和歌である。また

19は『釜淵双級巴《かまがふちふたつどもえ》』という浄瑠璃で、石川五右衛門がいうセリフで、歌舞伎でも使われていたことが指摘されている。ということは、この「口合」を理解するためには、当該作品を知らなければならない。現代でも比較的わかりやすそうなものをあげておくことにしよう。

21　戸棚《とだな》百迄おりや九十九迄　←お前百迄わしゃ九十九迄
22　石見《いわみ》やいふに勝る　←言わぬは言うに勝る
23　雁《がん》のかうより年の功《こう》　←亀の甲より年の功
24　鵺《ぬえ》てゞあわ　←濡れ手で粟
25　鱲子《からすみ》の渡せる橋に　←鵲《かささぎ》の渡せる橋に
26　獅子《しゝ》よ母よとなく声　←父よ母よとなく声
27　牛《うし》は瀬と成飛鳥川　←淵は瀬と成る飛鳥川

結局「口合」「地口」は、もともといわば駄洒落であるので、雅な素材を俗に「移す」ところにおもしろみがあるといってもよい。したがって、（こんなことをいうとせっかくのナンセンスな口合をおおいにつまらなくしてしまうが）こうした口合によって、共有されている「雅な素材」がどのようなものであったかを知ることができる。「共有されている」というのは「前提」ということでもある。

現在はこうした「前提」が急激に消えつつあるように思う。例えば、謡曲にかかわる謎や口合は少なくない、と思われるが、それは室町期から江戸期には謡曲がひろがりをもっていたからであろう。夏目漱石『吾輩は猫である』には、登場人物である中学校の英語教師、珍野苦沙弥が「後架の中で謡をうたつて近所で後架先生と渾名をつけられて」いるというくだりがあるが、明治期においてもそれは続いていたといえよう。現代においても、能楽ファンはいるから、能楽堂に通って、数多くの曲目にふれている人もいるだろう。しかし、能楽堂に通うのと、自身が謡曲を習うのとでは、謡曲に対しての「距離」が違う。そうした「距離」がちかくないと「口合」の素材としてとりあげにくいと思われる。能楽、人形浄瑠璃、歌舞伎が「遠いもの」になれば、右の「口合」を理解することはむずかしくなる。「それはしかたがないよ」という「考えかた」ももちろんあるだろう。「口合」を理解するために古典芸能に親しむ、というのでは「本末転倒」だから、そういうことをいうつもりはもちろんない。

その一方で、かなり限定された「世界」＝業界で使われていたと推測する「バミル」や「ミキレル」といった語が、学生の口からするりとでることがある。そうした時はできるだけどのような語かをたずねるようにしているが、「バミル」は〈舞台などで演者の立つ位置や小道具を置く位置などに印をつける〉ことで、つけた印を「バミリ」というとのことだ。「バミル」は動詞で、「バミリ」はその名詞形なのだろう。

「新語に強い」ことを謳う『三省堂国語辞典』（第七版）は「バミル」は見出し項目と

していないが、「ミキレル」は見出し項目として採用しており、「①［演劇・テレビなどで］舞台（ブタイ）裏が見えてしまう。②［俗］画面の外になり見えなくなる」という二つの語義の説明をしている。こういうかたちで、いわば「楽屋落ち」のようなものに「つき合わされている」となんとなく感じることが多くなってきたように思う。それが年をとる、ということかもしれないと諦めの気持ちをもつが、これでいいのだろうか、という気持ちもある。

さて話を戻そう。大阪では宝暦六年に『穿当珍話』が出版されたが、江戸では安永二（一七七三）年に『当世風流地口須天宝《すてんぽう》』という地口の本が出版された。「ステンポ」は「相手に合わせて、心にもないお調子を言ったり、出まかせを言ったりすること。また、そのさま」（『日本国語大辞典』第二版「すてんぽ」の項目）。序には「長琴子」と記されており、これが作者と思われるが、詳細はわかっていない。

「発端」では「八幡近所の者」が「金をつかふ子息」と連れだって「地口の会」へ出かけることになるが、「道すがら両側にある商ひみせで地口を云」いながら行こう、ということになる。「糸屋」をみれば、「片糸の落雁（↑堅田の落雁）」、「綿糸とふうふにならんすか（私《わたい》と夫婦にならんすか）」、「練繰《ねりくり》三年柿八年（↑桃栗三年柿八年）」などと交互に地口をいいながら歩く。「ネリグリ（練繰）」は〈縒りをかけていない絹糸〉のこと。両替屋の前を通りかかると、「五匁とうめ笠のうち（↑夜目遠目笠のうち）」、「壱分《いちぶ》の庄司重忠（↑秩父の庄司重忠）」などといい、八百屋の前では「蜜柑太刀の高名（↑抜かぬ太刀の高名)」といったりする。

地口の会場での互いの挨拶も、魚屋には「こはだ様にはいつも御機嫌ひらめで鯛(↑こなた様にはいつも御機嫌、ひらにめでたい)」といい、花屋には「金銭花はなひ(↑金銭はない)」、「藤でくらします(↑無事で暮らします)」といったりする。

一同が揃うと紙衣羽織に焙烙《ほうろく》頭巾の宗匠が「はじめましよ」という題をだし、そこから尻取り地口が始まる。現在の「しりとり」は語を単位として行なわれることが多く、語末を重ねていくというやりかたであるが、ここでは三拍を重ねている。それだけに難しく、かつ少々無理をしなければならない。

はじめましよ
めましよ(めもと＝目元)を見れば成《なり》そな目もと
目もと(みのと＝美濃と)あふみの国ざかひ
ざかい(たがひ＝互ひ)ちがひのお手まくら
まくら(さくら＝桜)の花はあすかやま
かやま町(かやばちょう＝茅場町)には薬師さま
しさま(しかま＝飾磨)のかち路はりまがた

というように地口になっている尻取りが続けられていき、「太平国土安穏」という、おめでたいことばで終わる。これまた「たわいもない」といえばたわいもないが、こういうことばあそびがあったことがわかる。

源氏文字鎖

現在の「しりとり」は語を単位として行なわれ、語末の音から始まる語、つまり語末音が語頭音になっている語につなぐというやりかたをする。撥音から始まる語は日本語にはないので、撥音で終わる語は使えないということになっている。この「しりとり」は「単音を連鎖させている」。単音ではなく、語末二音あるいは語末三音を次の語につなぐこともできるわけで、当然音数が増えればそれが制限となって、つなぎにくくなる。同音でなくても、類音でもいいということにすれば、つなぎやすくなる。

先に江戸時代にいろは歌をつくった人物として採りあげた谷川士清は『和訓栞』という国語辞書を編んだことで知られている。この『和訓栞』の見出し項目「もじぐさり」には「文字鎖の義体は長歌にて句の終りの文字を取て次の句の首に置てつゞる源氏文字くさり大内文字くさりなど有鴨長明か文字鎖の書ありて逍遙院より盛なりといふ」と記されていて、ここに「源氏文字鎖」という語がみられる。「源氏文字鎖」は『源氏物語』の巻名を順次詠み込んだ「文字鎖」で、三条西実隆（逍遙院）の作と伝えられている。「往来物」のテキストとなっているものもあり、名称もさまざまである。跡見学園女子大学には折帖に仕立てられている「源氏文字鎖」が蔵されており、創立者である跡見花蹊が跡見女学校時代に自ら書き与えていたと考えられているが、そのように教育の中でも使われていたと思われる。ここでは『源氏名寄文章』という寛政七（一七九五）年の刊記をもつテキストを使って紹介しよう。

源氏のすぐれて優《やさ》しきは　その名《な》の高《たか》き桐壺《きりつぼ》や
余所《よそ》にて見えし箒木《はゝきゞ》は　われから音《ね》に啼《な》く空蝉《うつせみ》や
休《やす》らふ道《みち》の夕顔《ゆふかほ》は　若紫《わかむらさき》の色《いろ》ごとに
にほふ末摘花《すへつむはな》の香《か》に　錦《にしき》と見《み》えし紅葉《もみぢ》の賀《が》
風《かぜ》を厭《いと》ひし花《はな》の宴《えん》　結《むす》びかけたる葵草《あふひくさ》
榊《さかき》の枝《えだ》におく霜《しも》は　華散里《はなちるさと》の郭公《ほとゝぎす》
須磨《すま》のうらみにしづみにし　しのびに通《かよ》ふ明石潟《あかしかた》
たのみしあとの澪標《みをつくし》　しげき蓬生《よもぎふ》つゆふかみ
水《みづ》に関屋《せきや》の影写《かげうつ》し　しらぬ絵合《ゑあはせ》おもしろや
宿《やど》にたえせぬ枩風《まつかぜ》も　物《もの》うきそらの薄雲《うすくも》よ
世《よ》は朝《あさ》がほのはなの露《つゆ》　所縁《ゆかり》ととめしおとめ子《ご》が
かけつゝしのぶ玉葛《たまかつら》　臈《らう》たけはるのはつ音《ね》の日
飛《ひ》らくる花《はな》に舞《も》ふ胡蝶《こてう》　ふかき蛍《ほたる》のおもひこそ
その名《な》ゆかしき常夏《とこなつ》や　遣《や》り水すゞし篝火《かゝりび》の

野《の》分《わき》のかせにふきまよひ
花《はな》もやつるゝ蘭《ふぢはかま》
おれる梅《むめ》が枝《え》にほふやど
なにとてつみし若菜《わかな》そも
横笛《よこぶへ》の音《ね》はおもしろや
くらき夕霧《ゆふぎり》秋《あき》ふかみ
幻《まぼろ》しの世《よ》のほどもなく
聞名《きくな》もにほふ兵部卿《ひやうぶけう》
しのぶこしなる竹川《たけかわ》や
のがれはてにし椎《しい》がもと
はるをわすれぬ早蕨《さわらび》も
やとりとめこし東屋《あつまや》の
契《ちぎ》りあだなる蜻蛉《かげろふ》は
はてぞゆかしき夢《ゆめ》の浮橋《うきはし》

日影《ひかげ》くもらぬ御幸《みゆき》には
真木《まき》の柱《はしら》はわすれしを
解《とけ》にし藤《ふぢ》のうら葉《ば》かな
もりの柏木楢《かしわぎなら》の葉《は》に
やとの鈴《すゞ》むし聲《こへ》もうく
御法《みのり》をさとりし礒《いそ》の海士《あま》
くもかくれにし夜半《よわ》の月《つき》
うつらふ紅梅色《かうばいいろ》ふかく
八十《やそ》宇治《うぢ》川の橋姫《はしひめ》の
倶《とも》にむすびし総角《あげまき》は
もとの色《いろ》なる寄生《やどりき》や
のちの名《な》も浮舟《うきふね》のうち
おのがしそめし手ならいも

振仮名はおおむね古典かなづかい（＝歴史的かなづかい）であるが、厳密にそうであるわけではない。また濁点も比較的使われているが、これもすべての濁音音節に濁点が施されているのではないと思われる。「飛《ひ》らくる花《はな》に舞《も》ふ胡蝶《こてう》」の箇所では、「飛」にさらに振仮名「ひ」が施されているので、そのように翻字したが、振仮名は不要とのみかたもできる。また「舞」の振仮名が「も」であるのは、「まふ」が「マウ」ではなく、さらに長音化して「モー」と発音されていた時期の状況を反映したものと思われる。「しのぶこしなる竹川や」は「しのぶゝしなる竹川や」とあれば理解できる。「ゝ」を「こ」とみたためにこのようなかたちになったか。

これらは、ことばあそびとは直接かかわらないが、右のテキストが中世以降の日本語のありかたを反映して形成されているという点が筆者には興味深く思われる。先に述べたように、右は『源氏名寄文章』というタイトルをもつテキストであるが、さまざまなタイトルをもった類似のテキストがあり、「本文」はおおむね似寄っているが、なお、小異はある。あるいは相当に異なる「本文」をもつテキストもある。

右の「本文」は指摘してきたような「事情」から「文字鎖」が不完全である箇所もあるが、おおむねは「文字鎖」になっている。「文字鎖」を手がかりに、「あるべき本文」を推定できる箇所もある。例えば、「うつらふ紅梅色ふかく」は次が「しのぶ」から始まることからすれば、「色ふかし」であっただろう。「文字鎖」は「文字」といいながら、助詞の「ハ」（発音はワ）から「われから」につながっていく箇所もあり、あるいは助詞の「ヲ」から「お」につながっていく箇所もあり、こういう箇所では仮名文字ではなく、発音によって鎖がつながっている。一方、「ど」から「と」につながっている箇所もあり、こういう箇所では、清濁は不問となっているとみることができる。あるいは、濁点を使わずに書いていた時期であれば、発音「ド」も発音「ト」も仮名「と」で書いていたのであり、そうした書きかたに基づいて考えれば、こうした箇所は仮名文字を鎖としているとみることもできる。いずれにしても、まとまりのある句の末尾と次の句の冒頭とをつないでいきながら、右では『源氏物語』の巻名を詠み込むかたちで「文字鎖」をつくっている。

こうした「文字鎖」、「しりとり」で幕末から明治期にかけてよく知られていた「牡丹に唐獅子」で始まるものがある。東京都立図書館のサイトに、「流行しりとり子供もんく」という題名の一枚刷り（一・二・三）三枚がある。翻字を示してみよう。「流行しりとり子供もんく」の三は綿谷雪『言語遊戯考』（一九二七年、発藻堂書院）の口絵の第一図として掲げられている。

ぼたんにからし、（牡丹に唐獅子）たけに**とら**（竹に虎）
とらをふまへてわとう**ない**（虎を踏まへて和藤内）
ないとうさまはさがり**ふじ**（内藤様は下がり藤）
ふじみさいぎやううしろ**むき**（富士見西行後ろ向き）
むきみはまぐりばか**はしら**（剝き身・蛤・ばか・はしら）
はしらはにかいとゑんの**した**（柱は二階と縁の下）
したやうへのは山**かつら**（下谷上野は山かつら）

かつら文治ははなしか**で**（桂文治は噺家で）
でん〳〵たいこにせうの**ふゑ**（でんでん太鼓に笙の笛）
ゑんまはほんにお**正月**（閻魔は盆にお正月）
かつよりさんはたけだ**ひし**（勝頼さんは武田菱）
ひしもち三月ひな**まつり**（菱餅三月雛祭り）
まつりまんとうだしや**たい**（祭り万灯山車屋台）
たいにかつをにたこま**ぐろ**（鯛に鰹に蛸鮪）
ろんどんいこくの大みな**と**（ロンドン異国の大港）
とさんするのはおふじ**さん**（登山するのはお富士さん）
さんべんまわつてたばこに**せう**（三遍廻つて煙草にせう）
せうじきせう太夫いせの**こと**（正直正太夫伊勢のこと）
ことやさみせんふゑ**たいこ**（琴や三味線笛太鼓）
たいこうさまはくわん**ばくじや**（太閤様は関白ぢゃ）
はくじやのでるのはやなぎ**しま**（白蛇の出るのは柳島）
しまのさいふの五十両（縞の財布の五十両）
五郎十郎そが**きやうたい**（五郎十郎曽我兄弟）
きやうたいはりばこたばこ**ぼん**（鏡台針箱煙草盆）
ぼんやはいいこじやねんね**しな**（坊やはいい子ぢやねんねしな）

しな川女郎しゅは十もんめ（品川女郎衆は十匁）
十もんめのてっぽだま（十匁の鉄砲玉）
玉やははなびの大ぐわんそ（玉屋は花火の大元祖）
そうしゃのすむのはばせうあん（そうしゃの住むのは芭蕉庵）
あんかけどうふによたかそば（餡かけ豆腐に夜鷹蕎麦）
そうばのおかねはどんちゃんかァちゃん四文おくれ（相場のお金はどんちゃんかァちゃん四文おくれ）
おくれがすきたらお正月（お暮れが過ぎたらお正月）
お正月のたからふね（お正月の宝船）
たからふねは七福神（宝船は七福神）
じんこうこうくう武内（神功皇后武内《たけのうち》）
うちだはけんびし七つむめ（内田は剣菱七つ梅）
むめまつさくらはすがわらで（梅松桜は菅原で）
わらでたばねしなげしまだ（藁で束ねし投げ島田）
しまたかなやの大井川（島田金谷の大井川）
かわいけりやこそかんだからかよう（可愛けりゃこそ神田から通う）
かようふかくさもゝよのなさけ（通う深草百夜の情け）
さけとさかなで六百だしやきまゝ（酒と肴で六百出しゃ気まま）

まゝよさんどかさよこちよに**かぶり**（ままよ三度笠横ちょにかぶり）
かふりたてにふるさがみの**おんな**（頭縦にふる相模の女）
おんなやもめにはながさく（女やもめに花が咲く）
さいたさくらになぜこま**つなぐ**（咲いた桜になぜ駒繋ぐ）
つなぐかもしに大ぞうもとまる（繋ぐ髱に大象もとまる）

右は正確に翻字をした。この「牡丹に唐獅子」のしりとりはよく知られているので、これまでにも紹介されている。『巧智文学』にも紹介があるが、どのようなテキストに基づいているかが記されていない。したがって、「流行しりとり子供もんく」と内容が似寄った、別のテキストに基づいているという可能性もあるが、とにかく右とは小異がある。例えば、「まつりまんとうだしやたい（祭り万灯山車屋台）」を「祭萬度に花車《だし》・屋臺」としている。「流行しりとり子供もんく」でははっきりと「まつりまんとう」とある。『言語遊戯考』では「祭り萬燈」とみている（ただしこの『言語遊戯考』も細かい点で筆者の判読と異なる点がある）。あるいは「そうばのおかねはどんちやんかァちやん四文おくれ」の「かァちやん」ははっきりそのように書かれているが、この箇所を『言語遊戯考』は「かゝちやん」としている。細かいことをいっているようだし、ことばあそびなんだから、細かいことはいわなくてもという考えかたもあろう。それでいいとももちろん思うが、やはりことばあそびなんだから、細かいところが雑になると、苦心のことばあそびがもう一ついきないともいえよう。だから、細かいところも少し気にしながらいきたい。

右では重なっている箇所をゴチック体にしたが、ゴチック体にしていない箇所が幾つかある。例えば、「しまのさいふの五十両（縞の財布の五十両）」と「五郎十郎そがきやうたい（五郎十郎曽我兄弟）」のつながりはゴチック体にしていない。「五十両」で終わっているのだから、「五十両」から始まるはずであるが、「五郎十郎」と始まる。だいたい一致しているともいえるが、厳密にいえばつながっていない。あるいは「おんなやもめにはながさく（女やもめに花が咲く）」と「さいたさくらになぜこまつなぐ（咲いた桜になぜ駒繋ぐ）」ともつながっていない。「咲く」で終わって「咲いた」から始まる。これもまあ同じ語といえなくもないが、厳密さにはかける。これはこの程度は許容したということなのか、あるいはテキストに何か問題があるのだろうか。おそらくは許容ではないかと推測する。

流行なぞなぞ尽《づく》し

図28・29は筆者が所持している「流行なぞ〳〵尽し」である。縦が三十六センチメートル、横が二十四・五センチメートルほどの大判の一枚刷りの二枚だ。色刷りで、絵も丁寧に描かれている。こうした一枚刷りの「なぞなぞ尽し」の類が幕末から明治期にかけて出版されていたことがわかっている。例えば、上野陽朗・前川久

図28　流行なぞなぞ尽し

図29　流行なぞなぞ尽し

太郎『江戸・明治「おもちゃ絵」』（一九七六年、アドファイブ東京文庫）は「おもちゃ絵」という表現で、いろいろな絵入りの一枚刷りをくっているが、その中に、「判じ絵」や「謎づくし」が含まれている。

図28の右上は「蔦《つた》とかけてしらみととく　こころははいだしたさきでつまゝれた」とあって、「蔦」も「シラミ（虱）」も這い出した先で摘まれるという解になっている。その左側は「萩《はぎ》とかけてせうのわるいできものととく　こころはだん〳〵とねがはる」とあって、萩がだんだん根を張るということと、できものの「ね」＝できものや腫れ物内部の固い部分が、だんだんはってきてしまうということをかけている。その下は「ぶたとかけてなかまわれのしたせん人ととく　こころは山にもすまわれぬ」とある。ブタは家猪で、飼育されたイノシシといってもよい。となるともはや山には住めない。仙人も山に住んでいるわけだが、仲間割れをしてしまうと山にいることができなくなるということだ。描かれている「ぶた」はまさに牙のないイノシシのようにみえる。その下は「後家とかけて禁酒した人ととく　こころはおっとをこひしがる」とある。この謎は「おっと」がわからないと解けない。『日本国語大辞典』第二版は「おっと」を「酒の幼児語」と説明している。これでこの謎が解ける。「おっと」に「夫」とその酒の幼児語である「オット」とがかけられている。その左は「生掛《きがけ》らうそくとかけてあつらへのをびととく　こころは心《しん》が大じやうぶだ」であるが、「キガケロウソク（生掛蠟燭）」は「こよりに灯心をまきつけて心（しん）にし、その上に油でねった蠟（ろう）を数回塗っ

てかわかしたろうそく」（『日本国語大辞典』第二版「きがけ」の項目）で、心がしっかりとつくられているということであろう。誂えた帯も帯芯がしっかりしているので、蠟燭の心と帯の芯とをかけてある。

図29では「はまぐりとかけてけむしのすととく　こゝろはとられてやかれます」とある。毛虫の巣は取られて焼かれる。それと同じように蛤も取られて焼かれて食べられてしまうということだろう。絵は蜃気楼のような絵になっている。その下は「かつをぶしとかけておまつりのうしととく　こゝろはだしにつかわれる」とある。鰹節は出汁《だし》をとるのに使われ、お祭りの牛も山車《だし》を引くのに使われる。その右は「猪口とかけてうれたたんすととく　こゝろは官《くわん》つけていづる」とある。酒の「カン」には通常は「燗」の字をあてる。一方、簞笥などの引き出しにつける輪形の引き手の「カン」には「鐶・環」の字をあてるが、ここではいずれでもない「官」字が使われている。その理由は現時点ではわからないが、とにかく「燗」と簞笥の「鐶・環」とがかけられている。また、簞笥の「カン」は出荷の時につけられるということもわかる。

無理問答

「一本でもニンジン、二足でもサンダル」という歌を聞いたことがある方は多いと思う。前田利博作詞、佐瀬寿一作曲の曲だ。「三艘でもヨット、四粒でもごま塩、五台でもロケット、六羽でも七面鳥」と続く。あえて大袈裟に説明すれば、「矛盾している」ということで、江戸時代には「一枚なのにせんべいとはいかに」「一つでもまんじゅうというが如し」というように、こうした矛盾する「句」を組み合わせたものがあり、「無理問答」と呼ばれることがある。そうした「無理問答」を集めた本が出版されている。

例えば、安永六（一七七七）年には『聞はつり』という本が出版されている。『聞はつり』は、少し古い本であるが『諸芸雑書』第一（一九一五年、国書刊行会）に活字化されて収められている。少し紹介してみよう。

1　△染物師《そめものし》なくて高野山《かうやさん》とは如何
○風呂屋《ふろや》にあらずして湯殿山《ゆどのさん》といへるかことし

2　△綸言《りんげん》ならずしてせんじ茶《ちや》とは如何
○君恩《くんをん》にかゝわらずほうろくといへるがことし

3　△けたものにあらずして猿坊《さるぼう》とは如何
○草の類なるを犬蓼《いぬたで》といへるがごとし

4　△夏花咲草《なつはなさくくさ》を雪《ゆき》の下夕とは如何
○冬《ふゆ》の木にあらざれども霜柱《しもばしら》といへるがごとし

5　△土《つち》に生《しやう》じて空豆《そらまめ》とは如何
○天にあらはれて箒星《はゝきぼし》といへるがごとし

1では「高野山（コウヤサン）」と「紺屋（コウヤ）」（＝布を藍で染める者、転じて染め物屋）とをかけ、風呂屋でもないのに「湯殿山」という名前の山があると応じている。このように、「〜とは如何」と「〜といへるがごとし」とにはきちんとした重なり合いが求められている。「染物師」と「風呂屋」とはともに職業、「高野山」と「湯殿山」とはともに山の名前というようにきちんとした平行性が保たれている。

2は「綸言」（＝君主のことば）と「君恩」（＝主君の恩）、「センジ」（煎じ・宣旨）と「ホウロク」（焙烙・俸禄）とが対応している。3の「サルボウ（猿坊）」は〈片手桶〉のことで、動物ではない物に動物の名がついているという問いかけに対して、植物であるのに、動物の名（犬）がついているもので答えている。4では「ユキノシタ（雪下）」という夏に花の咲く植物を採りあげ、季節が合わないことを問いかける。それに対して、木ではないのに「ハシラ」と呼ばれる「シモバシラ」で応じている。冬に花が咲くのに、春めいた名前の植物で応じるのがもっとも対応しているといえるが、冬に花が咲く植物は多くはないので、「草」に対して「木」で対応を保ったのだろう。5は地面から生えているのに、「ソラマメ」とはいかに、と問いかけたので、天にあるけれども、（地面などを掃く）「ホウキ」という名前がついている星がある、と応じているので、ぴったりだろう。

矛盾をとりあげるのだから、そしてこういう「矛盾」はいわばいくらでも探すことができるのだから、問いかけと答えとがきれいに対応していなければ、おもしろみがない。

いかに対応を保ち、その対応の中で、句のペアをつくるかが、無理問答のポイントといえよう。

天保十五年の序をもつ『白癡問答《たわけもんだふ》』という絵入りの小冊子がある。やはり「無理問答」を集めたものだ。図30・31は筆者の所持している本から示したが、少し本の状態がよくない。さて、具体的に「無理問答」をみてみることにしよう。

1　○米《こめ》を焚《たき》なからめしをたくとはいかん
　△水《みづ》をわかしながら湯《ゆ》をわかすと云かごとし
2　○一《ひと》つのものを十《とう》の芋《いも》とはいかん
　△さんしよの皮《かわ》をからかわと云が如し
3　○酒《さけ》にもあらぬ積悪《せきあく》に余殃《よをう》とはいかん
　△多少《たしやう》もしれぬ積善《せきぜん》を余慶《よけい》といふがごとし
4　○鶯《うぐひす》の啼声《なくこへ》を法華経《ほけきやう》とは如何
　△郭公《ほと、ぎす》の本尊《ほんぞん》かけたと啼《なく》が如し
5　○夏花《なつはな》の咲草《さくくさ》を雪《ゆき》の下《した》とはいかん
　△暑《あつ》き時候《じこう》に咲《さい》てかん草《ざう》と云《いふ》が如し
6　○木《き》にもあらぬに霜柱《しもはしら》とはいかん
　△餅《もち》にもあらぬにあられのふるといふがごとし

1は現在でも耳にすることがある。米を炊いたものが「ごはん」(=めし)なんだから、「ごはんを炊く」というのはおかしいとか、「水を沸かしたものが湯」なんだから「お湯を沸かす」というのはおかしいということがある。2は「トウノイモ(十の芋)」について説明が必要になる。「サツマイモ」のことを「トウイモ(唐芋)」と呼ぶ地域がある。「一つなのに十《とお》」という問いかけだ。それに対して、「サンショ(山椒)」の皮を「カラカワ(辛皮)」というようなものだと応じている。図を見ればわかるが、「からかわ」の左側には小さく漢字「唐」が書かれている。こちらは「三なのに十」といけばいいのだが、「から」を「唐」に置き換えて、その「唐」を音読みして「トウ」ともっていかなければ対応しないので、ちょっとできがよくないともいえる。3は「セキアク(積悪)」(=時々にしてきた、多くの悪事)「セキゼン(積善)」(=時々にしてきた、多くの善行)、「ヨオウ(余殃)」(=悪行をした報いとしてくる凶事)「ヨケイ(余慶)」(=善行をした報いとしてくる吉事)がきれいに対応している。そして「酒」と「酔おう」、「多少」と「ヨケイ(余計)」とが対応している。4はウグイスの鳴き声は現在でも「ホーホケキョウ」と聞きなすが、その「ホケキョウ」を「法華経」と結びつけることがあった。一方、ホトトギスの鳴き声は現在では「特許許可局」あるいは「テッペンカケタカ」などと聞きなすことがあるが、「ホゾンカケタカ」という聞きなしだ。その「ホゾン」を「本尊」に結びつけると、「法華経」とつながる。

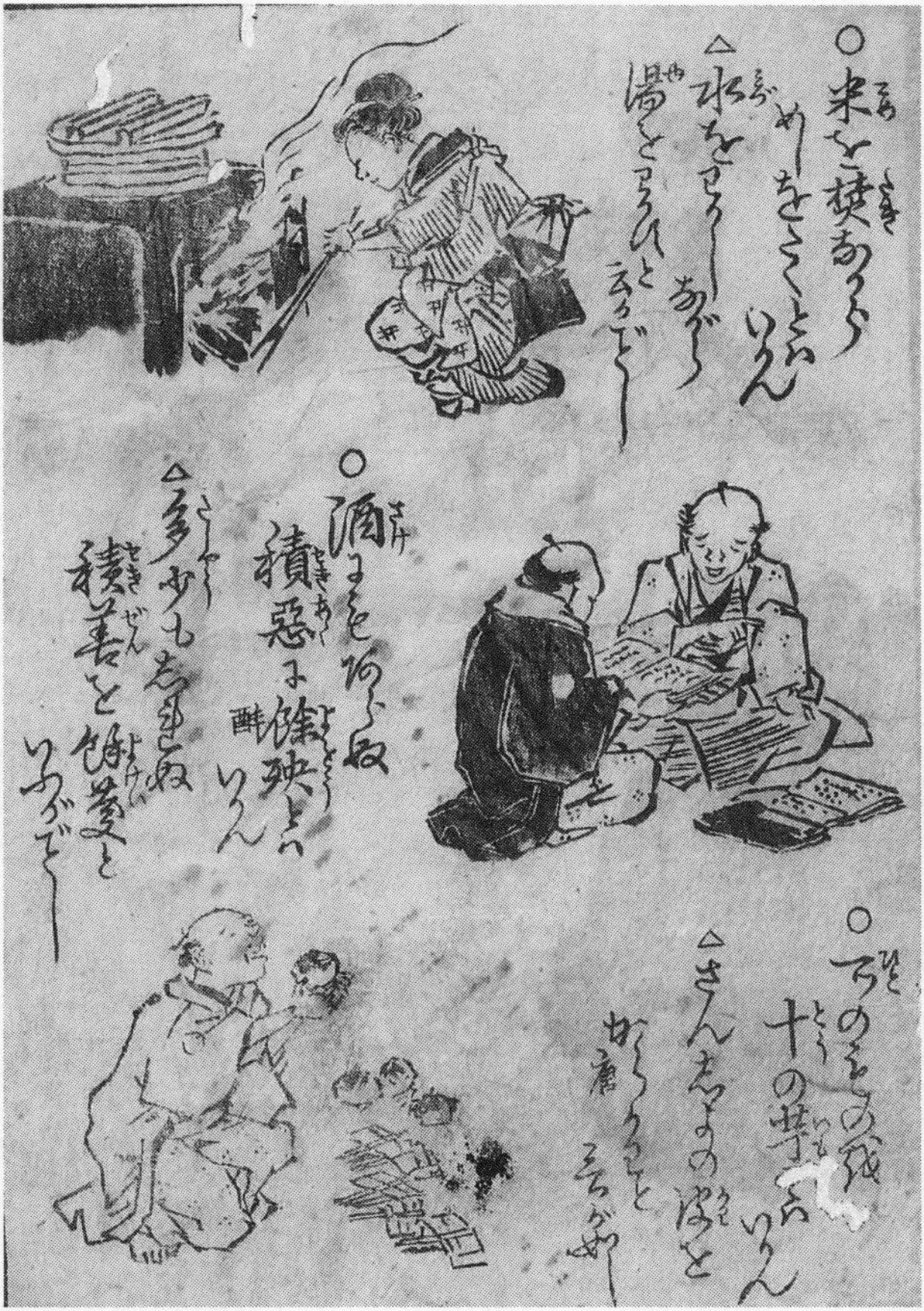

図30 『白癡問答』

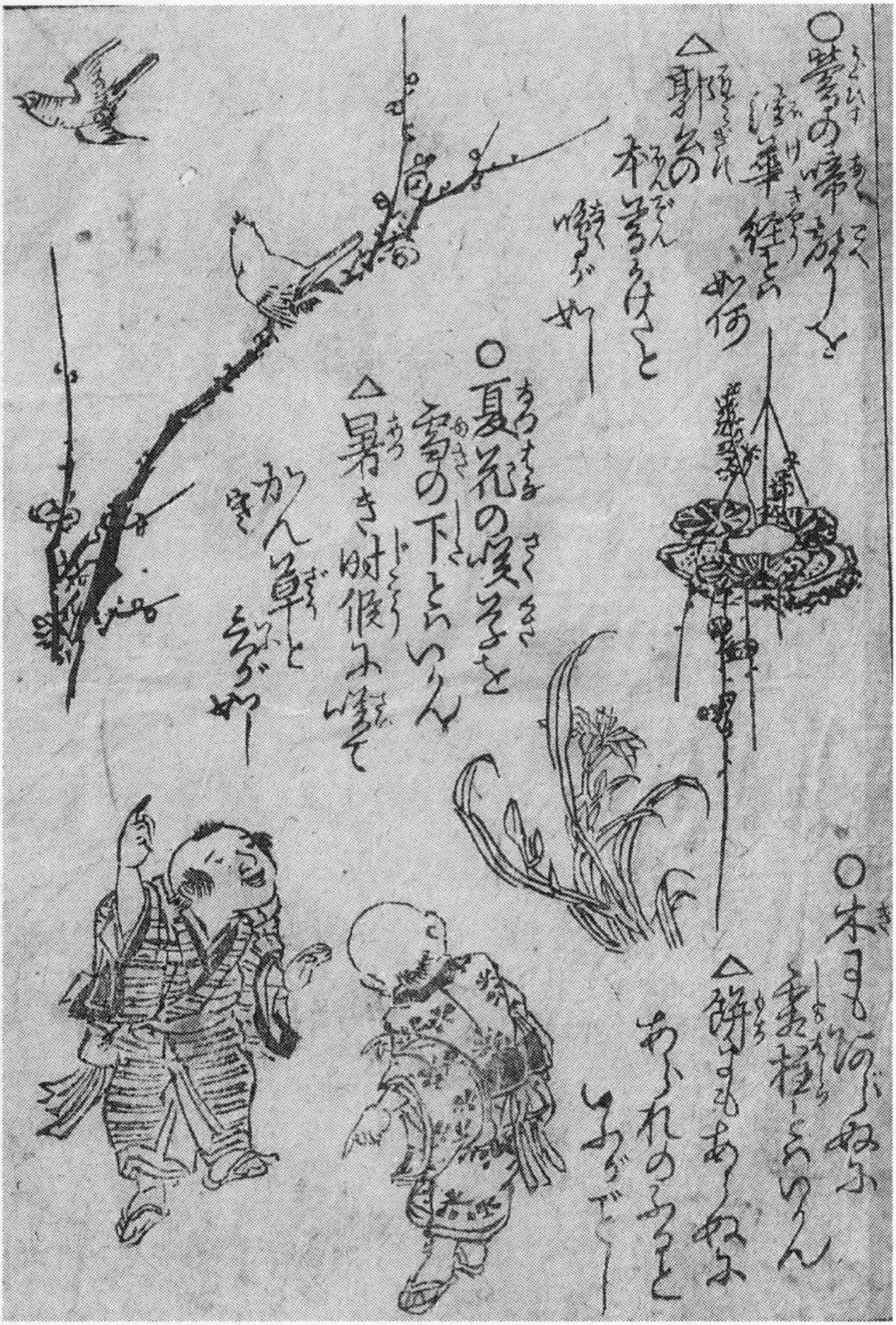

図31　『白癡問答』

5はなんと、先に『聞はつり』で紹介したものと同じ問いかけであるが、答えが異なっている。『聞はつり』の答えは、6の問いかけとなっており、こちらのほうが「出来」はよさそうだ。「カンゾウ（萱草）」は初夏に花を咲かせるので、暑い季節に咲くけれども「カン（寒）」草だという答えで、こちらはきれいにまとめている。

「無理問答」はすぐにわかるものも少なくないので、この『白癡問答』から、わかりやすそうなものを幾つか紹介しておこう。

1　○廻《めぐ》る事《こと》なきを車海老《くるまゑび》とはいかん
　△游魚《およぐうを》を飛《とひ》の魚《うを》と云《いふ》が如《ごと》し

2　○一チ羽《は》の鳥《とり》を千鳥《ちどり》とは如何《いかん》
　△一番《ひとつがひ》でも四十雀《しじうから》と云がごとし

3　○畠《はたけ》へ作《つくつ》てもろこし（唐）とはいかん
　△大根《だいこん》をから（唐）ものと云がごとし

4　○おてんば娘《むすめ》を蓮葉《はすは》とはいかん
　△信心《しんじん》もなき芋《いも》の茎《くき》をずいき（随喜）といふがごとし

5　○比丘尼《びくに》の身代《みのしろ》ならで尼鯛《あまだひ》（代）と云、娘《むすめ》もうらぬに鱅《このしろ》（子代）とはいかん
　△まけて売《うつ》ても勝魚《かつほ》といふがごとし

6　○馬《むま》にも乗《の》る人《ひと》を牛若丸《うしわかまる》とはいかん

7 △近江《あふみ》で生《むま》れて武蔵坊《むさしぼう》といふがごとし
○着《き》るための服《ふく》に用《もち》ひてきぬ（絹）とはいかん
△夕方《ゆふがた》きてもあさがみしもといふがごとし
8 ○町《まち》に居《ゐ》ながら山伏《やまぶし》とはいかん
△家《いへ》に居《ゐ》ながら出家《しゆつけ》といふかごとし
9 ○山《やま》に住《すむ》けだものを田《た》ぬきとはいかん
△日数《ひかず》経《へ》たる粉《こな》にもあらぬをねこといふがごとし
10 ○色青《いろあを》きものを白瓜《しろうり》とはいかん
△黒《くろ》くもなく赤《あか》ひものを烏瓜《からすうり》と云《いふ》が如し

ここまで紹介してきた『誹風たねふくべ』も『剽金福寿草』も「流行なぞ〳〵尽し」も『白癡問答』も、いずれも謎と絵が一体化しており、（場合によっては）絵が謎解きのヒントあるいは答えそのものとなっている。謎が複雑で、凝っていればいるほど解きにくく、そのヒントがあって初めてわかるということが少なくない。謎は解けた時がおもしろいのであって、謎のつくり手も、単純な謎ではすぐにわかってしまってつまらないから、次第に複雑な謎をつくるようになっていくはずだ。しかしあまり複雑で穿ちすぎると解けなくなる。そのあたりの「調整」をしていたものが絵であったと思われる。ことばあそびを絵が支えていたことになる。「ことばによる謎＋絵」は謎のいきついた、いわば一つのスタイル＝形式であったと思われるが、この「ことばによる謎＋絵」から「ことば」をはずしたものが「判じ絵」と呼ばれるもので、これも江戸期から明治期にかけてさまざまなものがみられる。

判じ絵・判じ物

筆者が「判じ物」にふれたのは、大学生か大学院生の頃だったように記憶する。せっかく東京の大学に通っているのだから、いろいろな物を見ておこうと思って、浮世絵の展示をかなり見ていた時期があった。そうした時に、役者の似顔絵と判じ絵とを組み合わせた「役者はんじ物」と呼ばれることがある、後に三代歌川豊国となった、歌川国貞の手になる揃い物を見た。今調べてみると文化九（一八一二）年に刊行されている。

平成二十八（二〇一六）年一月三十日から三月二十一日まで、練馬区立石神井公園ふるさと文化館で「なぞなぞ？　ことばあそび!!　江戸の判じ絵と練馬の地口絵」という展示があった。そこに二代目沢村田之助と四代目沢村宗十郎の「役者はんじ物」が展示されていた。沢村田之助の大首絵の上部には、「鷺（さぎ）の上半分」「椀（わん）の右半分」「らむと書いた逆さになった手習い帳」「半分の鯛（たい）」「野（の）」「安徳天皇を抱く上半身の典侍局（すけのつぼね）」が書かれており、それぞれが「さ」「わ」「むら」「た」「の」「すけ」をあらわしていて、合わせて沢村田之助（さわむらたのすけ）となる。他に、国芳が描いた、「花の江戸っ子揃　見立五にんおとこ」と題した、天保頃に人気があった役者五名（市川海老蔵、尾上菊五郎、坂東三津五郎、沢村訥升《とつしよう》、中村芝翫）の名前を判じ絵で示した作品も展示されていた。

判じ絵、判じ物は一枚刷りのものが多いが、右の展示では『謎つくし』という書名で、判じ絵の絵本があった。図録では、内容から『判字物恵方産』という、享保（一七一六～一七三六）頃に出版されたものと推測されている。筆者はこの『判字物恵方産』と同工の『判字物智恵袋　西川氏筆』という題簽が貼られた一書を所持している。『補訂版国書総目録』は『判字物恵方産』を載せていないが、『判字物智恵袋』も載せていない。筆者が所持しているものは、「い」から「わ」までのもので、おそらくは上下二巻の上巻であろう。表紙見返しに「判字《はんじ》物解様之《ものときやうの》秘《ひ》伝《でん》」とあって、そこに「い」から「わ」までの、いわば「解」が出されている。次にそれを示しておこう。「ち」の「両子貝竹（りょうこばいちく）」はどういう語句をもとにしているかが現時点ではわからない。

い　春野《はるの》色輪《いろわ》東《ひがし》より井《ゐ》樽《たる》　（春の色は東より至る）
ろ　人輪《ひとわ》巫女《いち》台縄《だいなわ》松臺《まつだい》　（人は一代名は末代）
は　産生子加持《さんじやうこかぢ》　（三条小鍛冶）
に　金子百疋《いっかく》船人《せんにん》　（一角仙人）
ほ　駒角菜《こまつのな》射《ゐ》大尽《だいじん》　（小松内大臣）
へ　津輪物野《つわもの、》魔地《まぢ》破《わり》　（兵の交わり）

と　待風村雨《まつかぜむらさめ》二人《にゝん》の女《おんな》　（松風村雨二人の女）
ち　両子貝竹《りやうこばいちく》
り　車蟹台葉《しやかにだいば》　（釈迦に提婆）
ぬ　子《こ》九《く》銭矢《せんや》輪《わ》九つ《とをなひ》　（国性爺和藤内）
る　鉢台龍負《はちだいりうおふ》　（八大龍王）
を　笹《さゝ》木《き》熨斗《のし》老《らう》　（佐々木の四郎）
わ　千話《ちわ》これ盤台《ばんだい》の宝《たから》　（智はこれ万代の宝）

図32・33は「ぬ」と「る」である。「ぬ」は右に「葉無字裳濃（はむじもの）」と書かれており、「る」では左に「はんじ物」とある。「ぬ」では矢を持った子供の前に銭が九つあって、これで「子・九銭・矢」＝「こくせんや」、上部には輪が九つある。九つなので、十（は）ない＝「とおない」、これで「わとうない」となって、近松門左衛門の人形浄瑠璃『国性爺《こくせんや》合戦《がっせん》』において、実在の人物である鄭成功（一六二四〜一六六二）をモデルにした登場人物「和藤内」と、鄭成功の俗名「国姓爺（こくせんや）」とを「答」としている。

図33は伊万里らしき大きな鉢が台に乗せられていて、「鉢・台」＝「はちだい」。龍を背負った人物が描かれているので、「龍負う」＝「りゅうおう」で合わせて「はちだいりゅうおう（八大龍王）」となる。

図32 『判字物智恵袋』「ぬ」

図33 『判字物智恵袋』「る」

漢字で遊ぶ

『浮世床』『浮世風呂』などの滑稽本の作者として知られる式亭三馬（一七七六〜一八二二）が著わした『道化節用小野𥶡譃字尽《おののばかむらうそじづくし》』という一書がある。文化三（一八〇六）年に刊行されている。この本は恋川春町作・画の『廓𥶡費字尽《さとのばかむらむだじづくし》』（一七八三年）、あるいは曲亭馬琴の黄表紙『無筆節用似字尽《むひっせつようにたじづくし》』（一七九七年）の趣向を承けてつくられていることが指摘されている。

手習いの学習をする子供が漢字を覚えるための教科書として編まれたと思われるものに、『小野篁歌字尽《おののたかむらうたじづくし》』という一書がある。江戸時代初期から幕末までさまざまなかたちで印刷が重ねられてきている。

図34のように、旁りや偏が共通する漢字を並べ、左側には、それらの漢字をまとめて覚えるための和歌が添えられている。右の本では、上部にいずれかの漢字に対応する絵が置かれている。

紬《つむぎ》　抽《ぬきんず》　油《あぶら》　袖《そで》　軸《ぢく》
糸《いと》つむぎ手《て》はぬきんずよ水《みづ》あぶら衣《ころも》はそでよ車《くるま》ぢくなり
續《つゞく》　緒《を》　組《くむ》　結《むすふ》　綱《つな》
賣《うり》つゞく者《もの》はをとしれ且《かつ》はくむ吉《きち》こそむすぶ岡《をか》はつななり
紡《うむ》　績《つむぐ》　紲《つなぐ》　縮《ちゞむ》　繕《つくらふ》
方《かた》はうむ責《せむる》はつむぐ世《よ》はつなぐ宿《やど》はちゞむに善《せん》はつくらふ
細《ほそく》　納《おさむる》　綾《あや》　紋《もん》　縫《ぬい》
田《た》はほそく内《うち》はおさむる麦《むぎ》はあや文《ふみ》はもん也逢《あふ》はぬふなり
練《ねる》　綿《わた》　終《おはり》　縛《しばる》　紅《くれなひ》
東《ひがし》ねる帛《はく》はわたなり冬《ふゆ》おわり専《もつはら》しばる工《たくみ》くれなひ

絵は右から「紬（の反物）」「緒」「繕」「縫」「綿」に対応していると思われる。和歌によって、どれだけ効果的に漢字が覚えられるかについては措くとして、この『小野篁

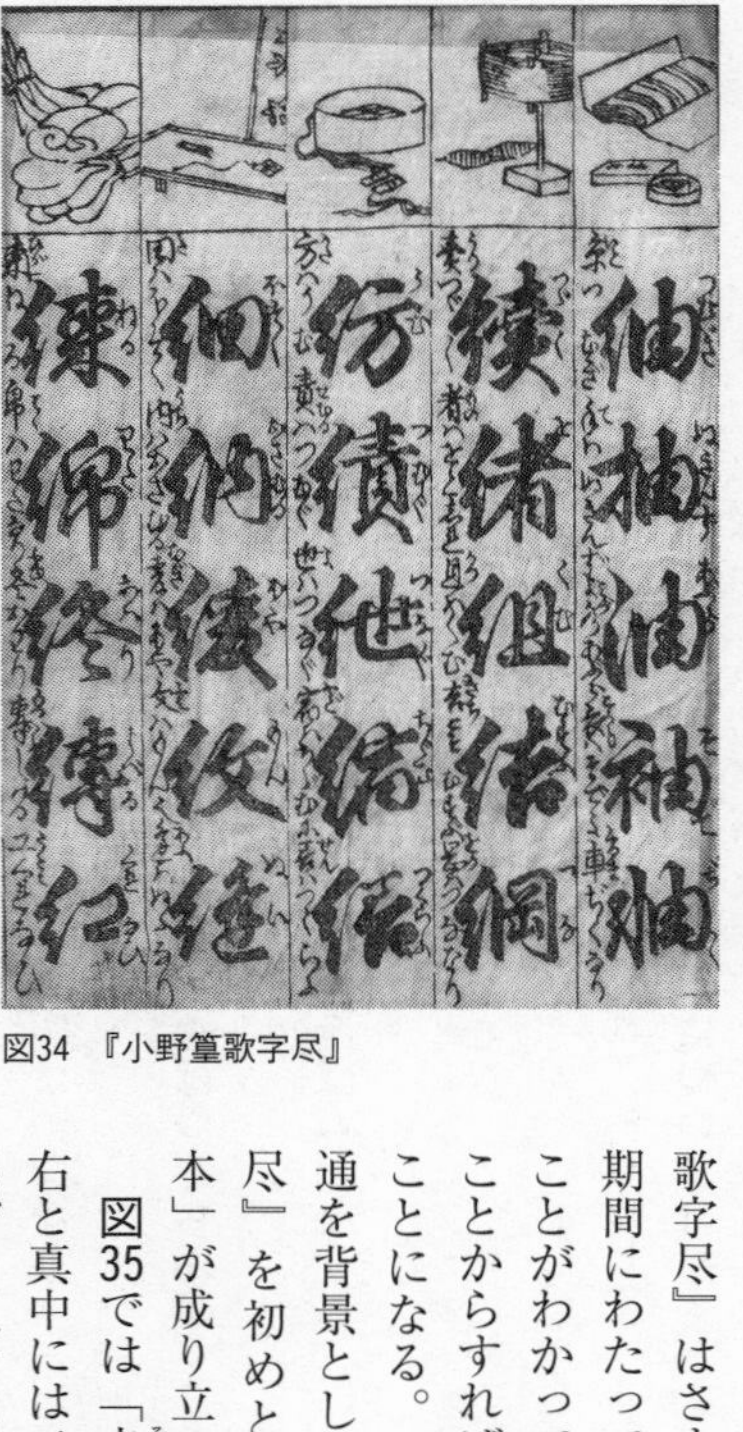
図34 『小野篁歌字尽』

歌字尽』はさまざまな版本が長期間にわたって出版されていたことがわかっており、そうしたことからすれば、需要はあったことになる。その「需要」、広通を背景として、『小野篭謡字尽』を初めとする「パロディ本」が成り立つ。

図35では「走《そう》にょう」の字が右と真中には二つ、左には三つ掲げられている。右の上は、「走にょう＋走」、下は「走にょう＋（昼＋夜）」というかたちの字で、その左に「走《はし》るのにあとから走追手《はしるおつて》にて夜昼《よるひる》はしるはやびきやくどの」とある。下の字では旁りの上に「昼」、下に「夜」とある。真中の上は、「走にょう」に「女＋手」「男＋手」が並んだかたちで、「みちゆき」、「走にょう＋一人」で「かけおち」となっている。そして「みちゆきは男女手《なんによて》と手《て》をひき走《はし》る。一人《ひとり》で走《はし》るけちなかけおち」という和歌が添えられている。左は「走にょう」に「口」「才」「鞘」で、それぞれ「きつねつき」「ですぎもの」「あぶなし」で、「口走《くちばし》るきつねつき才《さい》ですぎもの鞘走《さやばしる》のはヲツトあぶなし」とある。

こんな調子で一八九字があげられている。「金偏＋遣手＝にこにこ」「金偏＋母＝へそくり」「金偏＋死＝やぼてん」「金偏＋生＝つうじん（通人）」「金偏＋失＝むすこ」「（子×育）＋金＝ふえる」や、「口」を十二個集めて「おしやべり」、「石」を七つ積み上げたかたちにして「さいのかはら（賽の河原）」、「土＋舟＝たぬき」「木＋舟＝うさぎ」、あるいは「皿」を九つ集めて「さらやしき」、「皿＋頭＝かっぱ」など、さまざまなことがらを背景にして、いろいろな字がつくられている。

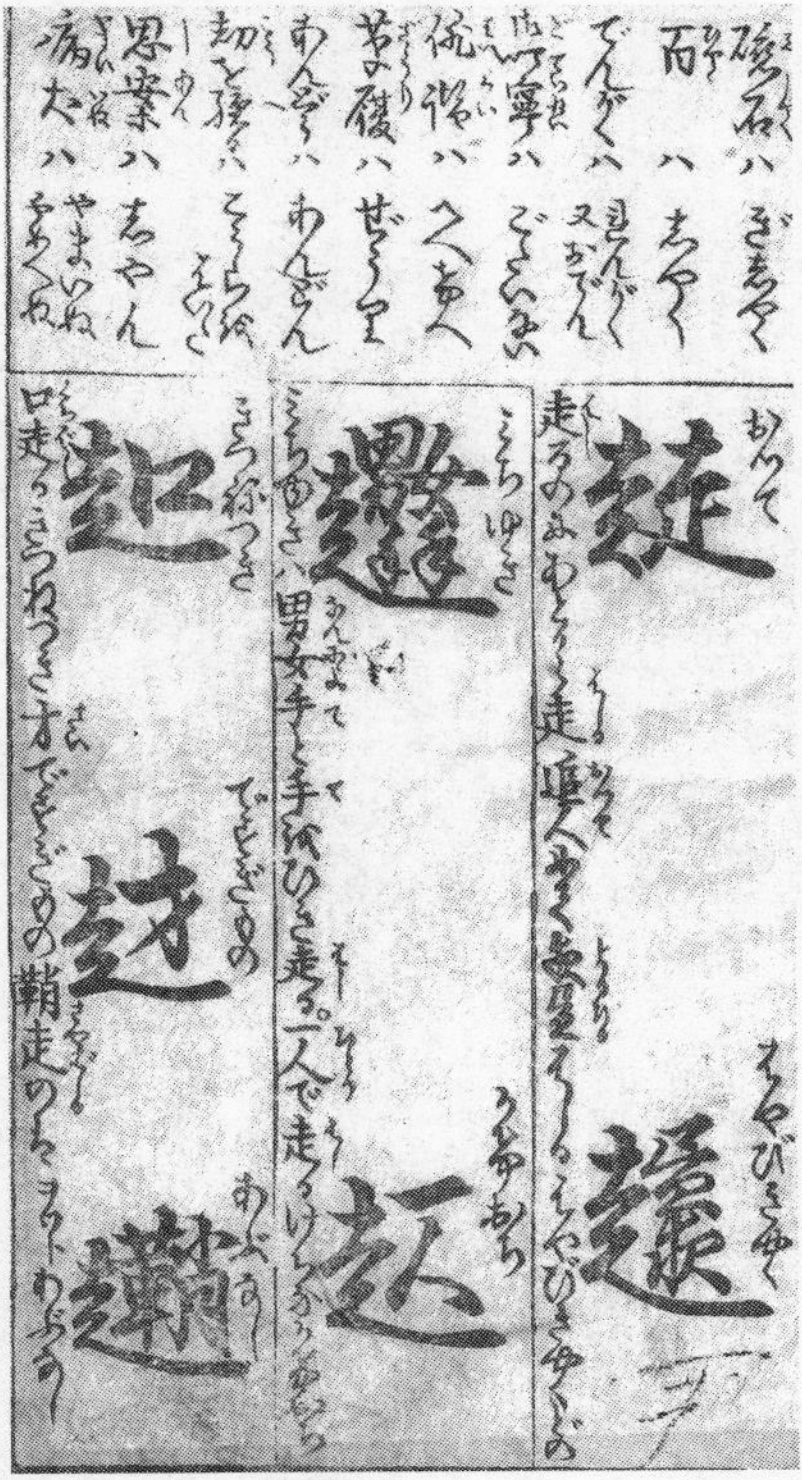
図35　『小野篁謔字尽』

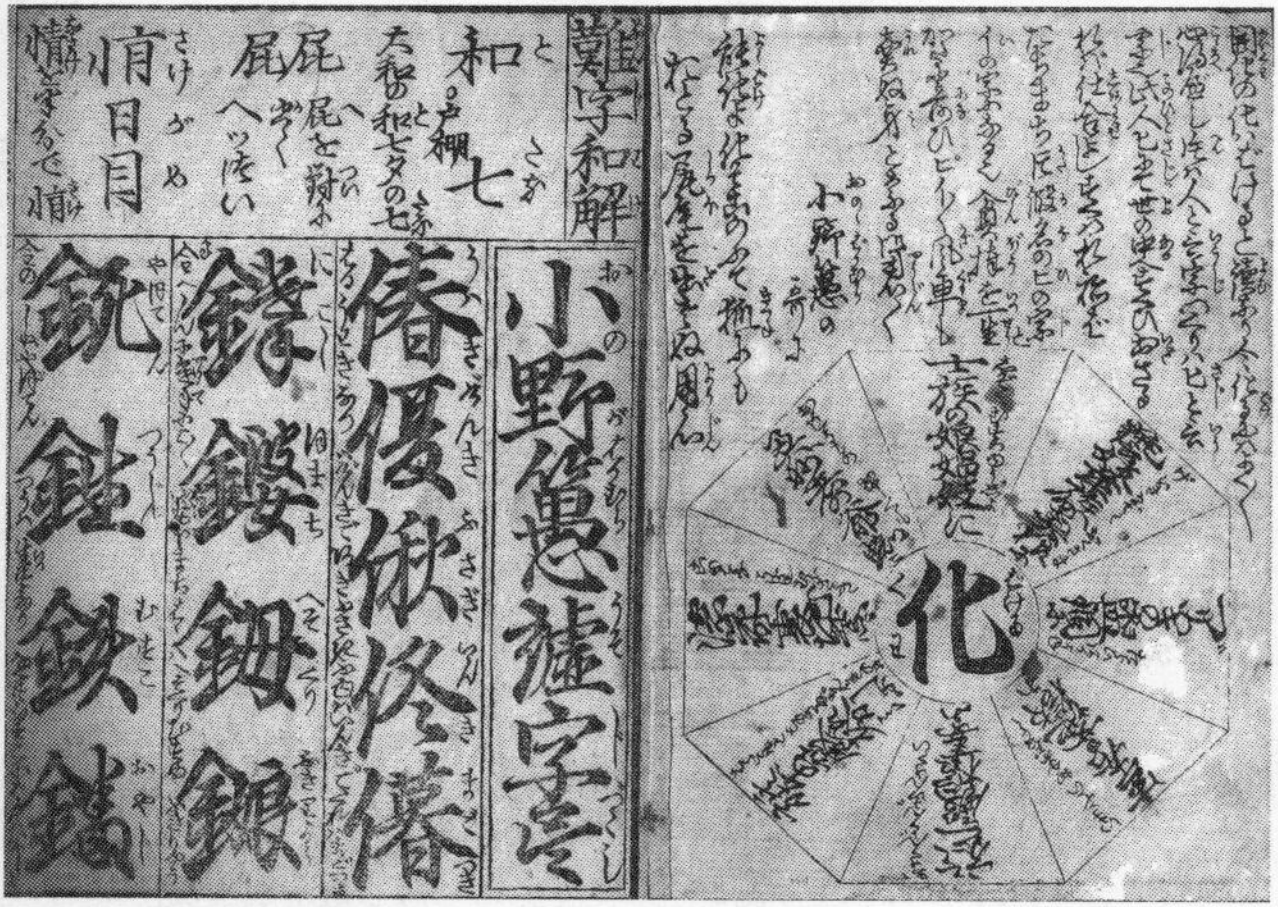

図36　『開化小野篤啌字尽』

『小野篤譃字尽』は『皆化節用儒者の肝つぶし』と改題されたものが明治十六（一八八三）年に出版されているが、それとは別に鴻田真太郎編輯『開化小野篤啌字尽《かいくわおののばかむらうそじづくし》』という書名の一本が出版されている。書名に「開化」とあること及びその「内容」から推して明治期に出版されたことは疑いないが、具体的な出版年は未詳。

図36は表紙見返しと一丁表。一丁表の上部の「難字《なんじ》和解《わけ》」を別にすれば、下の部分は（この箇所は）江戸期に出版された『小野篤譃字尽』と同じである。見返しには次のように記されている。適宜句読点を施して翻字する。

開化《かいくわ》の化はばけると読《よむ》なり。人に化《ばけ》るにはよく〱心得《こゝろへ》べし。片《へん》は人と言字《いうじ》、つくりは匕《さじ》と言字《いうじ》也。此人匕《このひとさじ》にて世《よ》の中《なか》へすくひ出《いだ》さるれば仕合《しあわせ》よし。すくはれねば、たちまち片仮名《かたかな》のヒ《ひ》の字《じ》、イ《い》の字《じ》になる也。貧棒《びんぼう》を一生《いっせう》かたに荷《にな》ひピイ〱風車《かざぐるま》も売《うれ》ぬ身《み》となる。御用心《やうじん》〱。小野⿱⺮愚《おのゝばかむら》の哥に
能化《よくばけ》よ化そこのふて狐《きつね》にも
おとる尻尾《しつほ》を出《だ》さぬ用心《ようじん》

その下の図は真中の「化《ばける》」につながるように書かれている。

藝妓《げいき》華《か》族《ぞく》の奥様《おくさま》に……化（ばける）
士《し》族《ぞく》の娘娼妓《むすめゆうじよ》に……化（ばける）
奥州者《おうしうもの》の爺蜘《おやしくも》に……化（ばける）
濃花《こいはな》の裏地紫《うらしむらさき》に……化（ばける）
旗本《はたもと》の殿様人力引《とのさまじんりきひき》に……化（ばける）
於《お》三殿権妻《さんどんごんさい》に……化（ばける）
生居《いきてい》る女地獄《おんなじごく》に……化（ばける）
ブリキの盥銅《たらひあかかね》に……化（ばける）

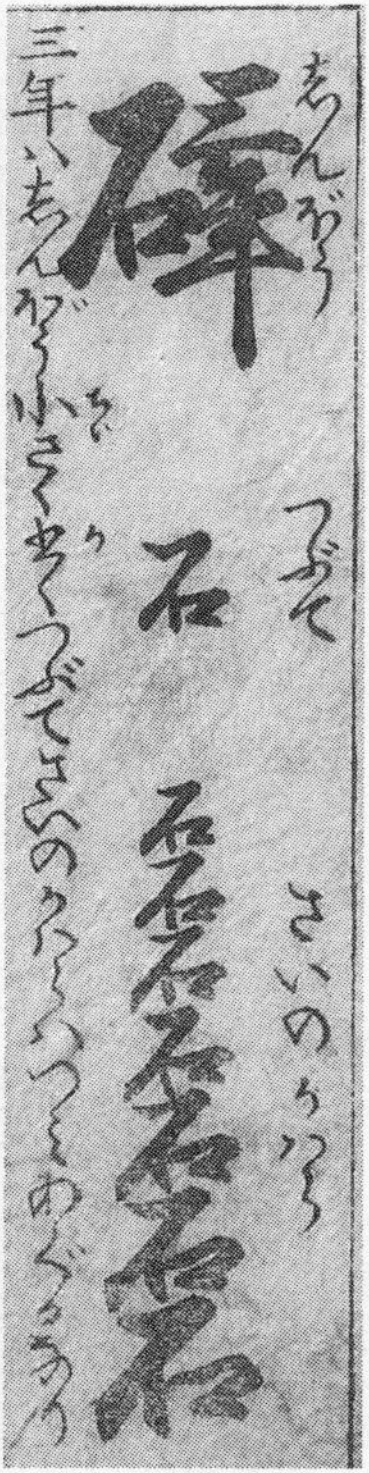

図37　『小野𥶡譃字尽』

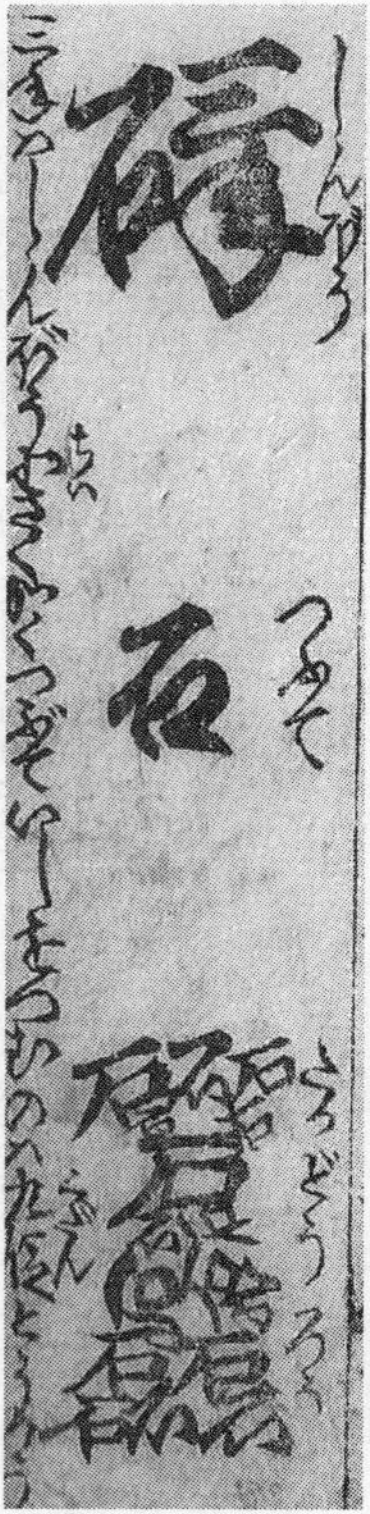

図38　『開化小野𥶡啌字尽』

以下「譃字尽」が続くが、ところどころ字が変えられている。例えば、図35の左、三番目には「走にょう×鞘」という字が置かれていて、「あぶなし」という振仮名が施されていたが、そこに「走にょう×文」というかたちの字が置かれて「ゆうびん」と振仮名が施されている。和歌も少し変えられていて、「口ばしるきつね才《さい》ですきものふみのはしるはゆうひんとしれ」となっている。

図37は『小野𥶡譃字尽』で、図38が『開化小野𥶡啌字尽』で、先に紹介した「さいの

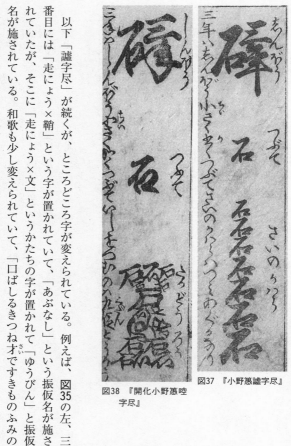

かはら」の箇所が「たかどうろう」に変わっている。図38の左の和歌は「三年はしんぼう小《ちい》さくかくつぶていしをつむのは九段《くだん》とうろう」となっている。

図39は現在九段にある高燈籠（常燈明台）であるが、これは明治四（一八七一）年に建設されており、高さが十六メートルほどある。建設当時と現在とでは設置されている場所が異なっている。東京の名所の一つとして、小林清親の「九段坂五月夜」などにも描かれている（図40）。

こうして小林清親の浮世絵、現在の写真と並べてみると、『開化小野箟啌字尽』の「たかどうろう」の石は案外うまく積み上げられていることがわかっておもしろい。この場合は、名所の高燈籠という、実際にあった物を背景にして文字を創作しているわけだが、ただ文字を創作するのではなく、「裏付けのようなもの」があるとなおいっそうおもしろいことがわかる。ことばあそびにもそうした「裏付けのようなもの」があることが多いし、それがことばあそびを支えているともいえる。

図39　九段の高燈籠

日本語の歴史において変わら

図40　小林清親「九段坂五月夜」［町田市立国際版画美術館監修、謎解き浮世絵叢書『小林清親東京名所図』（2012年、二玄社）］

ないのは、漢字を（ずっと）使っていることだと述べたことがあるが、それゆえ、漢字はつねに関心事であったといってもよいだろう。漢字を巡ることばあそびも中世、江戸時代、明治時代、現代とずっと存在している。

第五章

幕末・明治——雅俗をつなぐミッシング・リンク

幕末・明治のことばあそび

ここでは幕末・明治期のことばあそびについて紹介していくことにする。

毎月三日と十八日とに発行され、明治二十一（一八八八）年十一月から二十八（一八九五）年四月まで、一五六冊刊行された『少年園』という児童雑誌がある。主幹は文部省御用掛をつとめ、自然科学や教育学関係の著書もあり、教科書の編集もしていた山県悌三郎で、少年用の課外読み物として編集された。この『少年園』が明治二十二（一八八九）年に創刊された『日本之少年』や『小国民』などの発刊の気運をうんだことが指摘されている。『少年園』への投書をうけて、明治二十二年八月には『少年文庫』が『少年園』とは別に発行されるようになり、明治二十八年八月からは『少年文庫』は『文庫』と改題されて、文芸誌となっていった。

『少年園』は「少年園」「学園」「文園」「譚園」「芳園」「叢園」というように、記事を分類して掲載している。「芳園」は文章、漢詩、和歌などの投書欄で、「叢園」はさまざまな記事や雑報を載せる欄になっていると思われるが、その「叢園」に「考物」が載せられていることがある。例えば、明治二十五（一八九二）年六月十八日に発行されている第八巻第八十八号には東京の「渡邊富太郎君」（(1)〜(3)）や「橋本半逸君」（(4)）のつくった次のような「考物」が載せられている。『少年園』では左側に振仮名が施されているが、ここでは右振仮名として示す。

（1）砂の中より石を拾《ひろ》ひて午《うま》に二ツ打ちつけ猿という獣を殺して桝《ます》に入るれば何か。

（2）一人池の水を乾《ほ》し盡《つく》して、土を現《あら》はせば直に辰が雨を負《お》ふて来る。

（3）午《うま》に角が生へて人がびツくりして内へ逃《に》げ込めば何になるや。

（4）上になれば下にあり下なれば上にあるものは何ぞ。

答は次号である第八十九号に載せられているが、それによれば、（1）の答は「少年園」、（2）の答は「大地震」、（3）の答は「牛肉」、（4）の答は「一の字」となっている。（1）では、「砂の中より石を拾」うのだから、「砂」字から「石」を除き、「少」が残る。「午に」石を「二ツ打ちつけ」が少し難しい。石を二つ打ちつけるというと、「午」字に点を二つ足すように思ってしまうが、そうではなくて二画足すということで、「年」は「午」を二画増やしたとなんとかみることができる。そして「猿という獣」を殺すのだから、「猿」字の獣偏をはずし、桝すなわち囲いに入れると「園」となり、三つを合わせて「少年園」となる。（2）も字謎で、「一人」の「一」と「人」とを重ねるように書くと「大」、「池の水を乾し」尽くすのだから「池」から氵を除いて「也」。これに「土」をつければ「地」。「辰が雨を負」うのだから、「雨＋辰」で「震」。三つを合わせて「大地震」となる。(3)は「午」に「角が生える」のだから、「牛」。「人」が「内」へ逃げ込むのだから、「肉」。合わせて「牛肉」。(4)は「上」の字の下部にあって、「下」の字の上部にあるのは「一」。

(1)〜(4)が投書で、『少年園』に載せられていることからすれば、こうした「考物」をつくることは日常茶飯のことであり、右のような「考物」であれば、『少年園』の読者にも十分解けたということが推測される。ある時期の日常茶飯が、その時期から離れた時期においては案外とわかりにくい。まずは幕末・明治期の「考え物」についてみてみよう。

考え物

鈴木棠三編『新版ことば遊び辞典』(一九八一年、東京堂出版)は「願人坊主が刷り物にして配った考え物、判じ物と呼ばれるもの、また、考句と称する川柳体の考え物、その他、この種のなぞ」(四二三頁)を「考え物」と総称している。『誹風たねふくべ』もこの「考え物」に含まれているので、広義のなぞなぞを指すと思われるが、そのみかたにしたがうことにする。「願人坊主」について『日本国語大辞典』第二版は「江戸時代、都市に流行した僧形の乞食」と説明している。

『智慧競争新撰考物集』の考え物

明治二十三年に刊行された『智慧競争新撰考物集』という一書がある。奥附けには「編輯兼発行者」として三井新次郎とある。この本は巻末に「解答《ときあて》」が示されているので、なんとかわかるが、なかなか難しい。「考物」の「難しさ」は、問いを解くために「前提」となっている、当該時期に共有されている「情報」の中に、現代においてはわからなくなってしまっている「情報」が含まれていることに原因があると考える。江戸期につくられた謎が解けない、明治期につくられた謎が解けないということは、結局は江戸期、明治期についてすみずみまではわかっていないということであろう。謎は、現代の「知」がその時期のどの程度を覆っているかを知るための試金石ともいえよう。

さて、『智慧競争新撰考物集』の「考物」を紹介しよう。「解答《ときあて》」が魚の名前になるものをまず示してみることにする。

			解答
1	吸物《すいもの》をお熱《あつ》い内《うち》と進《すゝ》められ	魚二ツ	鮫《さめ》・鱒《ます》
2	新聞屋《しんぶんや》據《つゝ》がなく出《だ》す物《もの》は	魚一ツ	鮬《せいご》
3	打解《うちとけ》てあいと色《いろ》よい返事《へんじ》をば	魚二ツ	鰯《いわし》・鯛《たい》
4	股引《もゝひき》も脚半《きやはん》もはかず草鞋掛《わらじかけ》	魚一ツ	鮠《すぱしり》
5	海鼠足《なまこあし》なくして能《よく》も頭《づ》に上《のぼ》り	魚一ツ	鯰《なまず》
6	方々《はう〱》の家《うち》で亭主《ていしゆ》を尋《たづ》ねつゝ	魚三ツ	鯒《こち》・鰡《いな》・烏賊《いか》

7　勘定《かんじやう》の高《たか》いに上戸びつくりし　魚の名二ツ　鮭《さけ》・鮫《さめ》
8　酒《さけ》の香《か》があれば内《うち》へはよせつけず　魚の名三ツ　鮫《さめ》・鱈《たら》・鯉《こい》
9　小僧《こぞう》やとよんでもさらにへんじなし　魚名二ツ　鯔《いな》・烏賊《いか》
10　酔《よい》さめた主人《しゞん》を客《きやく》が待《まつ》て居《ゐ》る　魚名四ツ　鮫《さめ》・鱈《たら》・鮎《あい》・鯛《たい》

右の問いと「解答」とをみているといろいろなことを思う。魚の名が「解答」になっている問いばかりを選んでいるので、当然「解答」には魚名が並ぶが、2の「鮬」、4の「鮠」、6の「鯒」「鰡」はまずその魚自体が現在では馴染みのないものになっていると思われる。いや、アジとイワシとがわからない人も少なくないという話もある。そうなるとそもそも「解答」となる魚名がわかっていないのだから、謎が解けるわけがないということになってしまう。食生活の変化に伴って、かつてよりも魚が食卓にのぼらない、釣りが身近なものではなくなる、などさまざまな生活の変化によって、魚そのものが現代の日常生活＝日常茶飯から遠くなっていることを右の考え物は改めて思わせる。

少し説明を加えれば、「セイゴ」はスズキの幼魚で、二十五～三十センチメートルぐらいのものを呼ぶ。それよりも大きく、四十～六十センチメートルのものを「フッコ」、それ以上となったものを「スズキ（鱸）」と呼ぶ。成長するにしたがって、呼びかたが変わる、いわゆる「出世魚」だ。アジとイワシとの区別がつかないとなれば、同じ魚のサイズによる名称などはさらにわからないものになってしまうはずだ。

「イナ」はボラ（鯔）の幼魚の名。「鯒」は釣りをする人であれば、キス釣りのいわゆる「外道」として小さな棘のある「メゴチ」が馴染みのあるものだろう。大きなサイズの「マゴチ」は夏の魚で、洗いにして食べたりする。これらは現在においても知られている魚ではあるが、一般性があるかといえば、一般性は低いといわざるをえない。「鮠」は体長が五〜十センチメートルぐらいのボラの幼魚の名だ。振仮名には「すぱしり」とある。「ぱ」は誤植の可能性もあるが、半濁点で濁音を表わしている可能性もある。「鮎」は中世期頃から「アイ」という語形が使われていたことが確認できる。右には十問を採りあげたが、「酔いが醒める」には「鮫」をあてるなど、「傾向」がみられる。

次は虫の名が「解答」になっている問いであるがおわかりになるだろうか。

1　群集《ぐんじゆ》する中《なか》を査公押分《をまわりをしわけ》て　虫一ツ
2　他《た》の人の煙草《たばこ》で濟《すむ》は無代《たゞ》也と　虫二ツ
3　大祭日《たいさいび》旭日《ひのまる》の旗《はた》いづこにも　虫二ツ
4　按摩《あんま》さん腰《こし》わい丶から上《かみ》ばかり　虫一ツ
5　行水《ぎやうずゐ》に巡査見かねて身をかくし　虫一ツ
6　朝晩《あさばん》は酒宴《しゆえん》を当節《とうぶんや》止めにけり　虫二ツ
7　盆栽《ぼんさい》の植木ばかりを抜《ぬい》て買《か》い　虫二ツ
8　大工《だいく》さん穴《あな》を掘《ほ》るから一寸《ちよつと》お貸し　虫三ツ

1は群集をおまわりさんが押し分ける様子だが、警棒を振り回しているのだろう。したがって、警棒を振るのだから「ボウフリ（棒振）」。蚊の幼虫の「ボウフラ」のことを「ボウフリ」ともいうので、これが「解答」になる。2は他の人の煙草をのむのだから、自分では煙草を買わない。つまり「カワズ（買わず）」で、「カワズ（蛙）」。煙草をのむのだから、「ノミ（呑み）」で「ノミ（蚤）」。「蛙」は現在では「虫」とはみなさないが、ここでは「虫」に含められている。3の「大祭日」は〈国がおこなう祭典、皇室がおこなう祭典〉を指すが、そういう日には日の丸の旗があちらこちらに「ヒルガエル（翻）」ということで、「ヒル（蛭）」と「カエル（蛙）」が「解答」。4では助詞「ハ」が「わ」と書かれている。按摩さんに、腰はいいから上のほうを揉んでくれと頼む様子だろうが、「上のほう」は「カタ（肩）」と頭。頭は「ツムリ」ともいうので、「カタ」と「ツムリ」で合わせて「カタツムリ（蝸牛）」。5は身をどこに隠すかといえば、戸の陰、すなわち「トカゲ（戸陰）」だから、「解答」は「トカゲ（蜥蜴）」。6は朝晩は酒宴をしないのだから、昼に飲む。すなわち「ヒルノミ（昼飲）」で「ヒル（蛭）」「ノミ（蚤）」。7は盆栽の植木だけを抜いて買うのだから、鉢を買わない。「ハチ（鉢）」は「カワズ（買わず）」で、「ハチ（蜂）」と「カワズ（蛙）」。買わない＝買わずを「カワズ（蛙）」とかける「解答」はよくみられる。8では「ホル」に「掘」ではなくて「堀」があてられている。それはそれとして、「ちょっと貸してくれ」という呼びかけに対して「はい、鑿（のみ）か」

と大工さんが答えるということで、「ハイ＋ノミ＋カ」で「蠅・蚤・蚊」。「ハエ（蠅）」を「ハイ」と発音する例は中世期頃から確認できる。

福引き

明治四十二（一九〇九）年に発表された田山花袋の『妻』という長編小説がある。その中に、次のようなくだりがある。振仮名は適宜省いた。

歌留多をするといふ日、長兄は福引《ふくびき》の材料を態々《わざ〳〵》町まで買ひに出た。福引の文句を二三日前から楽みにして考へて居《ゐ》るので面白い文句をしぼり出すと、勇造《ゆうざう》でも勤《つとむ》でも其時其処《そこ》に居たものを捉《とら》へて、『何《ど》うだ！　富士の雪で時計を出して見せてすぐ引込《ひつこ》ませる。とけやらぬは面白いだらう』など、言つて高笑ひをした。町から帰つて来た風呂《ふろ》敷包《しきづゝみ》の中には白粉《おしろい》、茶碗、埃拂《はたき》、一銭菓子、上《じやう》しん粉《こ》、海苔、おかめの面《めん》、ガラ〳〵煎餅、小十納《こづのう》、ライオン歯磨などが雑然として入れられてある。高《たか》箒《ぼうき》と大根一束と擂鉢《すりばち》と草鞋、これに当る人を想像して主人《ひと》は独り悦に入つた。
（『妻』一九〇九年、今古堂書店、二七九頁）

ここに「福引」とある。『集英社国語辞典』第三版を調べてみると、見出し項目「ふくびき」の語義は「（商店の売り出し・宴会などで）くじを引かせて、賞品を分け与えること」と説明されている。これがおおむね現代日本語の「フクビキ」の語義だろう。しかし、『妻』の「福引」は少し違う。『日本国語大辞典』第二版を調べてみると、見出し項目「ふくびき」の語義が「①くじ引をしてさまざまの品物を取り合うこと。多くの綱・紐などに種々のものをつけ、引き手にはそれを隠して引かせる遊戯。正月の遊びとして多く行なわれた。②年の初めに、二人で一つの餅を引っ張り合い、取分の多少によりその年の禍福を占うこと。③商店の売出しで賞品を買った人、または宴会の余興などで出席者にくじを引かせ、当たった人に景品を出すこと」と説明されている。この③が『集英社国語辞典』の語義と重なる。②は別として、①はどうだろうか。こういうことをやった経験がある人はどのくらいいるだろう。

記憶がずいぶん曖昧であるが、筆者は、子供の頃にやったような記憶がぼんやりとある。正月に父母を中心とした家族でやったのか、あるいは母方の祖母の家に孫が集まった時にやったのか、記憶がはっきりとしないが、そういうことをしたように思う。『日本国語大辞典』は①の例として、若月紫蘭の『東京年中行事』の例をあげている。「近頃は必ずしも新年宴会と限つたものでもないが、新年には殊に福引と云ふものが行はれる。古くから行はれて居る帯引《おびいき》又は寶引《はうびき》と云ふものに酷似して、地口めいた事又は謎めいた事を記した鬮《くぢ》を引かせて、品物を与へて興を助くるので有る」（『東京年中行事』上の巻、一九一一年、春陽堂、九十九頁）。

この「福引」が『妻』の「福引」と思われる。「富士の雪」と書いた鬮を引いた者に、時計を出して、時計がもらえるのかと思わせておいて、すぐにその時計を引っ込める。その心は、富士の雪だから、なかなか溶けない、すなわち「トケヤラヌ（溶けやらぬ）」で、それを「トケイヲヤラヌ（時計をやらぬ）」にかけている。長兄は町まで福引の景品を買いに行って、いろいろな物を買ってきている。それぞれの品物に合うようなおもしろい「地口」などを考えていたのだろう。明治期には、福引の時に使える「謎」を集めた本が少なからず出版されている。

中村青江編『新案福引』

中村青江編『新案福引』（一九〇九年、博文館）もそうした本の一つだ。この本は三段に分けて印刷してあり、真ん中に「新案福引」、上段には「新作地口百番」、下段には「室内遊戯」が載せられている。上段の「新作地口百番」は絵入りである（図41）。おもしろそうな地口を少し紹介しておこう。もとのかたちが「本文」と呼ばれている。振仮名は必要と思われるもののみを残し、大部分を省いた。

	本文	
1	鰯の頭も信心から	いぼじり頭も新ハイカラ
2	平家の方《かた》にて名高き強弓《つよゆみ》	平気の嬶《かゝ》にて名高き酒のみ
3	蔭弁慶《かげべんけい》	洋犬弁慶《かめべんけい》

4　一字千金　医師《いし》で疝気《せんき》
5　月とすっぽん　的《てき》と出奔《しゅっぽん》
6　ほうし〳〵は啄木鳥の　帽子〳〵は好き〳〵の
7　庭に咲いたり咲かせたり　鰻さいたりさかせたり
8　すいた水仙すかれた柳　殖《ふ》えた水田《すゐでんす》鋤かれた山路《やまじ》
9　人の振《ふり》見て我振《わがふり》直せ　ひどい降りにて雨漏《あまも》り直せ
10　泰山《たいさん》は土壌《どじやう》をゆづらず　鯛さんは鰌《どちやう》をいぢらず

地口は、右でいうところの「本文」、起点となっている表現がよく知られていなければおもしろさがわからない。「一字千金」（＝一字の価値が千金にあたるほどすばらしい文章や文字）や「月とすっぽん」（＝二つのものがかけ離れていることのたとえ）や「人の振り見て我が振り直せ」などは現代の言語生活の中でもまだ使われることがある表現であろうが、現在はあまりみかけない表現も含まれている。それが明治期と現代との「異なり」だといういささか大袈裟で強引なものいいになってしまうが、そういう面がある。

2の「平家の方にて名高き強弓」は歌舞伎の『義経千本桜』の中の「道行初音旅」（吉野山）などで使われる清元の詞章「平家の方にも名高き強弓、能登守教経と、名乗りもあえずよっぴいて、放つ矢先はうらめしや、兄嗣信が胸板にたまりもあえず」の一節である。『義経千本桜』は現在でも人気のある演目であるから「吉野山」を見たことのある人も少なくないと思われるが、それでも、そこで使われている清元の詞章を覚えている人は多くはないだろう。筆者も四、五回は見ていると思うが、覚えてはいない。あるいは6の「ほうしほうしは啄木鳥の」は長唄「喜撰」の「世辞で丸めて浮気でこねて、小町桜の眺めに飽かぬ、彼奴《きやつ》にうっかり眉毛を読まれ、**ほうしほうしはきつつきの**、素見《すけん》ぞめきで帰らりょか。わしは瓢箪、浮く身じゃけれど、主は鯰のとり所、ぬらりくらりと今日もまた、浮かれ浮かれて来たりける」の一節にあたっている。「世辞で丸めて浮気で捏ねて」も実は採りあげられていて、そこには「匕《さじ》でまとめてからしで捏ねて」とあって、カレーライスのような絵が載せられている。

7の「庭に咲いたり咲かせたり」、8の「すいた水仙すかれた柳」は長唄「越後獅子」の詞章「何たら愚痴だえ、牡丹は持たねど、越後の獅子は、己が姿を花と見て、**庭に咲いたり咲かせたり**、そこのおけさに異なこと言はれ、ねまりねまらず待ち明かす」「来るか来るかと浜へ

図41　『新案福引』「新作地口百番」

出て、見ればの、ほいの、浜の松風音やまさるさ、やっとかけの、ほいまつかとな。**好いた水仙、好かれた柳**の、ほいの、心石竹、気はや紅葉さ、やっとかけの、ほいまつかとな」の一節にあたる。

現在においては、義太夫を習う、常磐津、清元や長唄を習うといったことが必ずしも身近なことではないだろう。しかし、そうした「習い事」がもっと身近なことであれば、その「習い事」を通して、右で「本文」として採りあげられている詞章にふれていた人の数もずっと多かったと思われる。「日本文化について英語で説明する」ということがしきりにいわれるようになった。それにはもちろん意義がある。しかし、筆者などは、「について」というところにいつも少しのひっかかりを感じる。「について」は何か、外側から眺めているというイメージをいだかせる。今、あるいは今後大事になってくるのは、外側から日本文化について説明することではなく、日本文化の「内側」に入っていくことではないだろうか。それを「日本文化を経験する」と言い換えることもできそうだが、「体験教室」のようなものではなく、内側に入って、自身のもの、日常茶飯のものとして、ごくごく自然に向き合うというようなことが大事ではないだろうか。「あいつはしゃれがわからない」と言ったりする。たいていは褒め言葉ではない。「明治のことばあそび、しゃれがわからなくなってきている」ということは、おそらくはほめられるようなことではないはずだ。

もう少しだけ説明をしておこう。3の「カゲベンケイ（蔭弁慶）」は「ウチベンケイ

（内弁慶）」と同義。10の「本文」は『史記』李斯伝にみえる表現で、「臣聞地広者粟多、国大者人衆、兵彊則士勇。是以**太山不譲土壌**、故能成其大、河海不択細流、故能就其深。王者不卻衆庶、故能明其徳」（臣聞く、地広ければ粟多く、国大なれば人衆《おほ》く、兵彊《つよ》ければ則ち士勇むと。ここをもって、太山《たいざん》は土壌を譲らず、故《ゆゑ》に能く其の大《だい》を成す。河海は細流を択ばず、故に能く其の深《しん》を就す。王者は衆庶を卻《しりぞ》けず、故に能く其の徳を明かにす。＝わたくしは「地が広ければ粟が多く、国が大きければ人が多く、兵が強ければ士が勇ましい」と聞いております。こうしたことと同じように、泰山は、ひとかたまりの土壌《つちくれ》であっても譲らないからこそ大きくなったのであり、河海はひとすじの細い流れであっても拒まないからこそ深くなるのであり、王者は一人の人間たりともしりぞけないから、その徳が明らかなのであります）の一節にあたる。

実は、藤原公任撰で長和元（一〇一二）年頃に成ったと考えられている、和歌と漢詩とのアンソロジーである『和漢朗詠集』巻下「山水」の冒頭には「泰山不譲土壌　故能成其高　河海不厭細流　故能成其深」が採られている。『和漢朗詠集』の写本は、室町時代、江戸時代を通して、少なからず残されており、江戸時代にはさまざまな版本が印刷出版されている。それは、『和漢朗詠集』が次第に文学教育の教科書、あるいは和歌を平仮名で、漢詩を漢字で書くところから、文字教育の教科書としての「地位」を獲得するに至ったからである。慶長五（一六〇〇）年にはキリスト教宣教師の手によって、『倭漢朗詠集巻之上』がキリシタン版として刊行されてもいる。

『和漢朗詠集』が、同書成立以後の文学にどのような影響を与えたかについては、さまざまな指摘がなされている。簡略に説明すれば、『平家物語』や『太平記』などの「語り物」文学に豊富に採り入れられていること、あるいは「今様化して変容」（日本古典文学大系『和漢朗詠集　梁塵秘抄』「解説」三十三頁）し、平曲や宴曲、謡曲や「閑吟集や田楽の歌謡、さらに中世・近世の小歌・俗曲・三味線曲等にその詩句がたくみに変容してとり入れられ」たことなどがわかっている。「小歌・俗曲」は「ことばあそび」ともかかわりがある。

「ことばあそび」という表現はわかりやすいが、その一方で、ことがらの焦点が不分明になってしまっているかもしれない。「言語遊戯」という表現は少し堅苦しい感じがするが、「言語」をはっきりと前面に打ち出している点がよい。文学作品は言語を媒体としている。音声言語にしても、文字言語にしても、とにかく言語を使った芸術が文学だ。したがって、「ことばあそび」の中核に、さまざまな文学がかかわっているのはむしろ自然なことで、「ことばあそびを通してみた日本文学」というようなテーマが成り立つともいえよう。『和漢朗詠集』を「雅」、小歌や俗曲を「俗」とごく単純に仮にとらえるとすれば、「ことばあそび」は「俗」側に位置することになるが、全体としてみれば、「俗」と「雅」とをつなぐ「輪《ミッシング・リンク》」であるかもしれない。

現代の日本のありかたを再検証するために、明治期を注視するというのは、現代を考える上での一つの有効な「みかた」であると考える。それは現代に「近い過去」として、明治を現代の源流とみる「みかた」でもある。

もう一つの「みかた」は明治期を一つの「区切り」とみる「みかた」である。平安時代から明治時代までというくくりかたでもいいし、室町時代から明治時代というくくりかたでもいい。それまでの日本語、日本文化の総体がさまざまなかたちで現われているのが明治だととらえる「みかた」である。かつて、明治期を過去の日本語の総体の「湧水」にたとえたことがあるが、そういうとらえかただ。明治期を注視することによって、それまでの日本語、日本文化の総体をつかむ、というと、そんなことができるのか？と思われるかもしれないが、「過去の日本語・日本文化が凝縮しているのが明治期だ」というイメージだ。ただし凝縮しているのだから、解きほぐす必要があり、それには相応の手間がかかる。

さてそれでは福引にもどろう。「新案福引」は「題」と「解」とに分かれている。福引の景品を買ってきてから、それに合わせた「題」と「解」とを考えるというのが通常の手順であろうが、いわばその「ヒント集」のようなものと思えばよいだろう。「題」は「装飾品及化粧品」「菓子」「魚鳥」「野菜」「乾物」「書籍」「文房具」「金物」などとカテゴリーに分けられている。

例えば「野菜」だったら、次のような「題」と「解」が並べられている。振仮名は必要があると思われるものだけを残し、それ以外は省いた。

	題	解
1	扇の的	ナス（←那《な》須与《すのよ》一《いち》）
2	此上《このうえ》もなき仕合《しあはせ》	ミョウガ（←冥加《みょうが》の至り）
3	最早《もはや》時間	クワイ三個（←散会《さんくわい》）
4	神の司人《つかさびと》	ネギ（←禰宜《ねぎ》）＝神職・神官のこと
5	大阪	菜《な》　二把《にわ》（←難波《なにわ》）
6	南都《なんと》の水害	奈良漬け
7	九州の古名	ツクシ（←筑紫）
8	正月の門飾り	マツタケ（←松・竹）
9	なまくら武士の腰の物	葉ワサビ（←刃は錆《さび》）
10	酒宴中の乱舞	ダイコン・サツマイモ（←大混雑）

こうしたことばあそびはどの家庭でもやっていたと思われる。日常生活の中に、こうした「ことばあそび」が根づき、それが共有されていたことは知っておいてよいだろう。「ことばあそび」が共有されていたということは、とりもなおさず「ことば＝言語」が共有されていたということであり、言語が共有されるためには、「前提」となる文化的なことがらの共有が必要で、そうしたものも（ある程度までは）共有されていたということになる。

『新案福引博士』

別の福引の本を紹介しよう。『新案福引博士』は明治四十二（一九〇九）年に「一二三館」から刊行されている。先の『新案福引』と同じような福引の「ヒント集」といってよいが、こちらは「歴史部」「宗教部」「教育部」「人事部」「軍事行政部」のようにまず部分けがされている。明治四十二年といえば、夏目漱石の『それから』が六月から十月まで『朝日新聞』に連載され、北原白秋の『邪宗門』が出版された年であるが、十月には伊藤博文がハルピンで暗殺されており、「軍事行政部」はそういう時局を思わせる。この本では、「題」「景」「解」が同じところに示されている。「景」は「景品」をさす。「地理天文部」から例をあげてみよう。振仮名は必要があると判断したものだけを残し、その他は省いた。

	題	景	解
1	中仙道の一寒駅	饅頭	安中《あんなか》（餡中）
2	我が国極北の島	粗砥《あらと》	阿頼度島《あらいどとう》（荒い砥）
3	東洋に於《お》ける英国の良港	狐面	香港《ほんこん》（狐々《こん〱》）
4	西より東に入る月	盃	倒月《さかつき》
5	琉球の名港	縄《なは》	那覇《なは》

6　エヂプトの首府　　　灰炉《かいろ》　　カイロー
7　田舎道　　　　　　　旗二流《はたふたつ》　畑又畑《はたまたはた》（旗又旗）
8　九州の果《はて》　　　　大炭《おほすみ》　　大隅《おほすみ》
9　仏蘭西の首府　　　　針　　　巴里《ぱり》
10　合衆国の名都　　　籠四箇《かごしこ》　シカゴ

少し説明をしよう。2の「アライド島」は千島・樺太交換条約によって日本の領土となったが、サンフランシスコ講和条約によって、領有を放棄した島のこと。4は東から出て西に入る月がさかさまに、西から出て東に入るのだから、「サカヅキ」。「仏蘭西の首府」と書いた紙を引き当てた人が、景品はなんだろうと思っていると、パリだからはい、針と景品を渡される。なんとものどかだ。

さて『新案福引』の「題」に「月とすっぽん」があったが、それが書名に含まれている『月とスッポンチ』という名の雑誌があった。次にはこの雑誌を採りあげてみよう。

『月とスッポンチ』

『月とスッポンチ』は明治十一（一八七八）年十月二十七日から明治十三（一八八〇）年二月二十三日まで五十六冊が刊行された戯作雑誌で、初代柳亭種彦の流れに連なる篠田久治郎（仙果）が社長と編集人を兼務していた興聚社から発行された。三分の二を超える誌面に、投稿された狂詩文、狂歌、狂句、語呂合わせ、謎などを掲載しており、投書を中心とした滑稽雑誌といってよい。「スッポンチ」の「ポンチ」は「ポンチ絵」のことと思われる。西洋風の風刺画や漫画のことをいう。『月とスッポンチ』はまさしく戯作、滑稽雑誌で、ほとんどすべての誌面が「滑稽」に徹しているといってもよい。読んでいくと次々とおもしろい記事にゆきあたる。

【迫歌迫俳句】

第五号に「スッポンチ調迫歌迫俳句」という欄がある。「迫歌《つめうた》」とは天明（一七八一〜一七八九）年間頃に江戸で流行した狂歌の一種で、例えば「ゴガツイツカ（五月五日）」、「ケンブツ（見物）」をそれぞれ「ゴガイカ」「ケブ」と発音するなど、わざと名詞などを詰めて発音するようにしたもの。これは語形＝発音形をいわば「破壊」しておもしろさをつくるということで、（できあがったものがおもしろいかどうかは別として）方法はきわめておもしろい。次のようなものが載せられている。実際は振仮名で迫めた発音が示されているが、それを左側に現代仮名遣いで示しておく。

芸妓弁天や客毘沙門布袋ゑびす搆
げぎべてやきやくびさもほてえびすこう
海晏寺行く権妻人力車や紅葉どき

かあじゆくござじりきしややもみじどき
銀杏豆を菓子風流煎茶や時雨の日
ぎなまめをかしふりゆせちややしぐれのひ
此度神田仲町興聚社の発兌雑書　月とスポチよ感心に可笑しき
こたびかだなかてよきよしゆしやのはつだざしよ　つきとすぽちよかしにおかしき

「ベンテン（弁天）」を「ベテ」、「カイアンジ（海晏寺）」を「カアジ」、「ギンナン（銀杏）」を「ギナ」と迫めるのは、撥音音節を除いていることになる。海晏寺は、品川にある曹洞宗のお寺で、江戸時代には紅葉の名所として知られていた。「ゴンサイ（権妻）」は〈仮の妻〉。「フーリュー（風流）」を「フリュ」と迫め、（「芸妓」の発音を「ゲーギ」とみれば）「ゲーギ（芸妓）」を「ゲギ」と迫めるのは、長音を除いていることになる。「スッポンチ」を「スポチ」と迫めるのは、促音と撥音とを除いていることになる。

撥音、長音、促音は、それ自体では音節をつくることができないため、特殊音素と呼ばれるが、そうした特殊音素を除いていることはおもしろい。また、迫めたかたちが和歌、俳句の定型になるようにつくらなければならないので、つくるためには案外と工夫しなければならないと思われる。

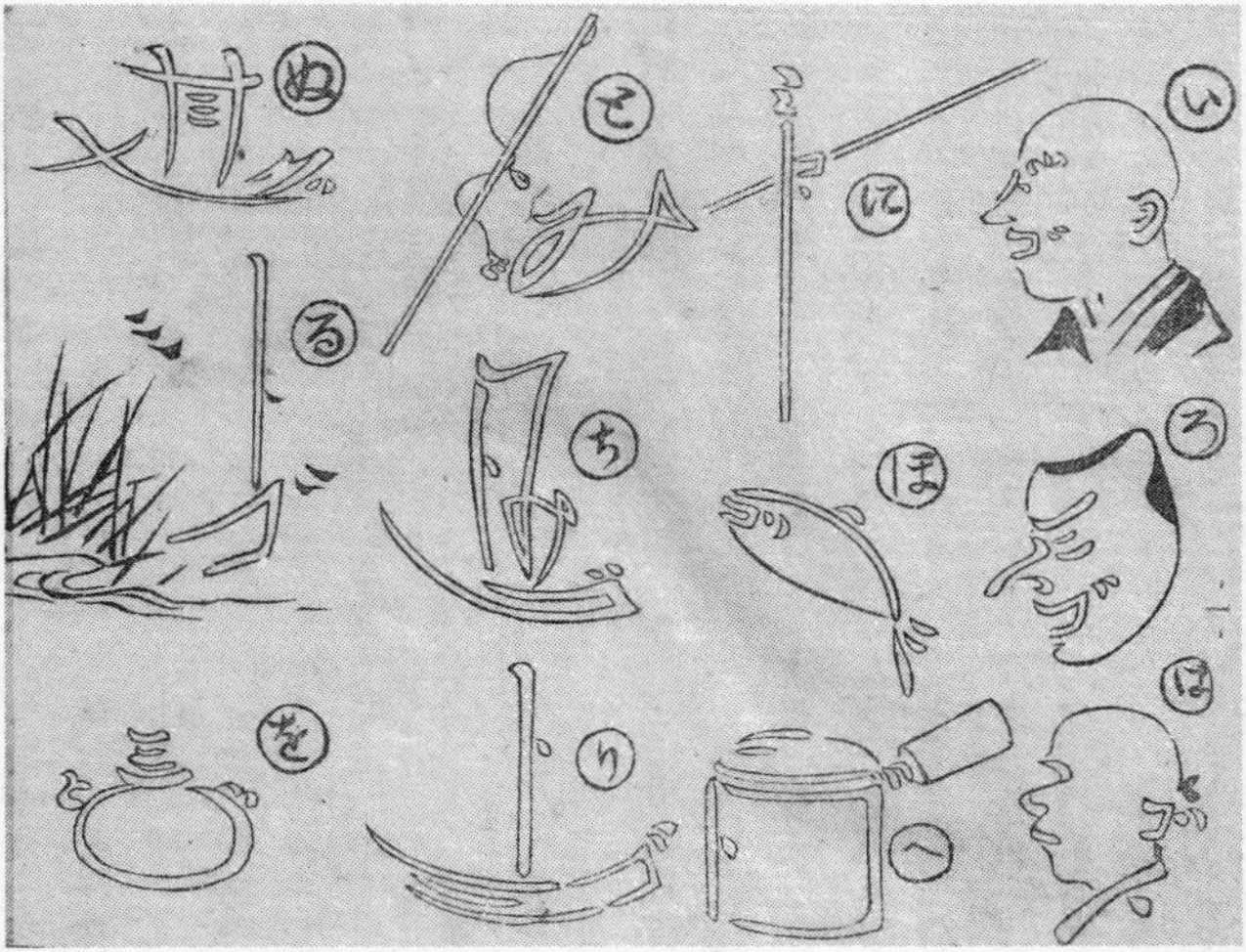

図42　『月とスツポンチ』文字絵

【文字絵】

文字によって絵を描く、あるいは絵の中に文字を潜ませるのが、「文字絵」であるが、これは古くからみられる。ここでは第五号に載せられている「文字絵」を紹介しておこう（図42）。「ミゴト（見事）」という語を「文字絵」として仕立てたもので、絵の右側にある「い」「ろ」「は」は別の欄に、誰の投稿かが示されている。「い」「ろ」「は」は人の顔に仕立てたもの。「に」はおそらく電信柱と電線で、明治期らしい。

【考え物】

第五号には次のような「考え物」が出題されている。

（イ）夕立にやっと社《やしろ》へ走り込み　東海道駅二
（ロ）借財の員数《いんず》調べて一つに仕《し》　鳥三
（ハ）生薪《なまゝき》は日当《ひなた》へ出せと差図《さしづ》をし　青物一
（ニ）里芋は一斗《と》の内で親七分《ぶ》　水滸伝人一
（ホ）逢《あい》たさに用無門《ようなきかど》を二度三度　魚三
（ヘ）諸々《いろ〳〵》の鳥を集めて放生会　東京の橋一
（ト）瓢箪の蔓なが〳〵と飴細工　青物二

「解」は第八号に掲載されているが、それによると（イ）は「宮」（尾張国）と「見附」（遠江国）。「ヤシロ（社）」を「ミヤ（宮）」とみて、宮を「見つけ」て走り込んだ体。（ロ）の解は「カリ（雁）」「タカ（鷹）」「ツバメ（燕）」。「ツバメ」は動詞「ツバム（ツバメル）」の連用形で、〈物事をとりまとめること、特に金銭をとりまとめて合算すること〉で、「借り高をつばめる」ということ。（ハ）は「カラシナ（芥子菜）」。生がわきの薪を日向に出して、「乾かしな」すなわち「からし（涸）な」。

（ニ）は親芋と子芋とのことについて、一斗中で親芋が七分を占めているといっているのだから、子芋（コイモ）が三分、で『水滸伝』の登場人物だから、「小三娘（コサンジョウ）」となる。『水滸伝』には好漢（＝英雄）が一〇八人登場する。現在ではコンピュータゲームもあるようだが、江戸時代には日本でも『水滸伝』を読むことが流行した。筆者も、現代語訳で『水滸伝』をいっしょうけんめい読んでいたことがあって、その時に、一〇八人を覚えようとして、しばらく覚えていた時期があった。今となってはほとんど忘れてしまっているが、一丈青扈三娘《いちじょうせいこさんじょう》（小三娘）は一二〇回本の第四十八回に登場する女性頭領で、印象が深い。ちなみにいえば、一〇八人の中に女性は、この「一丈星扈三娘」の他には「母《ぼ》大虫顧大嫂《だいちゅうこだいそう》」「母《ぼ》夜《や》叉孫二《しゃそんじ》娘《じょう》」の三人のみ。「大虫」は「虎」のこと。当然、江戸時代や明治時代の読者もある程度の登場人物の名前は知っていたと思われる。だからこそ、こうした「考え物」に採りあげられているのだろう。

（ホ）は先にも紹介した謎で、「いるかいないか」気になって門のあたりをうろうろするという体で、「イルカ（海豚）」「イナ（鯔）」「イカ（烏賊）」。（へ）はいろいろな鳥を放つのだから、「みんな飛ばしてしまう」つまり「皆飛ばし（ミナトバシ）」で、「湊橋」。（ト）は飴細工なので、吹くと飴が伸びる。つまり「フキノビル（吹き伸びる）」で、「フキ（蕗）」と「ノビル（野蒜）」。

『団々珍聞《まるまるちんぶん》』

『月とスッポンチ』にさきだって、明治十（一八七七）年三月二十四日から明治四十（一九〇七）年頃まで刊行されていた『団々珍聞』（「まるちん」と通称）という、滑稽諷刺雑誌がある。主宰者は野村文夫、編集には河野節造、横田房吉、田島象二、岩崎好正、福見尚賢などが名を連ねていた。『団々珍聞』も、諷刺文、狂詩、狂歌、川柳などを多く載せ、挿絵（漫画）を交えて、政治や社会風俗の批判的言辞を載せていた。政治では、藩閥政府や官員への批判、揶揄が多く、しばしば発行停止処分を受けていた。「社説」ではなく「茶説」であるところに『団々珍聞』の面目がよく現われている。

図43は『団々珍聞』第三十六号（一八七七年十一月二十四日発行）の記事である。明治期には内国博覧会が五回開かれているが、その第一回にあたる「内国勧業博覧会」が明治十年八月に内務省の主導で東京の上野公園で開かれた。記事題名の「内告宅覧会《ないこくたくらんくわい》」はその「内国博覧会」にかけたもの。「動物の続き」とあって、「ヘンシュウチョウ（編集鳥）」という鳥についての記事になっている。記事中に「上《かみ》は天子《てんし》より下庶人《しもしよじん》に至《いた》る迄《まで》の善悪《ぜんあく》を見出《みいだ》し鳴《なき》たてる故《ゆゑ》、籠《かご》に入れらるゝ事《こと》あり。然《しか》れども輓近《ちかごろ》は逃《にげ》やうが上手《じやうづ》になりて捕《とら》へらるゝこと甚少《はなはだすくな》し。常《つね》にタネ鳥《とり》を遣《つか》つて餌《あ》を運《はこ》ばするなり」（句読点を補った）とあって、「捕へらるゝこと」があったことを話題にしている。

「タネトリ（種取）」は明治期に、新聞や雑誌などの記事や雑報的な記事を取材して歩くこと、及びそういうことをする人をいった。図の下側では「タネ鳥」という題名で記事が書かれており、その中に「我国維新このかた漸々に繁殖す」とあり、「昼夜の分ちなく市中を虚漏《きよろ》々々《〱》眼おつたて耳にて聞くことと見ることを其長に告るなり」とある。また記事中には「投書蚊」という虫がいるともある。

記事がすべてこういう「調子」であるといういささか言い過ぎになるかもしれない

○内告宅覧會《ないこくたくらんくわい》　動物の續キ

新潟　井上甚一郎出品

○編集鳥《へんしふてう》

是《これ》ハ天狗《てんぐ》の卵《たまご》を山雀《やまがら》があたゝめて孵《かへ》し育てたる鳥なれバ藝能《げいのう》ちとハ有《あ》りて世界中《せかいぢう》の事なら知《し》らざるなく聞《きか》ざる無しなど、鳴《な》く其聲《そのこゑ》ハ螺《ほら》を吹《ふ》くに似《に》て鼻無上《はなむじやう》に高《たか》し又《また》上《あが》ハ天子《てんし》より下庶人《しもしよじん》に至《いた》る迄《まで》の善悪《ぜんあく》を見出《みいだ》し鳴《なき》たてる故籠《かご》に入《い》れらるゝ事《こと》あり然《しか》れども輓近《ちかごろ》ハ逃《にげ》やうが上手《じやうず》になりて捕《とら》へらるゝこと甚少《はなはだすくな》し常《つね》にタヌ鳥《どり》を遣《つか》つて餌《ゑ》を運《はこ》バするなり

○タヌ鳥　童庵幸二出品

「ポーウス國《こく》に現出《げんしゆつ》せしより開明《かいめい》の國《くに》にハ必棲《かならずせす》よし我國《わがくに》維新《いしん》のころ漸々《ぜん〳〵》に繁殖《はんしよく》す形《かたち》木兎《みゝづく》に似《に》て耳長《みゝなが》く口嘴《くちばし》鸚鵡《あふむ》に似《に》て人《ひと》の言《こと》ばをまね晝夜《ちう〳〵》の分《わか》ちなく市中《しちう》を虚漏々々《うろ〳〵》眼《まなこ》およそ耳《みゝ》まで聞《き》くと見《み》るとを其長《そのちやう》△に告《つぐ》るなり此鳥《このとり》上《かみ》ハ煉化屋《れんぐわや》に住《す》み下《しも》ハ裏屋《うらや》に住《す》む是《これ》を飼《か》ふハ鳥の上下に依《よ》るといへども多《おほ》く金貨《きんくわ》十圓《ゑん》内外《ないぐわい》を一《いつ》ヶ月《げつ》の價《あたひ》とす又投書蚊《とうしよか》といふ虫《むし》いで、折々《をり〳〵》餌《ゑ》の助《たすけ》をなす（投書蚊ハ後の出品）此處《こゝ》に圖《づ》するハ掛枝《けいし》へ集《あつま》りし体《てい》なり

図43　『団々珍聞』

が、おおむねはこのような調子といえよう。徹頭徹尾、滑稽諷刺といってよい。
さて、次にはこれまでにみられなかったことばあそびを採りあげて紹介してみよう。第三十五号（一八七七年十一月十七日）に「同音異類」という記事がある。振仮名は必要なもののみを残し、その他は省いた。

同音異類

新聞紙は　自己流　どんで　飯喰人《めしくふ》
新文詩は　風流　鈍で　喰兼る人《くひかね》
盆栽《ぼんさい》は　床上《しやうじやう》　蒸気船は　航海
梵妻は　掌中《しやうちう》　上喜撰は　商会

「シンブン（新文）」は〈新しい（文体の）文章〉という語義であるので、「シンブンシ（新文詩）」は「シンタイシ（新体詩）」と同義かと思われる。いずれにしても、「シンブンシ」と発音する異なる二語を並べ、それぞれを、似た発音をする語で説明するのが、この「同音異類」であろう。「ドン」は〈正午を知らせるために鳴らした空砲〉のことで、その「ドン」が鳴ったら昼ご飯を食べる人がいる一方で、「ドン（鈍）で」＝〈鈍くて〉喰っていけない人がいるという仕立て。「梵妻」は〈僧侶の妻〉のこと。「盆栽」

は床の間に飾ってあるが、「梵妻」は手の内にあるということだろうか。「上喜撰」は緑茶の銘柄なので、「商会」。

漢語地口

なんと第二十七号（一八七七年九月二十二日）の「雑録」欄には「漢語地口」なるものが載せられている。次に示してみよう。発音したものを片仮名書き現代仮名遣いで下に添える。右が「本文」で左が地口。

1　霜露既降木葉尽脱　ソウロスデニクダッテモクヨウコトゴトクダッス
暴徒甚弱賊将国本脱　ボウトヒドクヨワリテゾクショウクニモトニダッス

2　有客無酒有酒無肴　カクアレドモサケナシサケアレドモサカナナシ
有賊無策有策無金　ゾクアレドモサクナシサクアレドモカネナシ

3　月白風清如此良夜何　ツキシロクカゼキヨシコノリョウヤヲイカン
敵強糧尽如此用意何　テキツヨクカテツキテコノヨウイヲイカン

4　顧安所得酒乎　オモウニイズクンゾサケヲウルトコロアランヤ
顧安所得助乎　オモウニイズクンゾスケヲウルトコロアランヤ

5　有斗酒蔵之久矣　トシュアリコレヲオサムルヒサシ
有土州押腰久矣　トシュウアリコシヲオスコトヒサシ

6　画然長嘯草木震動　カクゼンチョウショウスレバソウモクシンドウス
　突然嘯集兇悪煽動　トツゼンショウシュウスレバキョウアクセンドウス
7　時夜将半四顧寂寥　トキニヨマサニナカバナラントスシコセキリョウタリ
　時年将半紙庫寂寥　トキニトシマサニナカバナラントスシコセキリョウタリ
8　翅如車輪掠予舟而西　ツバサシャリンノゴトシヨガフネヲカスメテニシス
　巡査飛火輪発横浜西　ジュンサカリンヲトバシヨコハマヲハッシテニシス
9　開戸視之不見其処　コヲヒライテコレヲミレバソノトコロヲミズ
　開庫視金不見其残　コヲヒライテカネヲミレバソノノコリヲミズ

1の「霜露既降木葉尽脱」から9の「開戸視之不見其処」まですべて、蘇軾の「後赤壁賦」の一節にあたるので、その「地口」ということになる。「本文」が何に由来しているかがわからないと、あまりおもしろくないし、よく知っているフレーズの「地口」だからこそおもしろいのだから、蘇軾の「後赤壁賦」はある程度知られていたと推測できる。このあたりが、現代において、明治を「見積もる」時に、もっとも見積もり損なうあるいは見積もりにくいところではないだろうか。7の「紙庫（シコ）」は『大漢和辞典』にも『日本国語大辞典』第二版にも載せられていない語であるが、紙の庫、すなわち紙幣の庫ということで、「紙庫寂寥」は「手許不如意」ということであろう。8の「火輪」は「カリンシャ（火輪車）」（＝汽車）のこと。石炭をたいて蒸気をつくり、その蒸気で車輪を動かすことから汽車を「カリン（シャ）（火輪車）」と呼んだ。「なんと」という表現を使ったが、それは「漢詩文」が身近なものではなくなっている現代日本語使用者の「感覚」かもしれない。先に『少年園』への投書をうけて、明治二十二年八月には『少年文庫』が『少年園』とは別に発行されるようになり、明治二十八年八月からは『少年文庫』は『文庫』と改題されて、文芸誌となっていった」と述べたが、その『少年文庫』をみると、「小記者」という欄があり、そこで「懸賞文披露」が行なわれ、さらには投稿された論説文、新体詩、和歌などとともに詩が載せられている。詩は七言絶句が中心であるが、中には七言律詩もある。図44は『少年文庫』第四巻第十四号（一八九〇年十一月発行）の表紙であるが、表紙下部に「懸賞小説」と大きく印刷されている。

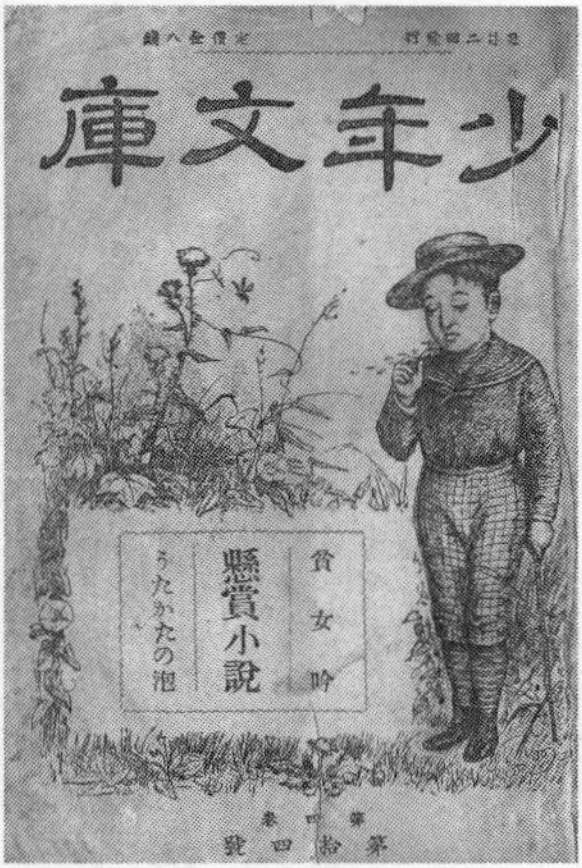

図44　『少年文庫』表紙

この『少年文庫』にも「滑稽小話」「謎画」「英語一口噺」「画探し」「考へ物」などが載せられている。この第十四号には第十二号の「考へ物答案」が載せられているので、そのように、二号程度遅れて、答えを発表していたものと思われる。

少年園が発行所となって、さまざま

な書物が出版されている。『成業立身録』や『海国偉人伝』『東京遊学案内』『本朝立志談』などは、いわば「少年らしい」書物といえよう。そうした書物とともに、『[中学／程度]作文大成』といった「作文」指南書や、『詩学捷径』といった作詩（漢詩をつくる）のための書物も出版されている。

『詩学捷径』は明治二十八（一八九五）年六月に印刷され、その九月には再版がだされ、翌二十九年十月には第四版がだされるにいたっており、ある程度の「需要」があったことが推測される。第一篇は「作詩心得」、第二篇は「韻字箋」、第三篇は「作詩便覧」、第四篇は「通用文字」と篇分けがされている。第三篇では、「新年試筆」「祝開校（開校を祝す）」「春雨」などと詩題が示され、その詩題で使われそうな熟語が平仄とともに示されており、具体的、実際的な作詩のハンドブックといってよい。こうした書物によって、『少年園』の読者たちが作詩を学んでいたと思われる。

百人一首戯解

「漢語地口」についで、『団々珍聞』第二十七号には「百人一首戯解《ぎげ》」なる記事が載せられている。採りあげられている和歌は、「つくはねの峯よりおつるみなの川こひそつもりて淵となりぬる」という陽成院の作だ。この和歌をあげてから次のような記事が続く。句読点を適宜補った。

○つくばねは水茶屋《みづちやや》の名《な》　○峰《みね》はその茶屋《ちやや》の雇《やと》ひ女《をんな》
○おつるは娘《むすめ》なり　○こひそはおつるの姉《あね》ぶん
○ぶちのふは濁《にご》りてぶちと読方宜《よむかたよろ》しぶちは不知《ぶち》にて不知顔《しらずがほ》に過《すぐ》るの通言《つうげん》
○歌《うた》の心《こゝろ》は筑波根《つくばね》といふ水茶屋《みづちやや》で雇《やと》ひ女《をんな》の峰《みね》と娘《むすめ》のおつるとが死《し》し、峰《みね》よりおつるは家《いへ》の娘《むすめ》のこと故《ゆゑ》、三七日《みなのか》の法事《はふじ》をせねばならぬとの事《こと》を、つくばねの峰《みね》よりお鶴《つる》に高《たか》く附《つく》のて、三七日《みなのか》は、と言《い》ひ出《い》で、偖《さて》その三七日《みなのか》の料理《れうり》のこん立《だて》をこひそが積《つも》つて見《み》たら余《あま》り不知顔《しらずがほ》のぶちとなつて仕舞《しまひ》しを、こひそ積《つも》りてぶちとなりけるとは詠《よみ》しなり。此頃《このころ》も諸色《しよしき》は高直《かうぢき》なりしと思《おも》はる。峰《みね》とおつるの墓《はか》は陽成院《やうぜいいん》に在《あ》りと云《い》ふ。

「なんだこれは？」という感じがするかもしれない。こういう「戯解」をつくっていたのが明治なのだ、といっても何も説明したことにはならないが、こういうことは現代ではあまりしないように思う。そういう「感覚」だって大事といえば大事だと考える。

都々逸

「どどいつ（都々逸）」は江戸時代後期頃から江戸を中心にひろまった俗曲で、七七七五を標準的なかたちとする。『団々珍聞』にも「時局」を詠み込んださまざまな都々逸が載せられているが、第三十号に載せられている「母音ド、一」と第三十一号に載せられている「首尾母音ド、一」とを紹介しておこう。都々逸の題を下部に記した。

母音ド、一

アふてはなせば気もすむべきにいきなりどん〳〵摑みあひ　賊徒熊本城を囲む
イのちしらずにいきぢを立て丶のこる妻子《つまこ》をなんとする　田原坂之大血戦
ウわきながらもけなげな出だちわけをさとしてかへしたい　女兵隊《じよへいたい》
エ手に帆あげて乗出《のりで》た船よ櫓櫂《ろかじ》おれても引はせぬ　賊徒日向に転戦都の城に拠る
ヲまへおもふてす丶めた手くだとげぬあかつきやしぬるまで　鹿児島再乱賊死を決す

首尾母音ド、一

アきれた騒をでかしたおぬしそれが開化であろかまァ　西郷隆盛
イろのいの字が筆とる始め教《おしへ》ぬ色じやと言《いは》りよかィ　学齢外生徒
ウそとまことで固めた世界テレン手管《てくだ》も何《なん》としやゥ　内外貿易
ABC《エビシ》覚へて物の理きはめ開化するのもおぬしゅェ　外国教師
ヲまへ独《ひと》りを死《しな》しておかぬさせてください後殿《しんがり》ヲ　賊徒の妻

『団々珍聞』からのスピンオフ

『団々珍聞』に載せられたさまざまな作品を集めた『四季花揃珍々集《ちんくしう》』という袖珍本（文庫よりもさらに小さなサイズの本）が団々社から刊行されている。初編は明治十二（一八七九）年に刊行されており、第十一集までの出版は確認できる。筆者は第八集を所持しているが、これは明治十五（一八八二）年に出版されている。書名について、「山手さる彦」なる人物による序様の文章中には「此ちんや沈重珍宝のちんにして団珍中より抜萃《ヌキイテ》たる珍の珍なるものなり」とある。

「本文」は「狂詩之部」「狂歌之部」「都々逸之部」「狂句之部」に分かれている。これらは「戯作」であって、ことばあそびそのものではないともいえるが、狂詩、狂歌、狂句の「狂」は結局は標準的ではない、つまり非標準的ということで、その「非標準的」は、例えば、従来の漢詩や和歌、俳諧では採りあげない「ことがら」を採りあげるという意味合いでの「非標準」であったり、その文芸においては、従来使わないことになっている「語」を使うという意味合いでの「非標準」であったりする。「従来使わないことになっている語」あるいは表現を使う場合は、ことばあそびに限りなく接近してくるし、漢詩、和歌、俳諧が言語を使った文芸である以上、「ことがら」を表現しているのは言語であり、これらの「狂」作品のすぐ隣にはことばあそび、あるいはことばあそびを支える「精神」があるといってよい。少しだけ作品を紹介しておこう。「狂詩之部」

からは「新聞雑誌」という題名の作品を、「狂歌之部」「都々逸之部」「狂句之部」からは題材が明治期らしいものを幾つか選ぶことにしよう。振仮名は適宜省いた。

狂詩之部

新聞雑誌

新聞雑誌多種類。日報々知追々嗣。倦見国会開設論。厭読財政困難字。如斯陳文吾不望。唯喜滑稽面白記。若欲学頤外術、東京神田有団驤。（新聞雑誌、種類多し。日報、報知追々に嗣ぐ。見るを倦く、国会開設の論、読むを厭う、財政困難の字。斯《か》くの如き陳文、吾望まず。唯喜《たのし》む、滑稽の面白記《おもしろき》。若《も》し頤外《あごはづれ》の術を学ばんと欲すれば、東京神田に団驤有り）

狂歌之部

三味線《さみせん》のペン〳〵草も雑《まじ》りけり二町堤のたんぽゝの花
原案と医者に能《よく》にた名を附て府会《ふくわい》の脈をさぐる論場《ろんじやう》
口に戸は鎖《さゝれ》ず迚《とて》も今の世は動かす舌におもき錠鈴《ぢやうれい》
心なき身にも旨《うま》さは知《しら》れ鳧鳴《けりしぎ》やきて食ふ秋の夕飯《ゆふめし》
○珍《まるちん》に顋《あご》の掛《かけ》がね外《はづ》すのも鎖《とざゝ》ぬ御代《みよ》の余沢《よたく》也けり

都々逸之部

店にや親指おくには小指外にや人差し指が居《ゐ》る

鬼に鉄棒《かなぼう》は地獄の規則娑婆ぢや巡査に樫の棒

新聞紙迄に出されたからは状《ふみ》も端書《はがき》へ書いて遣《や》る

私《わた》しやお伝馬《てんば》お前はのろ馬《ま》能《よく》もそろつたはね仲間

をしい処は次号へのばし客を引きずる続きもの

蕣《あさがほ》に釣瓶《つるべ》取《とら》れず己《おれ》や密夫《まをとこ》に嚊《かゝ》を取《とら》れてもらひちゝ

浮名《うきな》立てさせ今さら逃《にげ》りや名誉回ふく出訴《しゆつそ》する

惚《ほれ》た思ひがエレキで通じ主《ぬし》をかへさぬ今朝の雨

まゝになるなら博覧会へ主《ぬし》の手くだを並べ度《た》い

丸い様でも弄《なぶ》られものにされちや脹《ふくれ》るゴム手鞠

狂句之部

五月雨《さみだれ》を六月雨《ろくがつだれ》とやうれき家《か》

頼朝も今なら鶴にペラをつけ

毛《け》唐人《たうじん》かへり点ある寝語《ねごと》言ひ

与《よ》ろんの沸騰《ふつとう》官海《くわんかい》になみを立《たて》

西洋人《たうじん》の縁ぐみ出雲協議をし

書生部屋字引枕をけんたいし
ドンよりも証拠《しやうこ》正午《ひる》には腹が減《へり》
蒸滊《じようき》の発明世間ぢう瓦徳《わつと》誉め

狂詩では、「オモシロキ」に「面白記」という漢字列をあてている。「団驥」は『団々珍聞』と『驥尾団子《きびだんご》』のことであろう。他には「横浜夜歩」「写真師」「小学教員」という題名の作品などもある。

狂歌の「ペンペングサ」はナズナのこと。「ゲンアン（玄庵）」は医者の名前にありそうであるが、それと「ゲンアン（原案）」とをかけ、議論、討論をする「論場」では「府会」（＝府にかかわることがらについての議決機関）の出方を探るという。あるいは「府会」と「不快」とがかけてあるか。明治期は多くの条例がだされているが、その条例と「錠鈴」とをかけている。『日本国語大辞典』第二版は「錠鈴（ジョウレイ）」を見出し項目としていないので、あるいはこれは造った語か。次は「心なき身にもあはれは知られけり鴫立沢の秋の夕暮れ」という『新古今和歌集』に収められた西行の和歌をもじったもの。「○珍《まるちん》」は『団々珍聞（まるまるちんぶん）』の略称。

都々逸作品については、説明を省くことにする。

狂句の「やうれき家」は「ヨウレキカ（洋暦家）」。明治政府は明治五年十一月九日（西暦では一八七二年十二月九日にあたる）に改暦詔書をだし、明治五年十二月三日をもって、明治六（一八七三）年一月一日とし、太陰暦から太陽暦への切り替えを行なった。それによって、旧暦（太陰暦）と新暦（太陽暦）との間ではほぼ一ヶ月の「ずれ」が生じたことを「六月雨」と表現している。次は、頼朝が上洛にあたって、千羽の鶴の足に金色の短冊をつけて放したという言い伝えがあり、それをふまえ、今なら金色の短冊ではなくて「ペラ」をつけただろうという句。「ペラ」は紙幣のこと。「ペラサツ（札）」という語もあった。四句目の「官海」は「官界」（＝官吏の世界）とかけているのだが、この「官海」という語も使われていた。六句目、幕末から明治初期にかけて出版されていた英和辞書などは厚冊で、『英和対訳袖珍辞書』は実際に「枕辞書」と呼ばれることもあったとされている。七句目の「ドンよりも証拠」は改めていうまでもないが、「論より証拠」の「地口」になっている。次の「瓦徳《わっと》」は蒸気機関を発明したジェームズ・ワットのことで、そのワットと副詞の「ワット」とをかけている。

『珍々集』は『支那ころし珍々集』（鉄拳散史、一八九五年、中島至誠堂）というさらなるスピンオフをうんでいる。「序」の末尾には「時《とき》に明治廿八年二月威《い》海衛《かいゑい》占領《せんりやう》の号外《ごうがい》を見《み》ながら」とある。明治二十八年の二月十二日には、威海衛の清国北洋艦隊が降伏し、司令長官の丁汝昌は自決している。三月十九日には講和の全権として李鴻章が来日し、翌二十日には下関の春帆楼で日清講和交渉が始まる。そういう時期だ。佐谷眞木人『日清戦争』（二〇〇九年、講談社現代新書）によれば、当時、「支那分捕《ぶんどり》しやぼん」という名の石鹸が売られたり、「皇国大勝利」「支那ころし」「百戦百勝」といった銘のつけられた日本酒があったという。煙草では「金鵄《きんし》煙草」「凱旋煙草」、お菓子に「凱旋印」のビスケット、「支那微塵」という砂糖菓子や「日の本」という懐中汁粉などが発売されていたことが指摘されている。書名は日本酒の銘から採られた可能性があるか。都々逸を少しだけあげておこう。

又もどん〳〵開ゐた戦争《いくさ》はやく勝利を菊の旗
進む戦争心の駒も勇み立つたる人ばかり

日本語にしても、日本文化にしても、まず過去にどうであったかを冷静に観察する必要がある。そこから何を得るかは観察者の（心の）ありかたによると考えるが、まずは冷静に、あるいは「客観的に」とらえることが求められる。

筆者が所持している縦十二・二センチメートル、横八・五センチメートルほどの小冊子がある。三冊を同時に入手したが、一冊の表紙には「花鳥み立くらへ」とあり、他の二冊の表紙には「花とり見立競」と直に書かれているので、「花鳥見立てくらべ」という書名と考えるのがよいだろう。ところが、『補訂版国書総目録』には「はなとりみたてくらべ」も「かちょうみたてくらべ」も載せられておらず、これらの小冊子は何らかのテキストの写本ではない可能性もある。ある一冊の末尾には「高等貳學年生　齋藤シヅヱ」と鉛筆で書かれており、また「本文」の筆致も幼さを感じさせるところからすれば、この一冊は齋藤シヅヱが書いたものであると考えるのが自然であろう。

図45でわかるように、紙面をほぼ半分に上下に分け、下半分には、植物名、鳥名を記し、上半分には五七五の俳句（川柳）が記されている。図の上半分には「りこふ章いつも見こみをはづれがち」とある。「りこふ章」は「李鴻章」のことと思われる。別のページには「定遠は我がほうだんにやかれたり」とあり、この「定遠」は、清国の主力艦で、威海衛の戦いで損傷し、自沈した。他の一冊は図45とまったく同じページがあり、さらに他の一冊は「李こふ章いつも見こみかはずれがち」と書き、下段には少し異なる花鳥名が書かれている。三冊とも筆致が異なるので、すべて齋藤シヅヱが書いたものではなさそうで、学校教育の中でつくられたもののようにも思われる。どのような過程を経てこれらの小冊子がつくられたかは不分明ではあるが、『支那ころし珍々集』と同じような「気分」が日本の津々浦々を覆っていたことが推測される。

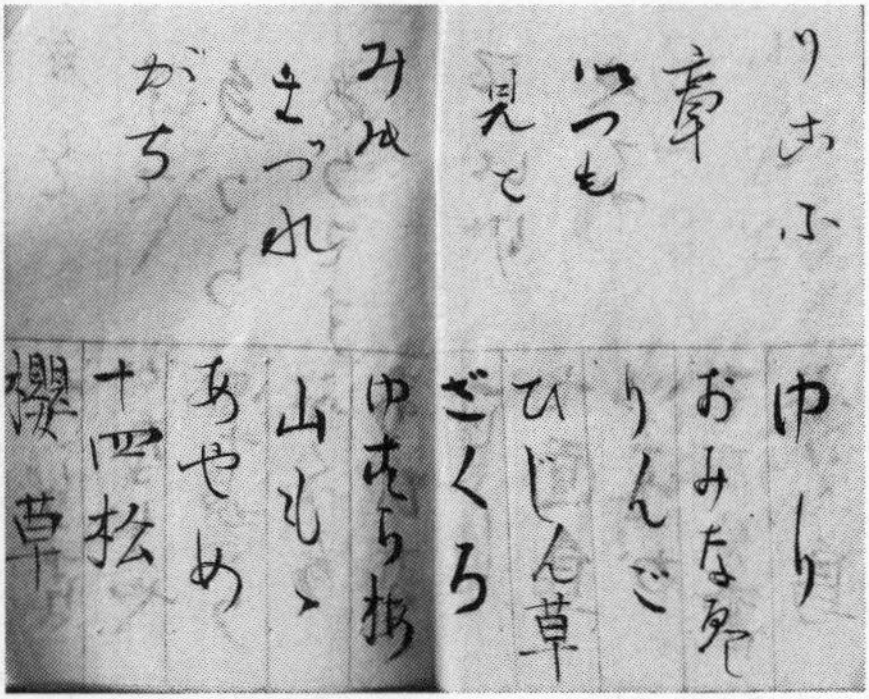

図45　「花鳥見立競」

英語とかかわることばあそび

先に紹介した「母音ド、一」は母音（アイウエオ）で始まるもの、「首尾母音ド、一」は母音を沓冠にしたものである。「オ」にあたるところに両者とも「ヲ」が使われている。「オマエ」という語に「ヲ」を使わなければならないことはないはずで、「アイウエヲ」という意識があったか。第三十号は明治十年十月二十日に発行されているが、この年はいわゆる「西南戦争」が起こった年で、右の都々逸もそうしたことに取材したものが多い。

『団々珍聞』には「JAPANESE AND ENGLISH」というページがあり、そこに「Punch's puzzle box」という欄が設けられ、その欄内は「Puzzles」「Transpositions」「Conundrums」（図ではCunundrumsと誤植されている）とに分けられている。第三十二号のページを図46として示したが、図でわかるように、左側に英語が横書きで印刷され、右側には、その「対訳」が縦書きで印刷されている。文字は小さくなってしまっているが、ページのレイアウトはわかるだろう。「横書きする英語と縦書きする日本語とを同じページ内に印刷する」ということは、英和辞書、和英辞書における「課題」でもあった。あるいはさらに江戸時代にまで遡れば、オランダ語と日本語との対訳辞書における「課題」ということになる。これは日本語の「書字方向」にかかわることがらであるが、このことについては屋名池誠『横書き登場』（二〇〇三年、岩波新書）が好著である。同

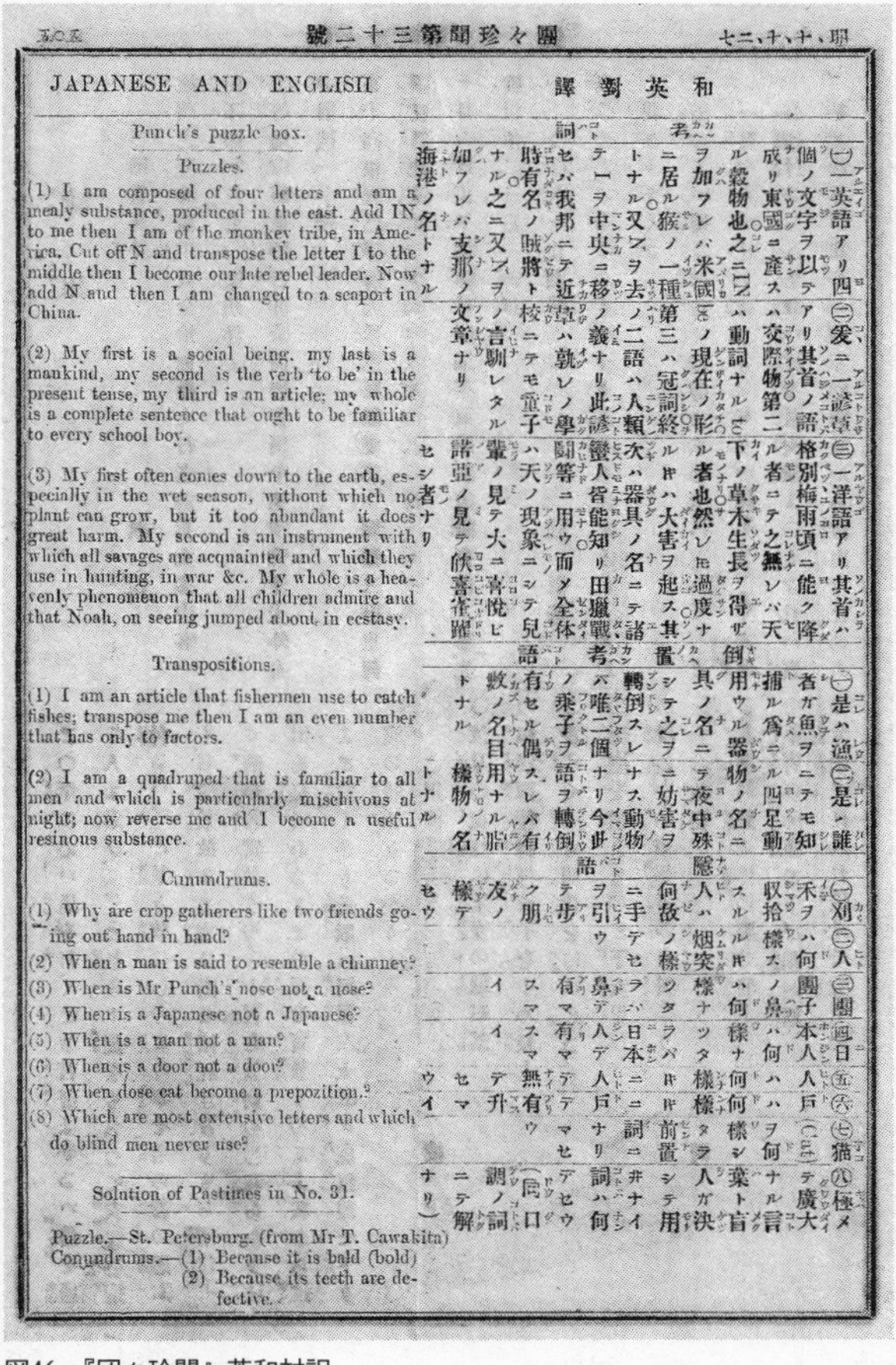

明、十、十、二七　團々珍聞第三十二號　三〇五

JAPANESE AND ENGLISH　和英對譯

Punch's puzzle box.

Puzzles.

(1) I am composed of four letters and am a mealy substance, produced in the east. Add IN to me then I am of the monkey tribe, in America. Cut off N and transpose the letter I to the middle then I become our late rebel leader. Now add N and then I am changed to a seaport in China.

(2) My first is a social being. my last is a mankind, my second is the verb 'to be' in the present tense, my third is an article; my whole is a complete sentence that ought to be familiar to every school boy.

(3) My first often comes down to the earth, especially in the wet season, without which no plant can grow, but it too abundant it does great harm. My second is an instrument with which all savages are acquainted and which they use in hunting, in war &c. My whole is a heavenly phenomenon that all children admire and that Noah, on seeing jumped about in ecstasy.

Transpositions.

(1) I am an article that fishermen use to catch fishes; transpose me then I am an even number that has only to factors.

(2) I am a quadruped that is familiar to all men and which is particularly mischivous at night; now reverse me and I become a useful resinous substance.

Conundrums.

(1) Why are crop gatherers like two friends going out hand in hand?

(2) When a man is said to resemble a chimney?

(3) When is Mr Punch's nose not a nose?

(4) When is a Japanese not a Japanese?

(5) When is a man not a man?

(6) When is a door not a door?

(7) When dose cat become a prepozition.?

(8) Which are most extensive letters and which do blind men never use?

Solution of Pastimes in No. 31.

Puzzle.—St. Petersburg. (from Mr T. Cawakita)
Conundrums.—(1) Because it is bald (bold)
(2) Because its teeth are defective.

考《カンガヘ》詞《コトバ》

㈠一英語アリ四個ノ文字ヲ以テ成リ東國ニ産スル穀物也之ニINヲ加フレバ米國ニ居ル猴ノ一種トナル又Nヲ去テIヲ中央ニ移セバ我邦ニテ近時有名ノ賊將トナル之ニ又Nヲ加フレバ支那ノ海港ノ名トナル

㈡爰ニ一諺アリ其首ノ語ハ交際物第二ハ動詞ナルbeノ現在ノ形第三ハ冠詞終ノ二語ハ人類ノ義ナリ此諺ハ孰レノ學校ニテモ童子ノ言馴レタル文章ナリ

㈢一洋語アリ其首ハ格別梅雨頃ニ能ク降ル者ニテ之無レバ天下ノ草木生長ヲ得ザル者也然レド過度ナルトキハ大害ヲ起ス其次ハ器具ノ名ニテ諸蠻人皆能知リ田獵戰、鬪等ニ用ウ而メ全体ハ天ノ現象ニシテ兒輩ノ見テ大ニ喜悦ビ諾亞ノ見テ欣喜雀躍セシ者ナリ

倒《サカ》置《ヘ》考《カンガヘ》語《コトバ》

㈠是ハ漁者ガ魚ヲ捕ル爲ニ用ウル器具ノ名ニシテ之ヲ轉倒スレバ唯二個ノ乘子ヲ有セル偶數ノ名目トナル

㈡是ハ誰レモ知ル四足動物ノ名ニテ夜中殊ニ妨害ヲナス動物ナリ今語ヲ轉倒スレバ有用ナル脂樣物ノ名トナル

隱《ナゾ》語《コトバ》

㈠刈禾ヲ收拾スル人ハ何故ニ手ヲ引テ歩ク朋友ノ樣デセウ

㈡人ハ何樣スルト烟突ノ樣デセウ

㈢團團子ノ鼻ハ何樣ナツタラ鼻デ有マスマイ

㈣日本人ハ何樣ナツタラバ日本人デ有マスマイ

㈤人ハ何樣ドニ人デ無テセウ

㈥戶ハ何樣ドニ戶デ有升マイ

㈦猫(Cat)ヲ何樣シタラ前置詞ニナリマセウ

㈧極メテ廣大ナル言葉ト盲人ガ決シテ用井ナイ詞ハ何デセウ(同口調ノ詞ニテ解ナリ)

図46　『団々珍聞』英和対訳

書によれば、公刊された、「押しも押されもせぬ日本語の自立した左横書き」（六十一頁）としては明治四年十月に出版された英和辞典『浅解英和字林』が最初の例であるという。

日本語を縦書きして英語と「同居」させるという『団々珍聞』のやりかたは、江戸時代、寛政八（一七九六）年に成った蘭和辞書『波留麻和解《はるまわげ》』（江戸ハルマとも呼ばれた）、その簡約版ともいうべき、文化七（一八一〇）年刊『訳鍵』など、あるいは元治元（一八六四）年刊、村上英俊『仏語明要』などで採られているやりかたで、江戸時代風ともいえる。「日本語縦書き」の後には、日本語を「横転縦書き」するやりかたがうまれ、例えば明治六年に出版された『附音挿図英和字彙』は語釈を「横転縦書き」している。

さて話を戻そう。図であるいはわかるかもしれないが「Puzzles」は「考詞《カンカヘコトハ》」、「Transpositions」は「倒置考語《オキカヘノカンカヘコトバ》」、「Conundrums」は「隠語《ナゾコトバ》」と訳されている。「Transpositions」は置き換え、入れ替えのことで、「Conundrums」は答えに語呂合わせや地口を用いる謎のこと。それぞれ一問ずつみてみることにしよう。

「Puzzles」の（1）には次のようにある。日本語を適宜句読点、鉤括弧を施して示す。

一英語《アルエイゴ》アリ。四個《ヨツ》ノ文字《モジ》ヲ以《モッ》テ成《ナ》リ、東国《トウゴク》ニ産《サン》スル穀物也。之《コレ》ニ「IN」ヲ加《クハ》フレバ米国《アメリカ》ニ居ル猴《サル》ノ一種《イッシュ》トナル。又「N」ヲ去《サツ》テ「I」ヲ中央《マンナカ》ニ移《ウツ》セバ我邦ニテ近《チカ》時有名《ゴロナダカキ》ノ賊将《ゾクセウ》トナル。之ニ又「N」ヲ加《クハ》フレバ支那《シナ》ノ海港《ミナト》ノ名《ナ》トナル。

「Solutions」（解答）は次号（第三十三号）に載せられているが、それによれば、この「一英語《アルエイゴ》」とは「Sago」（＝サゴ椰子からとる澱粉、またはサゴヤシ）で、「IN」を加えると「Sagoin」（＝キヌザル）、まんなかに「I」を入れると「Saigo」（＝西郷）、これにさらに「N」を加えると「Saigon」（＝サイゴン）となる。

「Transpositions」の（2）には次のようにある。

是《コレ》ハ誰《タレ》ニテモ知《シレ》ル四足《ヨツアシ》動物ノ名《ナ》ニテ夜《ヨル》中殊《コト》ニ妨害《サマタゲ》ヲナス動物《モノ》ナリ。今《イマ》、此語《コノコトバ》ヲ転《テン》倒《ドウ》スレバ、有用《イウヤウ》ナル脂様物《ヤニノヤウナモノ》ノ名《ナ》トナル。

第三十三号に載せられている解答は「Bat」と「Tar」であるが、これはおかしい。「Bat」と「Tar」はそもそも倒置語となっていない。「有用《イウヤウ》ナル脂様物《ヤニノヤウナモノ》ノ名《ナ》」は「Tar」であろうから、そうすると「Rat」（＝ネズミ）と「Tar」（＝タール）という組み合わせであるはずだ。

「Conundrums」の（7）には次のようにある。

猫《ネコ》（Cat）ヲ何様《ドウ》シタラ前置詞《ゼンチシ》ニナリマセウ。

これは簡単で、「Cat」の「C」をはずせば前置詞「at」になる。答えの英文は「When we cut off his head.」（頭を切った時）とある。

こうした英語の謎もたわいないといえばもちろんたわいない。しかし、明治という時代を知るにはいい例であるともいえよう。「漢語地口」があって、英語の謎もある。「和漢」があって、「英」がある。明治二十一年に刊行された、高橋五郎が編んだ国語辞書は「漢英対照」を角書きにした『いろは辞典』だった。その翌年には、この『漢英対照いろは辞典』をもとにして『和漢雅俗いろは辞典』が刊行された。角書きは「漢英対照」から「和漢雅俗」に変わり、辞書としての「内容」ももちろん変わった。ここにみられる「漢英」や「和漢雅俗」は明治の日本の社会のありかた、文化のありかた、日本語のありかたを示唆しているようにみえる。雑誌という媒体は、「雑」であるゆえに、かえって、その時代のありかたをバランスよく示しているともいえる。

さて、『団々珍聞』は戯作諷刺雑誌として始まったが、次第に戯作の占める割合が増えてきて、明治十一年三月十六日発行の第五十二号から、戯作欄が「付録」として独立するようになった。その「付録」がさらに発展して、明治十一年十月九日には戯作雑誌として『驥尾団子』が発刊するに至った。『驥尾団子』は明治十六年五月九日まで、二三五冊が発行された。『驥尾団子』は戯作に徹しているともいえ、さまざまな記事がみられる。

ドーデーモ英和字彙

明治六年に『附音挿図英和字彙』が刊行された。この辞書は明治十五年には「増補訂正」を謳う第二版が出版され、その第二版の再版が明治二十（一八八七）年に刊行されており、その都度、辞書としてのレイアウトが変わるものの、出版が続けられた辞書といってよい。その「エイワジイ（英和字彙）」という書名にかけた「ドーデーモエイワジイ」という記事が『驥尾団子』に載せられている。図47は第一八九号（一八八二年六

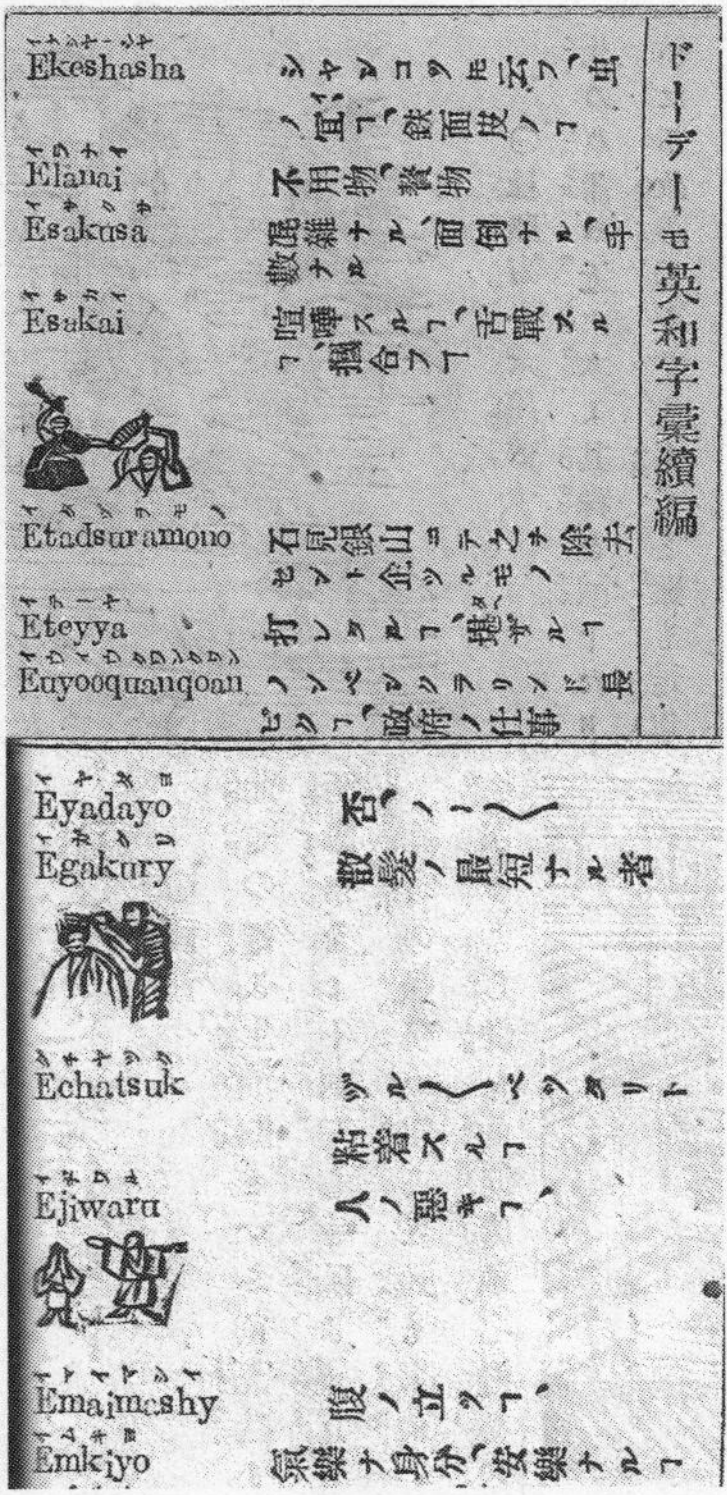

図47　『ドーデーモ英和字彙続編』

月十四日発行）に載せられている「続編」である。

ここでは日本語は「横転縦書き」で印刷されており、『団々珍聞』よりもいわば進んだかたちが採られている。アルファベットを除いて、記事を整理してみよう。

1　イケシヤーシヤ　シヤンコツトモ云フ、虫ノ宜《イヽ》コト、鉄面皮ノコト
2　イラナイ　不用物、贅物
3　イサクサ　混雑ナル、面倒ナル、手数ナル
4　イサカイ　喧嘩スルコト、舌戦スルコト、摑合フコト
5　イタヅラモノ　石見銀山ニテ之ヲ除去セント企ツルモノ
6　イテーヤ　打レタルコト、堪《タヘ》ザルコト
7　イウイウクワンクワン　ノンベンタラリント長ビクコト、政府ノ仕事
8　イヤダヨ　否、ノー〳〵
9　イガグリ　散髪ノ最短ナル者
10　グチヤツク　ヅル〳〵ベツタリト粘着スルコト
11　イヂワル　人ノ悪キコト、
12　イマイマシイ　腹ノ立ツコト、
13　イムキヨ　気楽ナ身分、安楽ナルコト

10にははっきりと「グチヤック」とあるが、他の項目からすれば、「イチヤック」とあるべきであろう。アルファベットからすれば、右は「E」の部ということになるだろうが、日本語としては、「イ」から始まる語である。「ドーデーモ英和字彙」という欄において日本語の「イ」を「E」によって書いているということを「ローマ字の綴り方」という枠組みの中で正面から話題にできるかどうかということをまず考えなければならないが、今それは措くことにする。措くことにはするが、おそらくここでのアルファベットは英語の綴りらしさを何程か考慮していると思われる。それは例えば、10「グチヤック（イチヤック）」において「Echatsuk」と書いていることから推測できる。末尾の「ク」を例えば「ku」と書くこともできるわけであるが、それは英語らしくないので、「k」としていると思われ、あるいは9の「イガグリ」を「Egakury」と綴る「ry」なども同様の「感覚」を反映したものであろう。つまり、ここでのアルファベットは「ローマ字綴り」ではなく、当該日本語を英語風に綴ったということにみえる。

日本語に注目すると、1の「イケシャーシャー」に「シャンコツ」ともいうとある。その「シャンコツ」は『日本国語大辞典』第二版の見出し項目にはなっていない。5の「イタヅラモノ」は何だろう？　と思うが、『日本国語大辞典』第二版の見出し項目「いたずらもの」をみると、語義の4に「江戸時代、治安取り締まりの対象になった、正業をもたない非行者、治安を乱すもてあまし者。つまはじき者をいう」とある。

日本語と英語の地口

図48は『驥尾団子』第一八五号の記事であるが「日本語にて長く読むと西洋語に化けて仕まふもの」という題名がつけられている。「ミル（見）」を長音化すると英語の「ミール（meal）」（＝粉）というような例を集めたものだ。これを使って、地口をつくることもできる。例えば「日本語だと横になって気持ちがいいけど、英語だと打ち込まれてしまうものは何？」「答え：ネル（寝）」と「ネール（nail）」＝〈釘〉、のようなものだ。

英語を使ったことばあそびも明治期には少なからずみられるようになってくる。次にはそうしたものを紹介してみよう。よく知られているものに福澤諭吉とその長男の一太郎によって明治二十五年九月に出版された『開口笑話』（Pleasantries Done from English into Japanese）がある。日本における本格的な英和対訳の笑話集の嚆矢として評価されており、飯沢匡訳『開口笑話　明治の英和対訳ジョーク集』（一九八六年、冨山房）として復刻版が出版されている。格言的なもの二十篇、早口言葉二篇を含めた三五一篇が収められている。

ここでは『団々珍聞』や『驥尾団子』はこれに先立つものになる。『英和袖珍新字彙』（一八八八年、三省堂）や『ウェブスター氏新刊大辞書和訳字彙』（一八八八年、三省堂、これは『英和袖珍新字彙』（一八九〇年、三省堂）、『英和新辞林』（一八九四年、三省堂）、『学生用英和字典』（一八九四年、三省堂）、『英和故事熟語辞林』（一八九八年、博文館）、『英和新辞彙』（一九〇一年、鍾美堂）など、数多くの英和辞書を編纂しているイーストレーキ（Frederick Warrington Eastlake）（一八五八～一九〇五）が出版した『西洋謎々集（A COLLECTION OF RIDDLES, CONUNDRUMS, AND PUZZLES）』（一九〇三年、金刺《かなざし》書店）を紹介してみよう。

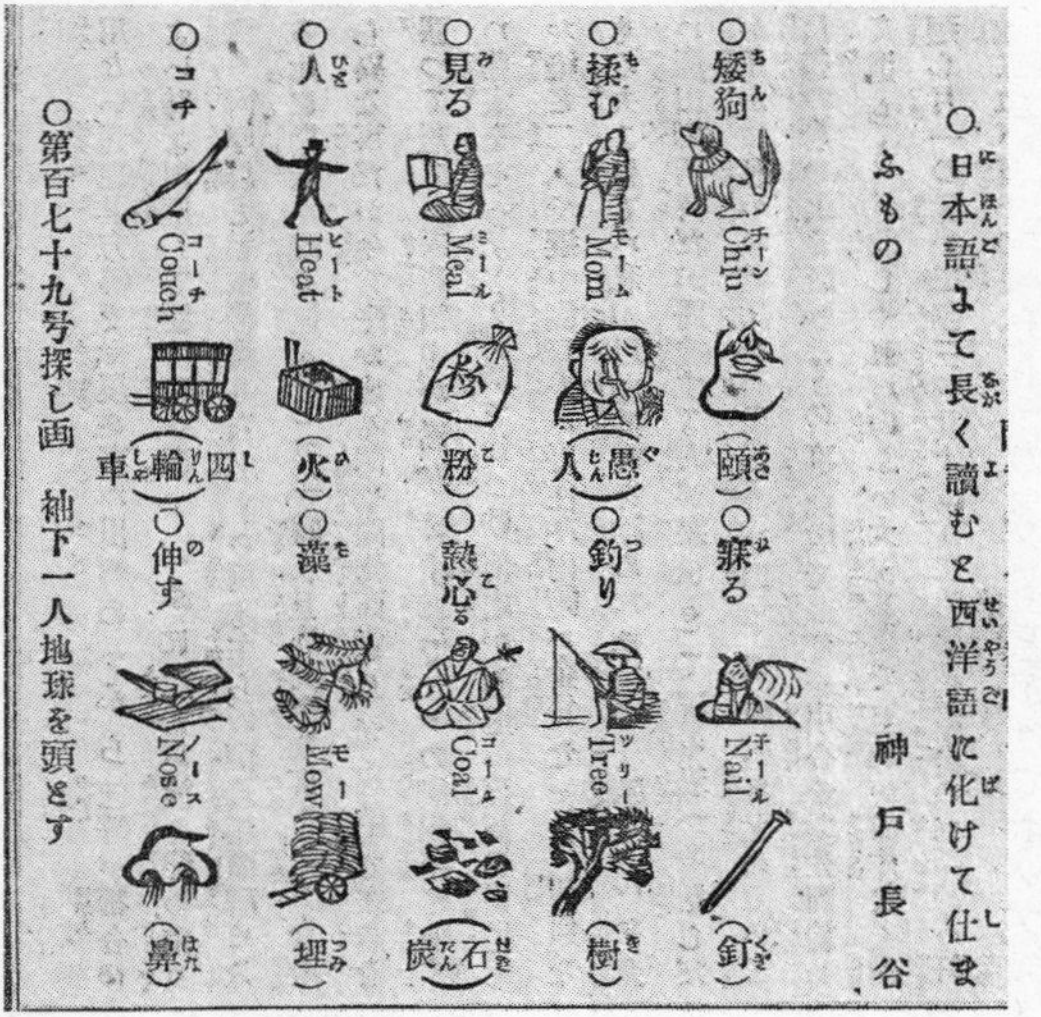

図48　日本語と英語との地口

「本文」は「一般の謎々（General Conundrums and Riddles）」「韻文の謎々（Poetical Conundrums）」「数学的智慧解き（Mathematical Puzzles）」に分かれている。「一般の謎々」から幾つか例を挙げてみよう。日本語と英語とを組み合わせたものではなく、いわば純粋な、英語に関する謎々といってよい。上部の数字は、この本での番号。英語の問、答の左側には、この本に示されている「和訳」を示す。説明として「註」が附されている場合はそれも添えた。

33

問の「アルベット」は「アルハベット」の誤植か。

4 問 Where can one always find happiness?
人が何時でも幸福を見出し得られるのは何処

答 In the dictionary.
字書の中

註 Happiness なる語は字書を探れば直ちに見出すことを得

6 問 Why is the letter G like the sun?
「ジー」の字とかけて太陽と解く。其心は

答 It is the center of light.
光の中心だ

註 Light なる語の中心。即ち真中の文字は「ジー」なり。解意は自から明かならん。

10 問 Why are two t's like hops?
「チー」の字二つとかけてホップ（忽布）と解く。其心は

答 Because they make beer better.
麦酒を一層精良にするから

註 Beer の中間に tt を挿入すれば better となる

33　問　When was B the first letter in the alphabet?
「ビー」の字がアルベットの初文字だつた時代は何つ
答　In the days of No-a (Noah).
ノアの時代に
註　No-a は a の無きとの意にして其音 Noah（古代史にあり）に通ず。
70　問　What four letters of the alphabet would frighten a thief?
アルハベット中の四の文字で、泥棒を驚かせるのは何に何に
答　O I C U (Oh! I see you).
オー、アイ、シー、ユー（オー見つけたぞ）
99　問　Why should a housekeeper never put the letter M into her refrigerator?
主婦は家の冷室《ヒヤシ》へ決して「エム」の字を入れないのは何故
答　Because it will change ice into mice.
「エム」は氷を変じて鼠とするから

謎々を使った英語学習ということなのであろうが、こういう本が出版されていることには注目しておきたい。99では「refrigerator」を「冷室《ヒヤシ》」と訳している。すでに浦和男によって指摘されているが、この本の巻末に添えられている広告の中に、同じイーストレーキによる『滑稽英和会話』という本が「袖珍　全一冊　不日発行」というかたちで

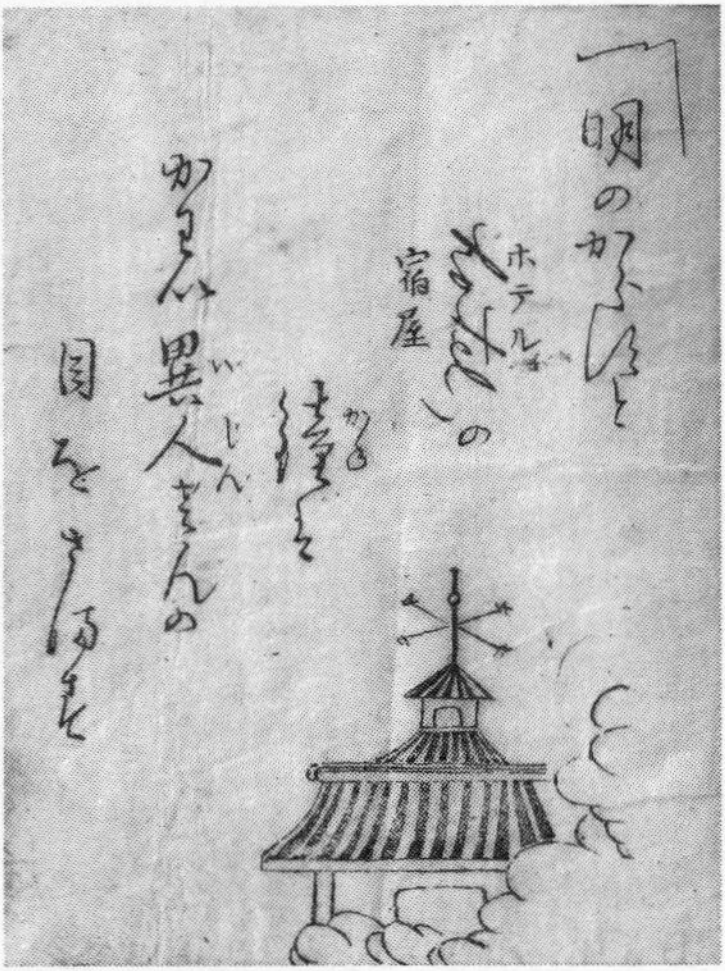

図49　『英語都々逸』

紹介されている。紹介文には「滑稽に関する有らゆる対話を網羅し一言忽ち解頤噴飯抱腹絶倒せしむる者一々応接ニ暇あらず」とある。浦和男は「未確認書」の中にこの本を入れており、実際に出版されているかどうかは不明である。

英語都々逸あれこれ

先に『団々珍聞』からのスピンオフとして『珍々集』を紹介したが、「英語＋都々逸」あるいは「漢詩＋都々逸」「漢語＋都々逸」というかたちの書物も出版されている。

図49は明治五年頃までに出版された松壽軒編『英語都々逸』である。この『英語都々逸』は新日本古典文学大系明治編4『和歌俳句歌謡音曲集』（二〇〇三年、岩波書店）にも原本の写真入りで収められているので、比較的容易にみることができる（図は筆者の所持本から採った）。

「明のからすとhotel《ホテル》, の鐘はかわい異人さんの目をさます」とある。「明」には振仮名がないが、「アケ」。「hotel《ホテル》」の左側には、「宿屋」とあって、語義を示している。この都々逸の場合、「ホテル」も「ヤドヤ（宿屋）」もともに三拍であるので、どちらを読んでも都々逸は成立する。この本が「明治五年頃までに出版された」と目されているのは、絵のホテルはその外観から判断すると、慶応四（一八六八）年に開業した、日本最初の本格的ホテルである「築地ホテル館」だと思われ、このホテルが明治五年二月二十六日の銀座の大火で類焼したからだ。都々逸に英語を詠み込んでいる。ちなみにいえば、「かわい異人さん」の「かわい」は（現代であれば「カアカア」と聞きなす）カラスの鳴き声を「カワイ」と聞きなしたもの。

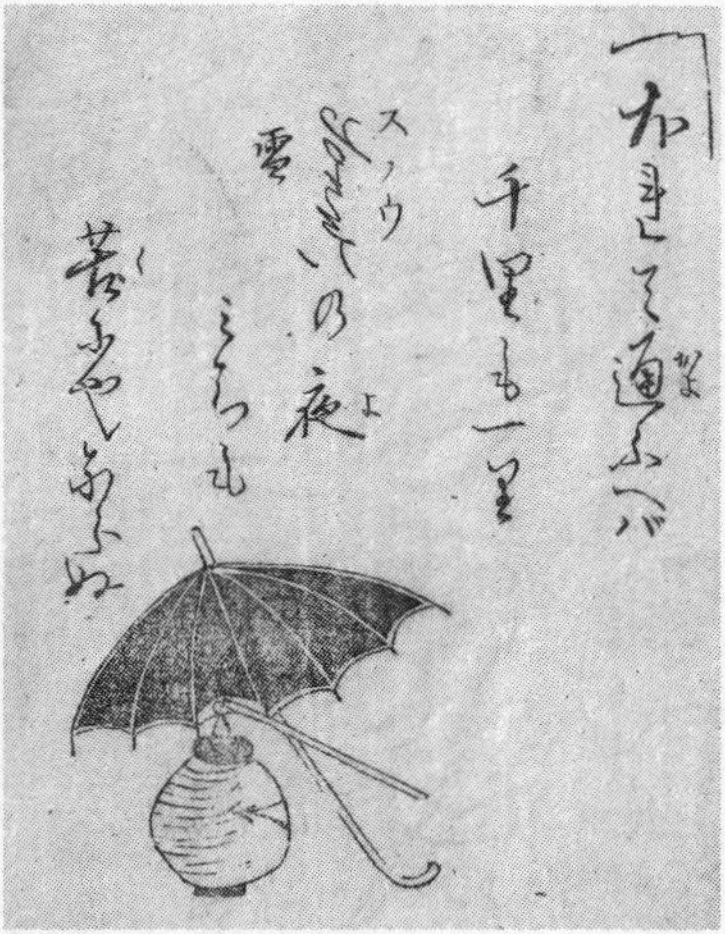

図50　『英語都々逸』

図50は「ほれて通ふへば千里も一里 sonw《スノウ》, の夜みちも苦にやならぬ」（「sonw」は誤植であろう。英語の綴りの誤植は他にもある）とあって、「sonw《スノウ》,」の左に「雪」と記されている。七七七五という都々逸からすれば、「スノウの夜みちも」では八拍になってしまうので、「雪の夜みちも」がよい。これはまだどちらでも成り立ちそうであるが、「忍ぶまい

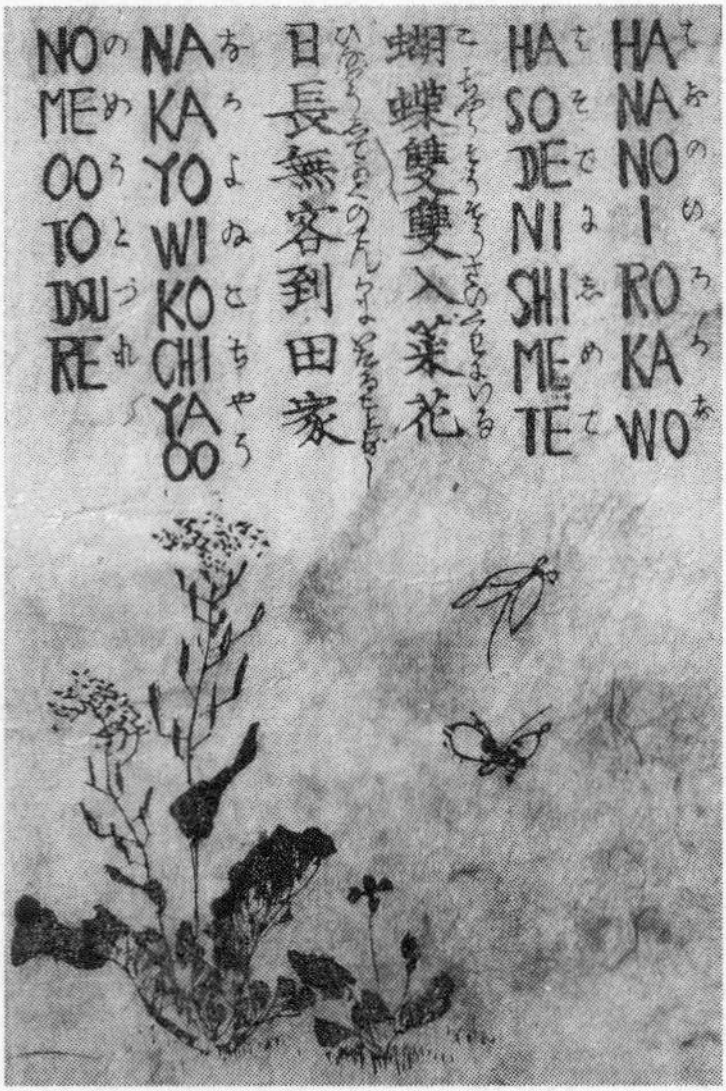

図51 『支那西洋国字都々逸』

とは其はじめからなかぬ glowworm《グローウウヲーム》, の身をこがす」では、「glowworm,《グローウウヲーム》」の左に「蛍」と記されており、「なかぬ蛍の身をこがす」でなければ、成り立たない。したがって、英語の右振仮名となっている（英語の）発音によって都々逸が成立している場合と、そうではなくて、英語の左に記されている日本語によって都々逸が成立している場合とがあることがわかる。都々逸に英語を詠み込むということ自体がことばあそびといえよう。

図51は明治四年の山兄晋水の序をもつ一書である。筆者所持本は題簽がなく、「よこもじ　どゝいつ」と平仮名で書かれた紙が表紙に貼りつけてあるが、調べてみると『支

那西洋国字都々逸』という題名であることがわかった。

この『支那西洋国字都々逸』は、（英語ではなく）日本語を「横文字」＝アルファベットで書いている。「はなのいろかおはそでにしめてなかよゐこちやうのめうとづれ」（花の色香を羽袖にしめて仲好い胡蝶の夫婦連れ）と振仮名が施されていて、「横文字」は「HA NA NO I RO KA WO HA SO DE NI SHI ME TE NA KA YO WI KO CHI YA OO NO ME OO TO DSU RE」と書かれている。より正確にいえば、仮名一字に対応するアルファベット（二字あるいは一字）を「縦書き」にしている。「日本語の観察」あるいは「日本語をどう文字化するか」という観点からは、興味深いことが幾つかある。

まず、振仮名では助詞「ヲ」に「お」が使われている。アルファベットは「WO」であるにもかかわらず、「を」ではなく「お」を使ったのはなぜだろうか。ただし他の箇所では「はなおまくらに」（花を枕に）を「HA NA O MA KU RA NI」と書いており、平仮名は「お」で、アルファベットも「O」をあてる場合もある。

また「ナカヨイ」の「イ」にアルファベットで「WI」があてられ、平仮名も（ワ行の）「ゐ」が使われている。「ヨイ」は「ヨキ」の音便形なので、「よい」と書くのが自然である。にもかかわらず「よゐ」と書いたのはなぜか。都々逸から判断すれば、「こちやう」は「胡蝶」であろう。絵にも蝶々が描かれている。「胡蝶」は仮名で書くとすれば、「こてふ」であるが、ここでは「こちやう」と書かれている。それは「こてふ」が正則的な書きかたであることがわかっていなかったのだ、というみかたも成り立たなくはない。そのみかたに従ったとして、しかし、発音としては「コチョー」であったはずだ。アルファベットは、「コチョー」という発音の語を書こうとしているのではなく、「こちやう」という仮名一字ずつを単位として、置き換えようとしているようにみえる。そうだとすれば、日本語の発音をアルファベットで文字化しようとしているのではなく、仮名によって文字化されたものの、仮名をアルファベットに置き換えようとしているということだ。さらに、右の例では、「こちやう」「めうと」の「う」を「OO」で書いていることがおもしろい。他の箇所では「ぬれてうれしき」（濡れて嬉しき）を「NURETEOORESHIKI」と書いており、「う」は「OO」と書くという認識があったか。

このようなことについて「議論」するとなると、「ではこの本では五十音をどのようにアルファベットで書いているか」という一覧表をつくって、当時の日本語の発音と照らし合わせて、「うまくアルファベット化できている」とか「当時の日本語の発音とは乖離している」とかいいそうだ。それはそれでもちろん「筋」であるが、そういう「双方向的な関係」が成り立っているかどうかということを考える必要もある。この本の場合、「仮名」←→「アルファベット」という「双方向」であるかどうかもはっきりとはしない。なぜなら、先に述べたように、日本語の仮名書きとしてみた時に、少し不自然にみえるからだ。となると、さらに外側に、「日本語としての発音は重々承知しているよ」という枠があって、それを「見えないうしろだて」にして、平仮名書き、すなわち振仮名部分が考えられ、その振仮名部分をアルファベット化する、という順序があったのではないだろうか。

さて、『支那西洋国字都々逸』の本であるが、真ん中に漢詩が挟まっている。右では、「蝴蝶雙雙入菜花　日長無客到田家」（蝴蝶雙雙、菜花に入る。日長うして客の田家に到る無し）という漢詩（の一部分）が入っている。これは中国、南宋の詩人、政治家である范成大（一一二六〜一一九三）の「晩春田園雑興十二首」と題された作品の一つで、この後は「鶏飛過籬犬吠竇、知有行商来買茶」（鶏は飛びて籬《まがき》を過え、犬は竇《あなぐら》に吠ゆ。知る、行商の来《きた》つて茶を買うこと有るを）と続く。後に紹介する漢詩都々逸である、山々亭有人《さんさんていありんど》撰の『唐詩作加那《とうしさかな》』は書名に「唐詩」とあるように『唐詩選』に載せられている漢詩を採り入れていることが多い。

中国、明時代に、文学の制作は古典文学作品の摸倣によるべきだという主張がおこった。文章であれば秦・漢、詩であれば盛唐の作品を絶対的な規範とする主張で、その主張に与する人は「古文辞派」と呼ばれた。日本において、この主張を積極的に採り入れたのが荻生徂徠（一六六六〜一七二八）で、その私塾である蘐園《けんえん》の名から蘐園（古文辞学派と呼ばれることもある。ちなみにいえば、「蘐」は『説文解字』で「萱《かや》」であるという説明があり、徂徠が日本橋茅場町に住んでいたところから、その「茅」＝萱から名づけたと考えられている。日本の古文辞蘐園学派においても、盛唐の詩を模範とし、中晩唐や宋詩に価値を認めなかった。

こうした古文辞蘐園学派に対して、天明、寛政の頃になると、宋詩風が提唱されるようになる。山本北山《やまもとほくざん》（一七五二～一八一二）は『作詩志彀《さくししこう》』を著わして、蘐園派の唐詩風を批判し、明末の袁宏道に由来する清新性霊派の詩論を展開する。「彀」は動詞では〈はる／射る〉、名詞では〈的〉という字義をもつ。山本北山以降は、次第に宋詩が注目され、化政期には宋詩風が主流となっていく。

つまり江戸時代は初めは唐詩を重んじていたが、次第に宋詩が重んじられるようになっていった。そういうことが「漢詩都々逸」にも何程か反映しているということだ。これは、これまでにも何度か繰り返し述べてきたことであるが、ことばあそびは、言語の上だけのあそびにとどまることもあるが、そうではなくて、文化的な背景をもって成り立っていることも少なくない。そういうことにも少し目を配るとことばあそびのおもしろさは、さらに増す。

図52はまた違った形式のもので、『［言語／注解］英語土渡逸』と名づけられている。図は筆者の所持している二輯から採ったが、この二輯の「序」は「浪華北陽　恋々山人半水」とある。また表紙裏には「房庵恋々山人作」とある。一荷堂半水（一八二八～一八八二）と名乗ることもあった。一荷堂半水は大阪の戯作者で、長谷川貞信と合作して、戯作本を多数著わしていることが指摘されている。

図には「シヤードウ」の左側には「シヤードウ者《しやあどうもの》じやといはれてゐるにスタル《すたる》のかげほど逢《あ》へぬ人《ひと》」とあって、「シヤードウ」の左側には「日《ひ》かげ」、「スタル」の左側には「星《ほし》」とある。「しやあどう」は四拍、「日かげ」は三拍、「すたる」は三拍、「星」は二拍で、それぞれ一拍しか異ならないので、右では、どちらでもなんとか都々逸が成り立つ。この次には「テイウライム《ていうらいむ》の身《み》とあきらめていつそ消《き》へたい我《わが》ミーン《みいん》」とあって、「テイウライム」の左側には「露霜《つゆしも》」とあり、「ミーン」の左側には「おもひ」とある。「テイウライムの身とあきらめて」は七七になるが、「つゆしもの身とあきらめて」では五七となってしまい、成り立たない。そのことからすれば、この本においては、右振仮名となっている語形によって都々逸が成り立っていることがわかる。この本では、英語をアルファベットで示すのではなく、片仮名書きで示している。そして漢詩は取り込まれていない。筆

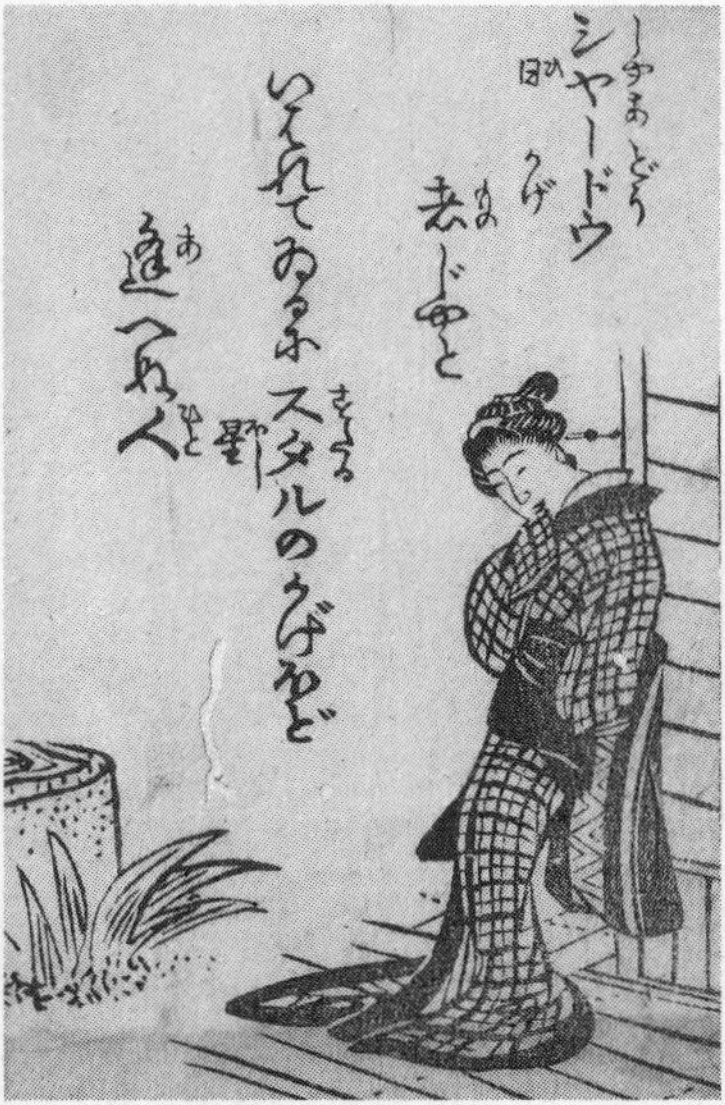

図52　『英語土渡逸』

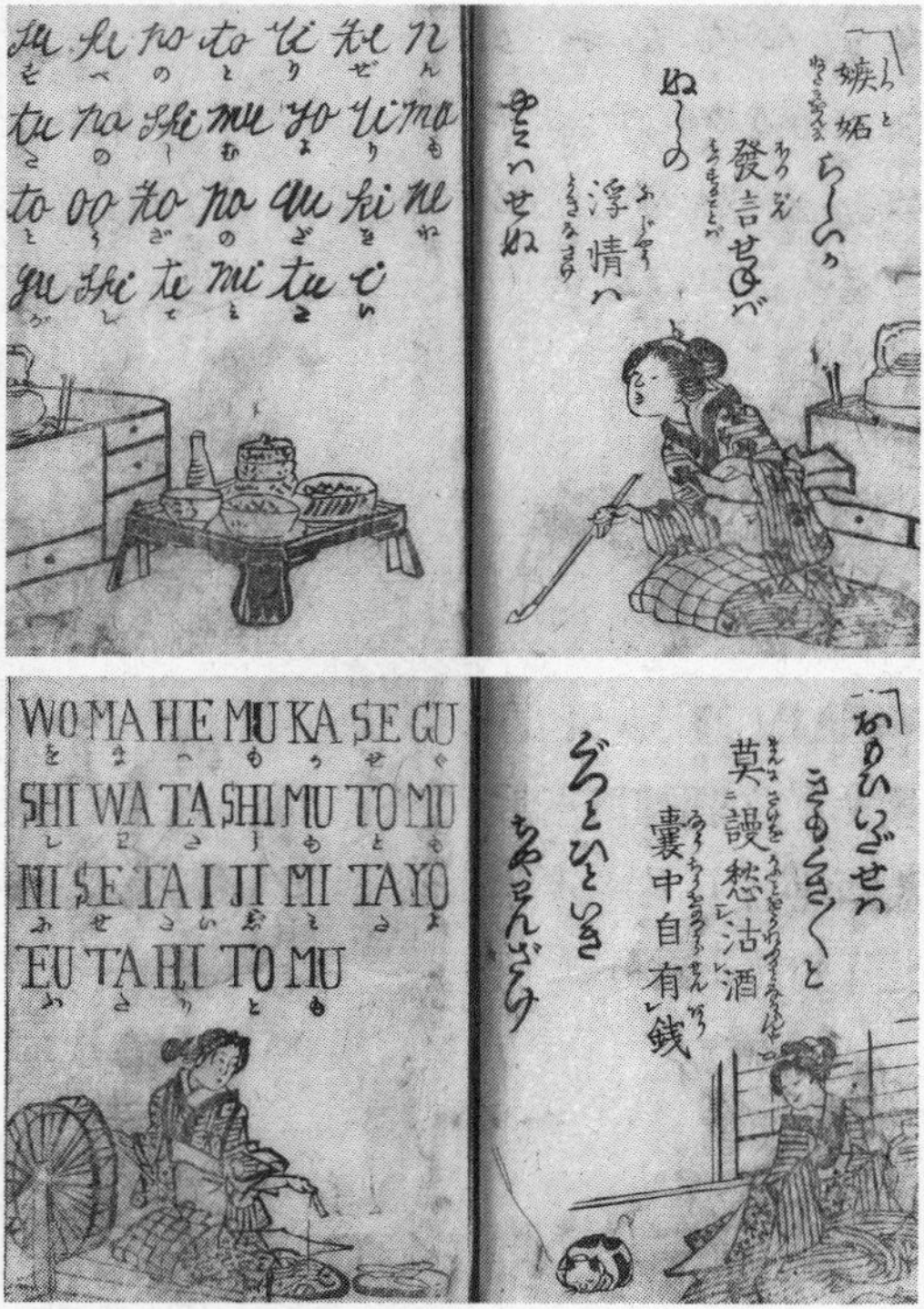

図53　『漢語詩入都々逸』初編

者が所持している二輯の刊記には『佛語度々市《ふつごどどいつ》』『獨逸土々市《どいつどどいつ》』の広告がだされているので、そうした企画もされていたのだろう。

図53はさらに異なる形式の『蟹字混交漢語詩入都々逸』初編である。表紙見返しには「三

木光齋編」とあり、「自序」の末尾には「辛未晩夏日」とある。明治で「辛未」は明治四年のみなので、この年にあたると思われる。角書きの「蟹字」はアルファベットを横書きすることからこのように呼ぶことがあった。「漢語詩入」は「漢語／漢詩」入りと理解するのがよいだろう。

上の図は右ページに漢語を詠み込んだ「漢語都々逸」が載せられ、左ページには「すへのとりぜんたのしむよりもとうざのだきねがしてみたい」（末の取り膳楽しむよりも当座の抱き寝がしてみたい）がアルファベット小文字の筆記体で記されている。

下の図では、「おもひいだせはきもくさ〳〵とぐつとひといきちやわんざけ」（思ひ出せば気もくさくさとぐつと一息茶碗酒）と右ページにあって、その間に、「莫㆓謾愁㆑沽㆑酒、嚢中自有㆑銭」（謾《みだり》に酒を沽《か》うを愁うること莫《な》かれ、嚢中《のうちゅう》自ずから銭有り）という、唐代の詩人である賀知章（六五九〜七四四）の「袁氏の別業に題す」という作品の三句四句がさしはさまれている。そして左ページには「をまへもかせぐしわたしもともにせたいじみたよふたりとも」（お前も稼ぐし私も共に世帯じみたよ二人とも）がアルファベット大文字の活字体で記されている。

小文字筆記体と大文字活字体とを示しているのは、教育的というよりは、両方示すことのおもしろさ、ということであろう。漢語を詠み込んだ「漢語都々逸」があり、英語を詠み込んだ「英語都々逸」がある。そこからさまざまなかたちの都々逸の本をうみだしていくということも、自由な精神の躍動といってもよいかもしれない。

開化都々逸

明治期には「開化」が書名に含まれている都々逸集が少なからず出版されている。ここでは『開化都々逸集』という一冊から都々逸を少し紹介しておこう。

1　松《まつ》といふ字は開化《かいくわ》のはじめ公《きみ》と木《ぼく》との女夫《めうと》づれ
2　松といふ字は木《き》へんに公《きみ》よ公がはなれりや木《ぼく》ひとり
3　西洋姿《せいようすがた》にづぼんとはまりそでないおかたにだまされた
4　ゆうびん会社《くわいしや》は出雲《いづも》の神よたがいに恋《こひ》じのとりかわせ
5　むこふ上気ができたにつけておまひはわたしをすてんしよふ
6　太政官でもそわれぬときはおそれ多《おほ》くも裁判所《さいはんしよ》
7　つれてにげれば戸籍がめんどふ死ねばしんぶんわらいぐさ
8　はりかねでたよりするよふな開化の時節わたしが心をうつしたい
9　恋《こひ》のやみ路《じ》へがすとふつけて迷《まよ》ふおかたの道《みち》しるべ
10　文明開化でらんふがはやるなけりやあんどてくらすのか

1と2とは「松」という漢字を「公」と「木」とに分けて、それぞれを「公」＝きみ、「木」＝ぼくにひきあてた、いわば字謎のような都々逸になっている。3は「づぼん」

を掛詞として使っている。同様に4では「とりかわせ」の「かわせ」に「為替」を掛けているし、5では「すてんしよふ」に「すてんしよ」＝「station」をかけている。「太政官」「がすとふ（ガス灯）」「らんふ（ランプ）」などは「文明開化」の象徴のような語としてとらえられていたと思われる。10の「あんど」は「行灯」と「安堵」とをかけている。

ここまで幕末から明治期にかけてのことばあそびをみてきた。明治期のことばあそびは、それまでのことばあそびを継承しながら、さらに多様に展開している。江戸時代との大きな違いは、英語を初めとする外国語と接触したことだろう。外国語をとりこむことでことばあそびはさらに複雑で多様なものとなっている。そしてことばあそびと文化のありかたとの結びつきが、これまで以上につよくみられるのも幕末、明治期のことばあそびの特徴かもしれない。

漢詩都々逸

図54は漢詩都々逸の集である山々亭有人『唐詩作加那』の四編の十九丁の表である。「恋《こひ》し〳〵がつい積《しやく》となり／胸《むね》にさしこむ窓《まど》の月《つき》いまや／来《く》るかとまつ身《み》はしらでまたぬひとこへ時鳥《ほと、ぎす》」と都々逸があげられ、その間に「一声山鳥曙雲外　万点水蛍秋草中」（一声の山鳥は曙雲の外、万点水蛍は秋草の中）という漢詩があげられている。この詩

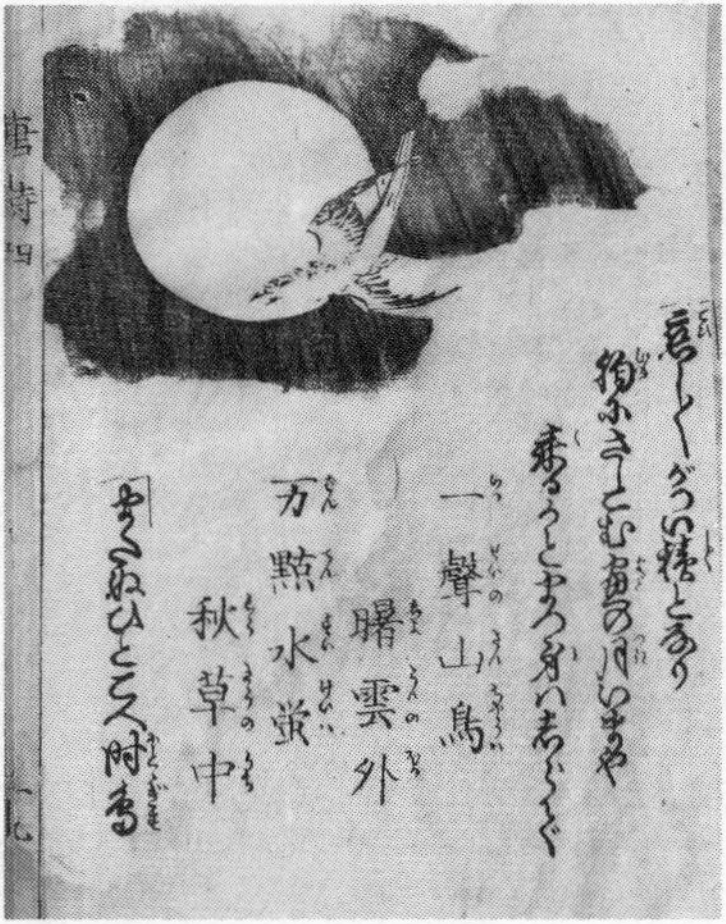

図54　『唐詩作加那』四編19丁表

は唐代の詩人である許渾（生没年未詳）の作品で、『和漢朗詠集』巻上、「郭公《ほととぎす》」の冒頭に掲げられている。したがって、この「山鳥」はホトトギスのことで、『唐詩作加那』の挿絵もホトトギスにみえる。ここでは、都々逸の「こころ」が漢詩の「こころ」と重なり合っているわけではないと思うが、「待たぬ一声時鳥」の「一声時鳥」は漢詩の「一声山鳥」とぴったりと重なる。

『和漢朗詠集』に収められた詩、和歌はよく知られ、（場合によっては）佳句として記憶され、また新たな歌作、詩作に「リメイク」されていったことが推測される。図55では「今宵《こよひ》別《わか》れりやァ／ひさしく逢《あは》ぬ／せかずと酒《さけ》でも呑《のま》しやんせ」という都々逸の間に「与君後会知何処　為我今朝尽一盃」（君と後会《こうくわい》せむこと何《いづ》れの処《ところ》とか知らむ。我が為に今朝一盃を尽《つく》せ）という白楽天の「臨都駅送崔十八」（臨都駅にして崔十八を送る）という詩の一部をあげている。この詩はやはり『和漢朗詠集』巻下の「餞別」の冒頭に掲げられている。この場合は、都々逸の「こころ」と漢詩の「こころ」とが重なっていると思われる。今の自分の「気分」を言語化しようとする。あるいは、設定されたある場面における女性の「気分」を言語化しようとする。「だいたいこんな感じかな」と思うその「感じ」と重なり合う古典文学作品の表現がぱっと頭に思い浮かぶ。例えば、そのようなプロセスを経て右のような「組み合わせ」ができあがる。「プロセス」と表現したが、それが一瞬にして成ることもあろう。あるいは逆に漢詩から、ある「場面」が想起されるということもあるかもしれない。「精神」という表現を仮に使うことにするが、「精神の飛翔、交錯」、それにかたちを与える「言語の飛翔、交錯」が右のような作

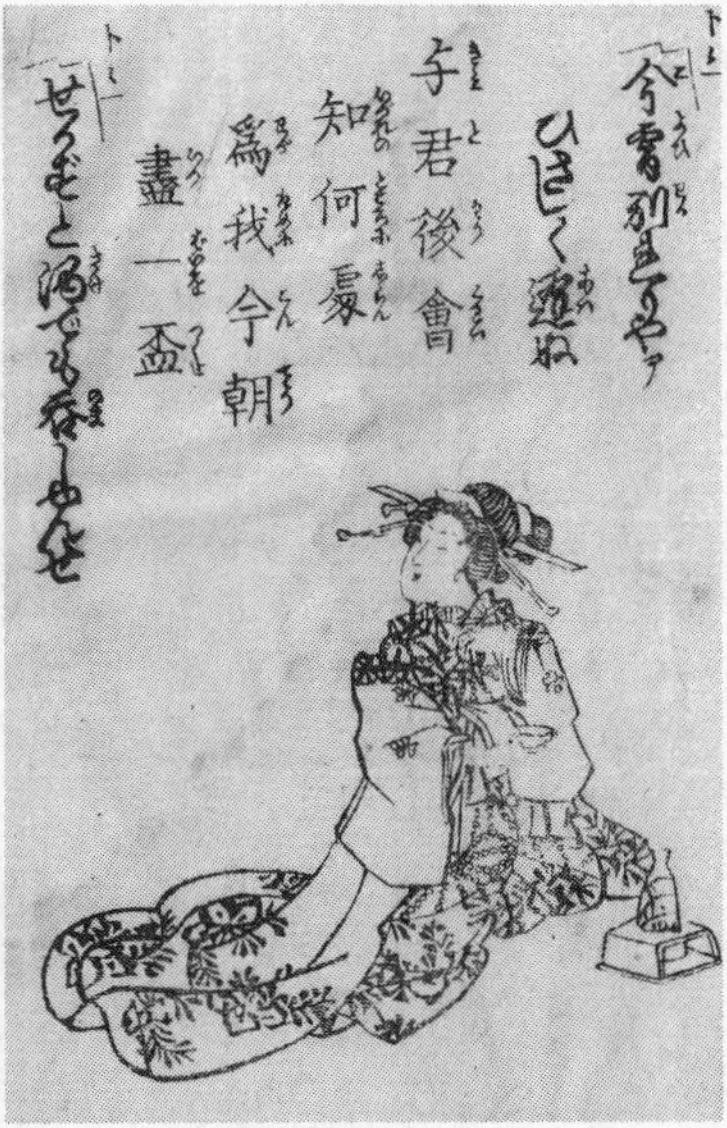

図55　『唐詩作加那』四編14丁表

品を支えていると考える。「パロディ」と呼ばれるようなものも、そうした「飛翔、交錯」が支えているはずだ。「言語の飛翔、交錯」はまさしく「ことばあそび」であるし、結局はそれは「精神の飛翔、交錯」に裏打ちされているとみることもできる。『唐詩作加那』と、例えば佐藤春夫『玉笛譜』や『車塵集』、あるいは井伏鱒二の『厄除け詩集』との「距離」は案外とちかいようにも思われる。

＊　＊　＊

ここまで、奈良時代、平安時代、中世、江戸時代、幕末・明治期と、おおむね時間軸に沿いながら、ことばあそびを紹介してきた。そして、そのことばあそびのおもしろさやポイントがわかりやすくなるようにできるかぎり丁寧に説明することを心がけた。時に筆者のつくった「新作（駄作）」も披露したが、それにつきあって「疲労した」とおっしゃるなかれ。ことばあそびには、「ああ、そういうものがあるのか」という「知るおもしろさ」がまずあり、それが謎々のようなものであれば、「解くおもしろさ」があり、同じようなことばあそびを「つくるおもしろさ」がある。囲碁のプロが詰め碁（＝囲碁の部分的な局面を示し、石の生き死にをつきとめる問題）を解いて碁が強くなり、強くなると自身で詰め碁をつくるようなものであろうか。

ことばあそびだから、結局は言語をめぐる「遊戯」＝言語遊戯ということになる。言語は「音素」が組み合わさって「語」を形成し、「語」が幾つか並んで「文」を形成し、「文」があるまとまりをもって「文章（＝作品／テキスト）」となる。「文章（＝作品／テキスト）」を単位として「あそぶ」とパロディになるが、本書ではそうした大きな言語単位の「あそび」についてはほとんどふれなかった。それはそれでまた一冊の本になるくらいの「重み」がある。

本書の中でも何度か述べたし、ここまでお読みになってくださった方はおわかりいただけたと思うが、日本の「ことばあそび」の中核には、和歌や連歌、さらには俳諧、川柳といった韻文の文学があるといってもよい。これらの日本の韻文は、どことどこには脚韻をふまなければならないといったような、韻の面での制限を実はもっていないので、定型詩ではあっても、厳密にいえば、韻文とまではいえない。それでもとにかく、定型詩という制約のもとで表現を組み立てていって成り立つものだ。制約のもとでの表現行為が言語についての観察を精密にし、さまざまな面から言語をとらえる「心性」を養う。凝った和歌をつくろう、気のきいた表現をしたい、そうした気持ちが、言語に向き合う「心性」を研ぎ澄ます。連歌と中世のことばあそびには密接なつながりが感じられる。少しはめをはずして連歌をつくる、ということとことばあそびは隣り合わせだ。

もう一つ思ったことは、何らかの「前提」のようなものがあって、その上でことばあそびが成立している場合が少なからずあるということだ。その「前提」とは、みなが知っている古典文学作品の一節であったり、古典文学作品の登場人物であったり、あるいは『源氏物語』の巻名であったりする。江戸時代であれば、東海道五十三次の宿駅名であったり、歌舞伎役者の名前であったり、江戸や京都の名所の名であったりする。あるいは、謡曲の一節であったりする。明治期であれば、清元や富本、長唄の一節であったりもする。こうした「前提」は、時期時期の人々に共有されている。共有されている「前提」は「教養」といってもよいだろう。今回、江戸時代あるいは幕末・明治期のことばあそびの「説明」をしていて、「これは現代ではまったく理解されないだろう」と思うものがかなりあった。古典文学作品が必ずしも親しいものでなくなり、能や歌舞伎にふれる機会も（社会全体としてみれば）必ずしも多くなく、俳句や川柳をつくる人も多くない、といった状況において、世代を超えて共有されているものは何なのだろう。これまでのことばあそびは過去とのつながりの中に成立していたといってもよい。

ソシュールがアナグラム（anagram）に興味をもっていたことは述べた。「アナグラム」にあたる日本語はない。例えば『三省堂国語辞典』第七版は「アナグラム」を「ある語句の文字の順序をならべかえて、別の語句にする遊び。つづり替（か）え」と説明する。「つづり替え」は「アナグラム」と過不足なく結びついていない。「アナグラム」はその言語を書くために使っている文字の「ならべかえ」だから、日本語の場合は、まずは仮名ということになる。仮名は音節文字であるので、「ならべかえ」の単位が音素文字であるアルファベットに比べて少し「大きい」。「大きい」と潜んでいるという感じがやや薄れる、つまり驚きがあまりない。「silent」を並べ替えると

「listen」になるとか、「dormitory」（学生寮）が「dirty room」（汚い部屋）になるとかはよく知られているアナグラムかと思うが、ちょっとおもしろい。日本では、福永武彦が加田伶太郎（かだれいたろう＝誰書いたろう）名で推理小説を書くなど、人名の「アナグラム」がよくみられる。

「いろは四十七文字」を並べ替えて新しい「いろは歌」をつくる。新たにつくられた「新いろは歌」はもとの「いろは歌」の「アナグラム」ということになる。日本においては、「いろは歌」の新作は長くつくられ続けている。

「ことばあそび」だから、そこには「あそび」がある。いつも使っている、伝達を主目的とする、「真面目な」ことばとは少し異なることばだ。「真面目なことば」に対して、いわば「少しくずれたことば」といってもよいかもしれない。前者をちょっといかめしく「標準的な言語」と言い換えれば、後者は「非標準的な言語」ということになる。「非標準的」であることが「笑い」を誘うこともあるだろうし、「非標準的」が（卑）俗な方面に向かうこともある。江戸時代においては、謎々も、地口も、そういう方面に向かっているものが少なくない。いや「少なくない」ではなくて「多い」かもしれない。この本の編集担当者は、筆者が「そういうのはどうしましょうか」とたずねた時に、「それは江戸文化の特色の一つなんだからじゃんじゃんいけばいいんじゃないですか」と言った。結果として「じゃんじゃん」いかなかったが、ここで扱わなくてもいいかなという気持ちだ。

最初に述べたように、これまでも「ことばあそび」についての本は数多く出版されている。どのような書き手が書くかによって、特徴があるようにみえる。本書は、「ことばあそび」がどうあそびとして成り立っているか、言語面からできるだけ丁寧に説明することを心がけたつもりだ。それが本書の特徴になっているとよい。本書においては紹介しきれなかった資料も少なくない。「ことばあそび」の迷宮はどこまでもひろがっているようにみえる。

参考文献

阿刀田高『ことば遊びの楽しみ』(二〇〇六年、岩波新書)
浦和男「明治後期における西洋笑話と英語学習書」(二〇〇九年、文教大学『文学部紀要』第二十二巻二号)
荻生待也『図説ことばあそび遊辞苑』(二〇〇七年、遊子館)
織田正吉『ジョークとトリック』(一九八三年、講談社現代新書)
織田正吉『ことば遊びコレクション』(一九八六年、講談社現代新書)
小野恭靖『ことば遊びの文学史』(一九九九年、新典社選書)
小野恭靖『ことば遊びへの招待』(二〇〇八年、新典社新書)
小野恭靖『ことばと文字の遊園地』(二〇一〇年、新典社新書)
小林祥次郎『日本のことば遊び』(二〇〇四年、勉誠出版)
鈴木棠三『ことば遊び』(一九七五年、中公新書)
鈴木棠三『なぞの研究』(一九八一年、講談社学術文庫)
鈴木棠三編『新版ことば遊び辞典』(一九八一年、東京堂出版)
鈴木棠三編『中世なぞなぞ集』(一九八五年、岩波文庫)
鈴木棠三『日本のなぞなぞ』(一九八六年、岩波ジュニア新書)
塚本邦雄『ことば遊び悦覧記』(一九八〇年、河出書房新社)
吉田正俊『西と東の狂言綺語』(一九七九年、大修館書店)
和田信二郎『巧智文学』(一九五〇年、明治書院)
渡辺信一郎『絵入りことば遊びを読む』(二〇〇〇年、東京堂出版)
綿谷雪『言語遊戯考』(一九二七年、発藻堂書院)
綿谷雪『言語遊戯の系譜』(一九六四年、青蛙房)

おわりに

本書中でも少しふれたが、『風土記』には地名の由来を説明する記事が少なからずみえる。〈凸凹、高低、深浅のある状態をいう〉と考えられている古代語に「タギタギシ」という形容詞がある。道が「タギタギシ」だったら、〈道が凸凹〉ということだ。道が「タギタギシ」かったので、その場所を「タギマ」と呼ぶ、という記事が『常陸国風土記』の行方郡の行《くだ》りにみえる。

現代の「心性《メンタリティ》」だったら、「じゃあ、マはどっから来たわけ?」とか、「タギタギシ」の「タギだけしか一致してないじゃない?」ということになりそうだ。しかしこれは「タギタギシ」と発音する語と「タギマ」と発音する地名とに「タギ」という共通する発音、音を聞いたということだろうと考える。

『風土記』は漢字で書かれたかたちで現在まで伝えられているので、『風土記』が編纂された時期に日本語を書くための文字がなかったわけではない。しかし、その時期は、おそらく音声言語が（文字言語よりも）優勢だったと推測できる。「音の時代」といえばよいだろうか。言語を使うということは、まず聴覚で音をとらえるということだっただろう。人々は耳を澄ませていろいろな音を聞いたことだろう。

現代は、といえば、文字言語が優勢といえるだろう。そう思わせられることにしばしば遭遇する。新書の原稿を出版社に渡す。校閲が入る。必ず経験するのは、ここでは「よむ」と書いているのに、こちらでは「読む」と書いているのはなぜか？　統一してくださいということだ。細かい校閲の場合、「よむ」が全部で何回、「読む」が全部で何回という数値まで示される。「読む」を発音すれば「ヨム」で、「よむ」を発音すれば当然「ヨム」だ。両者の発音は変わらない。あるいは「表わす」と書くと「表す」としないのか、とわざわざたずねられる。これは「送り仮名の付け方」が「表す」を「通則」としているからだが、「送り仮名の付け方」は「表わす」を「許容」の例として挙げている。「許容」は〈許す〉ということではないか、といつも思う。「送り仮名の付け方」が「許容」している書き方を許さないのは誰なのだろうか。編集者であろうか、読者の方々であろうか。

あるいは横書きの文章において算用数字で書かれている箇所を縦書きの文章中に引用する場合に、縦書きだから、漢数字に置き換えて書くと、原文では算用数字だからそうしなくていいのか、という校閲が入る。そんなことも許されないのだろうかと思う。「そっくりそのまま」でなければいけないのだろうか。

右のようにいろいろな疑問がある。二〇一六年四月二十八日の『朝日新聞』の「論壇時評」欄に歴史社会学者の小熊英二氏の「日本の非効率」「「うさぎ跳び」から卒業を」

という題名の文章が載せられている。かつて行なわれていた「うさぎ跳び」というトレーニングを「見当違いの努力」ととらえ、社会のさまざまな場面で、非効率な「うさぎ跳び」が行なわれているのではないか、という問題提起の記事だ。ちなみにいえば、筆者は、高等学校で卓球部に所属していたが、そこでは「うさぎ跳び」は膝をいためるからという理由で、「大うさぎ」というちょっと違うトレーニングを採り入れていた。

それはいいとして、ことがらは小熊英二氏の提起している社会問題よりもずっと小さいかもしれないが、過剰なまでに表記の統一をはかろうとしている現代人の「心性」も筆者には「うさぎ跳び」の類にみえることがある。

そうしているうちに、ことばの音に耳を澄ませる余裕がなくなる。余裕がないのだから、「ことばあそび」どころではなくなっていく。かくして現代人の言語生活はあそびのない、無味乾燥なものになっていく、ということはないだろうか。それが筆者の杞憂ならむしろいい。本書が、過去にはこんなことばあそびがあったということを読者の方々にうまく伝えることができ、「よし、ちょっと遊んでみるか」と思っていただければさいわいだ。

二〇一六年五月

今野真二

文庫版あとがき

本書は「河出ブックス」として二〇一六年六月に出版されたもので、今回文庫として出版するにあたって、全巻を読み返し、少しだけ手入れをした。出版から四年が経過しているので、もう少し手入れをしたくなるかと思ったが、そうでもなかったので、筆者に進歩がないともいえるが、それはそれで安心ではある。

このあとがきは二〇二〇年八月三十一日に書いているが、やはり二月頃からのことは書いておきたい。筆者の勤務している大学では三月一日が最後の入試で、それを行ない、採点をしている時に、マスクが入手しにくくなっているということが話題になった。迂闊にも、それに気づいていなかったので、採点が終わって帰宅する途中でコンビニエンスストアに寄ってみると、たしかに売り切れている。もう一軒に立ち寄って、そこにあった七枚入りのマスクを購入して帰宅した。

その後のことは簡略に書くが、学位授与式（卒業式）がなくなり、四月の入学式がなくなり、前期は五月に「遠隔授業」のかたちで始まることになり、八月七日に前期の授業が終わった。後期も「遠隔授業」をすることになっている。大学がしっかりした学習管理システム（Learning Management System ＝ＬＭＳ）を備えていたのでよかった。これまでも少し使ったことはあったが、「遠隔授業」を行なうにあたって、その機能をすみからすみまで知ることになった。大学に設置された支援センターでは、専任教員、非常勤教員からの質問等に迅速に対応してくれておおいに助かった。対応してくださっていた職員の方々のご尽力に感謝したい。非常勤の方からも「対応がしっかりしていてよかった」というメールもいただいた。

大学のＬＭＳも最大限に使ったが、インターネット上にある「情報」も最大限に活用せざるを得なくなった。学生は図書館が使えないので、まずどんなものがインターネット上にあるかを調べるところから始まった。その結果、かなりの「情報」がインターネット上にあることを実感した。一八九ページで紹介している『誹風たねふくべ』が早稲田大学が公開している「古典籍総合データベース」によって画像をみることは本書の中で述べている。二二三ページで紹介している『穿当珍話』は東京大学学術資産等アーカイブズポータルの「電子版霞亭文庫」で画像をみることができる。「遠隔授業」であれば、ＵＲＬをＬＭＳに置いて、学生に「各自で画像を確認しておいてください」と伝えるところだ。二二八ページで紹介している『当世風流地口須天宝』も、二四五ページで紹介している『白癡問答』も国文学研究資料館が公開している画像データベースですべてみることができる。

今後は紙に印刷された書籍だけではなく、電子書籍がつくられていくであろうが、インターネット上の「情報資源」と何らかのかたちで結びつけられているような、新しいかたちの書籍もつくられるようになるかもしれないと思ったりもする。そしてまたせっかく蓄積されているインターネット上の「情報」を紙の書籍にも「情報」として示すことによって紙の書籍のありかたも変わってくるかもしれない。

最初は「対面授業」と「遠隔授業」のメリット、デメリットのような話題が少なくなかった。しかし、半期ほど「遠隔授業」を行なって、最初はもちろんたいへんだったけれども、学生も教員もわかってきたことがある。それは「どちらがよいか」というようなことではないだろうということだ。「遠隔授業」によってできることも少なくないし、大学の教育ということを考えた場合に、「遠隔授業」のやりかたがなめらかに学びを促すこともあることが学生も教員もわかってきたのではないだろうか。これは紙の書籍と電子書籍も同じで、「どちらがよいか」ではないのだろう。いろいろなことを毎日考えた三月からの六ヶ月だった。今年は今日八月三十一日が「二百十日」だ。立春（二月四日）から数えて二百十日目ということであるが、思えばその頃にすでに「事態」が進行していたことになる。

二〇二〇年八月三十一日　二百十日の日に

今野真二

本書は二〇一六年六月に小社より刊行された
『ことばあそびの歴史――日本語の迷宮への招待』
（河出ブックス）を文庫化したものです。

日本語《にほんご》 ことばあそびの歴史《れきし》

二〇二〇年一一月一〇日　初版印刷
二〇二〇年一一月二〇日　初版発行

著　者　今野《こんの》真二《しんじ》
発行者　小野寺優
発行所　株式会社河出書房新社
〒一五一-〇〇五一
東京都渋谷区千駄ヶ谷二-三二-二
電話〇三-三四〇四-八六一一（編集）
〇三-三四〇四-一二〇一（営業）
http://www.kawade.co.jp/

ロゴ・表紙デザイン　粟津潔
本文フォーマット　佐々木暁
本文組版　KAWADE DTP WORKS
印刷・製本　中央精版印刷株式会社

Printed in Japan　ISBN978-4-309-41780-6

教科書では教えてくれない　ゆかいな日本語

今野真二　41653-3

日本語は単なるコミュニケーションの道具ではない。日本人はずっと日本語で遊んできたと言ってもよい。遊び心に満ちた、その豊かな世界を平易に解説。笑って読めて、ためになる日本語教室、開講。

教科書では教えてくれないゆかいな語彙力入門

今野真二　41701-1

語彙力は暗記では身につきません！　楽しい、だけど本格的。ゆかいに学べて、一生役に立つ日本語教室、開講。場面に応じた言葉をすっとひきだせる、ほんとうの語彙力の鍛えかたを授けます。

日本語のかたち

外山滋比古　41209-2

「思考の整理学」の著者による、ことばの姿形から考察する、数々の慧眼が光る出色の日本語論。スタイルの思想などから「形式」を復権する、日本人が失ったものを求めて。

大野晋の日本語相談

大野晋　41271-9

一ケ月の「ケ」はなぜ「か」と読む？　なぜアルは動詞なのにナイは形容詞？　日本人は外国語学習が下手なの？　読者の素朴な疑問87に日本語の泰斗が名回答。最高の日本語教室。

日本語と私

大野晋　41344-0

『広辞苑』基礎語千語の執筆、戦後の国字改革批判、そして孤軍奮闘した日本語タミル語同系論研究……「日本とは何か」その答えを求め、生涯を日本語の究明に賭けた稀代の国語学者の貴重な自伝的エッセイ。

日本人の神

大野晋　41265-8

日本語の「神」という言葉は、どのような内容を指し、どのように使われてきたのか？　西欧の God やゼウス、インドの仏とはどう違うのか？言葉の由来とともに日本人の精神史を探求した名著。

言葉の誕生を科学する

小川洋子／岡ノ谷一夫　41255-9

人間が“言葉”を生み出した謎に、科学はどこまで迫れるのか？　鳥のさえずり、クジラの泣き声……言葉の原型をもとめて人類以前に遡り、人気作家と気鋭の科学者が、言語誕生の瞬間を探る！

広辞苑先生、語源をさぐる

新村出　41599-4

あの『広辞苑』の編纂者で、日本の言語学の確立に大きく貢献した著者が、身近な事象の語源を尋ね、平たくのんびり語った愉しい語源談義。語源読み物の決定版です。

小説の読み方、書き方、訳し方

柴田元幸／高橋源一郎　41215-3

小説は、読むだけじゃもったいない。読んで、書いて、訳してみれば、百倍楽しめる！　文豪と人気翻訳者が〈読む＝書く＝訳す〉ための実践的メソッドを解説した、究極の小説入門。

時間のかかる読書

宮沢章夫　41336-5

脱線、飛躍、妄想、のろのろ、ぐずぐず――横光利一の名作短編「機械」を十一年かけて読んでみた。読書の楽しみはこんな端っこのところにある。本を愛する全ての人に捧げる伊藤整賞受賞作の名作。

絶望読書

頭木弘樹　41647-2

まだ立ち直れそうにない絶望の期間を、どうやって過ごせばいいのか？　いま悲しみの最中にいる人に、いつかの非常時へ備える人に、知っていてほしい絶望に寄り添う物語の効用と、命綱としての読書案内。

塩一トンの読書

須賀敦子　41319-8

「一トンの塩」をいっしょに舐めるうちにかけがえのない友人となった書物たち。本を読むことは息をすることと同じという須賀は、また当代無比の書評家だった。好きな本と作家をめぐる極上の読書日記。

現代語訳 古事記

福永武彦〔訳〕 40699-2

日本人なら誰もが知っている古典中の古典「古事記」を、実際に読んだ読者は少ない。名訳としても名高く、もっとも分かりやすい現代語訳として親しまれてきた名著をさらに読みやすい形で文庫化した決定版。

現代語訳 南総里見八犬伝 上

曲亭馬琴 白井喬二〔現代語訳〕 40709-8

わが国の伝奇小説中の「白眉」と称される江戸読本の代表作を、やはり伝奇小説家として名高い白井喬二が最も読みやすい名訳で忠実に再現した名著。長大な原文でしか入手できない名作を読める上下巻。

現代語訳 南総里見八犬伝 下

曲亭馬琴 白井喬二〔現代語訳〕 40710-4

全九集九十八巻、百六冊に及び、二十八年をかけて完成された日本文学史上稀に見る長篇にして、わが国最大の伝奇小説を、白井喬二が雄渾華麗な和漢混淆の原文を生かしつつ分かりやすくまとめた名抄訳。

現代語訳 徒然草

吉田兼好 佐藤春夫〔訳〕 40712-8

世間や日常生活を鮮やかに、明快に解く感覚を、名訳で読む文庫。合理的・論理的でありながら皮肉やユーモアに満ちあふれていて、極めて現代的な生活感覚と美的感覚を持つ精神的な糧となる代表的な名随筆。

現代語訳 義経記

高木卓〔訳〕 40727-2

源義経の生涯を描いた室町時代の軍記物語を、独文学者にして芥川賞を辞退した作家・高木卓の名訳で読む。武人の義経ではなく、落武者として平泉で落命する判官説話が軸になった特異な作品。

現代語訳 日本書紀

福永武彦〔訳〕 40764-7

日本人なら誰もが知っている「古事記」と「日本書紀」。好評の『古事記』に続いて待望の文庫化。最も分かりやすい現代語訳として親しまれてきた福永武彦訳の名著。『古事記』と比較しながら読む楽しみ。

現代語訳 歎異抄

親鸞　野間宏〔訳〕 40808-8

悩める者や罪深き者を救う念仏とは何か、他力本願の根本思想とは何か。浄土真宗の開祖である親鸞の著名な法話「歎異抄」と、手紙をまとめた「末燈鈔」を併録。野間宏の名訳で読む分かりやすい現代語の名著。

現代語訳 曾根崎心中

近松門左衛門　高野正巳／宇野信夫／田中澄江／飯沢匡〔訳〕 40886-6

一緒になれないならいっそ、と死を選んだお初と徳兵衛の実話を元に描かれた「曾根崎心中」など「作者の氏神」の呼び声高い近松門左衛門の傑作六篇を収録。舞台を知る訳者達が近松の言葉を現代に甦らせる。

現代語訳 歌舞伎名作集

小笠原恭子〔訳〕 40899-6

「仮名手本忠臣蔵」「菅原伝授手習鑑」「勧進帳」などの代表的な名場面を舞台の雰囲気そのままに現代語訳。通して演じられることの稀な演目の全編が堪能できるよう、詳細なあらすじ・解説を付した決定版。

現代語訳 竹取物語

川端康成〔訳〕 41261-0

光る竹から生まれた美しきかぐや姫をめぐり、五人のやんごとない貴公子たちが恋の駆け引きを繰り広げる。日本最古の物語をノーベル賞作家による美しい現代語訳で。川端自身による解説も併録。

現代の民話

松谷みよ子 41321-1

夢の知らせ、生まれ変わり、学校の怪談……今も民話はたえず新たに生まれ続けている。自らも採訪し続けた「現代民話」の第一人者が、奥深い「語り」の世界を豊かに伝える、待望の民話入門。

太宰よ！ 45人の追悼文集

河出書房新社編集部〔編〕 41614-4

井伏鱒二の弔辞をはじめ、坂口安吾、檀一雄、石川淳、田中英光ら同時代の作家や評論家、編集者、友人、家族など四十五人の追悼文を厳選収録。太宰の死を悼み、人となりに想いを馳せる一冊。

10代のうちに本当に読んでほしい「この一冊」

河出書房新社編集部〔編〕　41428-7

本好き三十人が「親も先生も薦めない本かもしれないけど、これだけは若いうちに読んでおくべき」と思う一冊を紹介。感動、恋愛、教養、ユーモア……様々な視点からの読書案内アンソロジー。

学校では教えてくれないお金の話

金子哲雄　41247-4

独特のマネー理論とユニークなキャラクターで愛された流通ジャーナリスト・金子哲雄氏による「お金」に関する一冊。夢を叶えるためにも必要なお金の知識を、身近な例を取り上げながら分かりやすく説明。

右翼と左翼はどうちがう？

雨宮処凛　41279-5

右翼と左翼、命懸けで闘い、求めているのはどちらも平和な社会。なのに、ぶつかり合うのはなぜか？　両方の活動を経験した著者が、歴史や現状をとことん噛み砕く。活動家六人への取材も収録。

女子の国はいつも内戦

辛酸なめ子　41289-4

女子の世界は、今も昔も格差社会です……。幼稚園で早くも女同士の人間関係の大変さに気付き、その後女子校で多感な時期を過ごした著者が、この戦場で生き残るための処世術を大公開！

自分はバカかもしれないと思ったときに読む本

竹内薫　41371-6

バカがいるのではない、バカはつくられるのだ！　人気サイエンス作家が、バカをこじらせないための秘訣を伝授。学生にも社会人にも効果テキメン！　カタいアタマをときほぐす、やわらか思考問題付き。

池上彰の　あした選挙へ行くまえに

池上彰　41459-1

いよいよ18歳選挙。あなたの１票で世の中は変わる！　選挙の仕組みから、衆議院と参議院、マニフェスト、一票の格差まで──おなじみの池上解説で、選挙と政治がゼロからわかる。

幸せを届けるボランティア　不幸を招くボランティア

田中優　41502-4

街頭募金、空缶拾いなどの身近な活動や災害ボランティアに海外援助……これってホントに役立ってる？　そこには小さな誤解やカン違いが潜んでいるかも。“いいこと”したその先に何があるのか考える一冊。

偽善のトリセツ

パオロ・マッツァリーノ　41660-1

愛は地球を救わない？　でも、「偽善」は誰かを救えるかもよ⁉　人は皆、偽善者。大切なのは、動機や気持ちではなく、結果である。倫理学と社会学から迫る、誰も知らない偽善の真実。

こころとお話のゆくえ

河合隼雄　41558-1

科学技術万能の時代に、お話の効用を。悠長で役に立ちそうもないものこそ、深い意味をもつ。深呼吸しないと見落としてしまうような真実に気づかされる五十三のエッセイ。

私が語り伝えたかったこと

河合隼雄　41517-8

これだけは残しておきたい、弱った心をなんとかし、問題だらけの現代社会に生きていく処方箋を。臨床心理学の第一人者・河合先生の、心の育み方を伝えるエッセイ、講演。インタビュー。没後十年。

世界一素朴な質問、宇宙一美しい答え

ジェンマ・エルウィン・ハリス〔編〕　西田美緒子〔訳〕　タイマタカシ〔絵〕　46493-0

科学、哲学、社会、スポーツなど、子どもたちが投げかけた身近な疑問に、ドーキンス、チョムスキーなどの世界的な第一人者はどう答えたのか？　世界18カ国で刊行の珠玉の回答集！

宇宙と人間　七つのなぞ

湯川秀樹　41280-1

宇宙、生命、物質、人間の心などに関する「なぞ」は古来、人々を惹きつけてやまない。本書は日本初のノーベル賞物理学者である著者が、人類の壮大なテーマを平易に語る。科学への真摯な情熱が伝わる名著。